笑

古龍自署

期之風貌

與

武俠小說

臥龍生作品 帶動武俠風潮

《飛燕驚龍》開一代武俠新風

《飛燕驚龍》(1958)爲臥龍生成名作，共48回，約120萬言。此書承《風塵俠隱》之餘烈，首倡「武林九大門派」及「江湖大一統」之說，更早於香港武俠巨匠金庸撰《笑傲江湖》(1967)所稱「千秋萬世，一統」達九年以上。流風所及，臺、港武俠作家無不效尤；而所謂「武林盟主」、「江湖霸業」等新提法，竟成爲社會大眾耳熟能詳的流行術語了。

《飛燕》一書可讀性高，格局甚大。主要是寫江湖群雄爲覬覦傳說中的武林奇書《歸元秘笈》而引起一連串的明爭暗鬥；再以一部假秘笈和萬年火龜爲餌，交插敘述武林九大門派（代表正派）彼此之間的爾虞我詐，以及天龍幫（代表反方）網羅天下奇人異士而與九大門派的對立衝突。其中崑崙派弟子楊夢寰偕師妹沈霞琳行道江湖，卻如夢似幻地成爲巾幗奇人朱若蘭、趙小蝶之絕世武功技驚天龍幫，而海天一叟李滄瀾復接連敗於沈霞琳、楊夢寰之手；致令其爭霸江湖之雄心盡泯，始化解了一場武林浩劫云。

在故事佈局上，本書以「懷璧其罪」（與真、假《歸元秘笈》有關）的楊夢寰屢遭險難，卻每獲武林紅妝垂青爲書膽(明)，又以金環二郎陶玉之嫉才害能，專與楊夢寰作對(暗)爲反派人物總代表。由是一明一暗交織成章，一波未平，一波又起，極盡波譎雲詭之能事。最後天龍幫冰消瓦解，陶玉帶著偷搶來的《歸元秘笈》跳下萬丈懸崖，生死不明，卻予人留下無窮想像空間。三年後，作者再續寫《風雨燕歸來》以交代陶玉重出江湖，爲惡世間，則力不從心，當屬狗尾續貂之作。

在人物塑造方面，臥龍生寫男主角楊夢寰中看不中用，固然乏善可陳，徹底失敗；但寫其他三名女主角如「天使的化身」沈霞琳聖潔無瑕，至情至性，處處惹人憐愛；「正義的女神」朱若蘭氣質高華，冷若冰霜，凜然不可犯；「無影女」李瑤紅則刁蠻任性，甘爲情死等等，均各擅勝場。乃至寫次要人物如「賓中之主」海天一叟李滄瀾之雄才大略，豪邁氣派；玉簫仙子之放蕩不羈，爲愛痴狂；以及八臂神翁聞公泰之老奸巨猾，天龍幫軍師王寒湘之冷傲自負等，亦多有可觀。

摘自 葉洪生、林保淳著
《台灣武俠小說發展史》

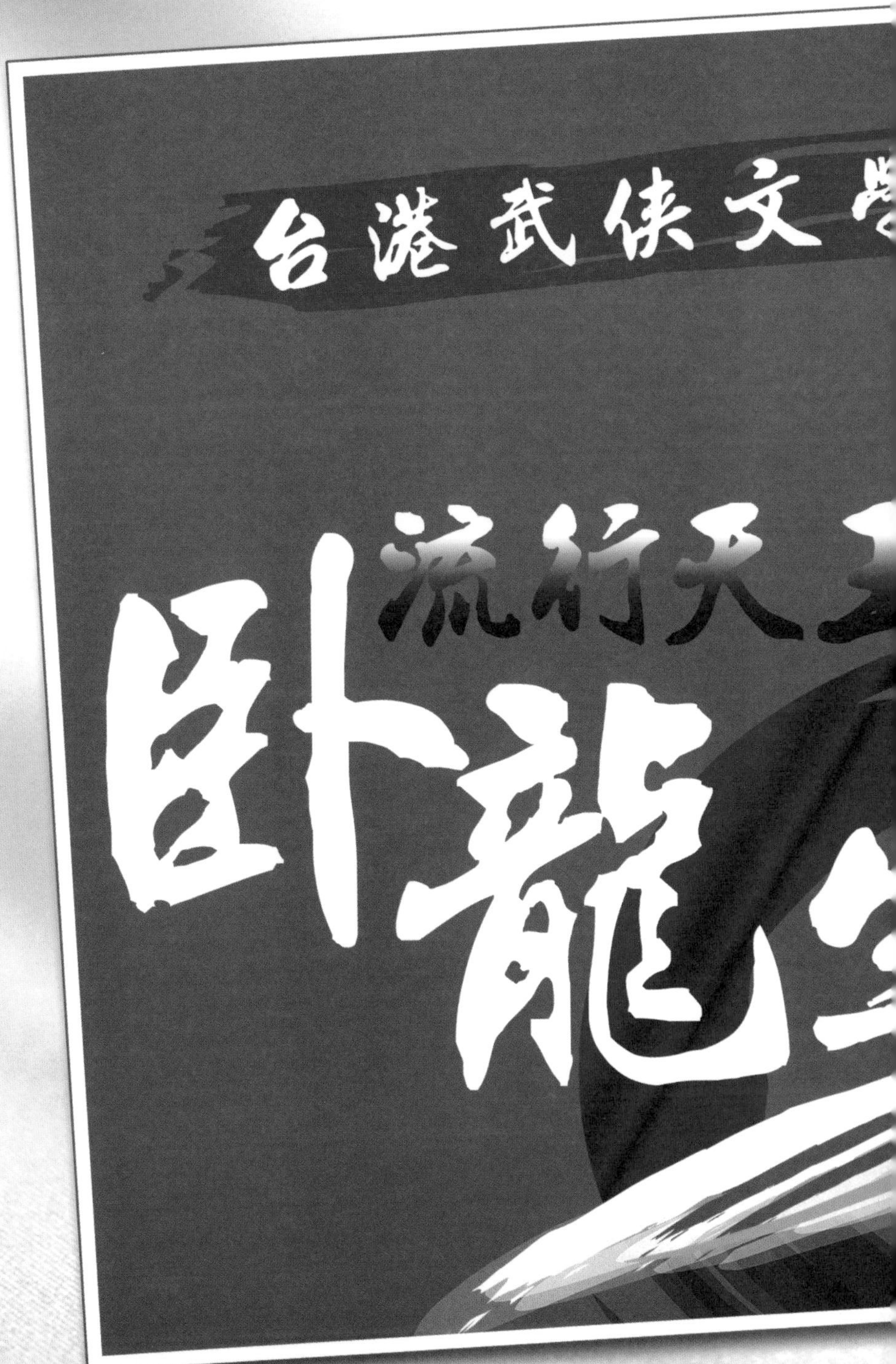
台港武俠文
流行天
臥龍

臥龍生是台灣最著名的武俠小說作家之一，自然也是海外新派武俠小說家中的重要一員。

在台灣武俠小說界，臥龍生曾獨領風騷被稱為「台灣武俠泰斗」。後來司馬翎、諸葛青雲脫穎而出，才與臥龍生並稱台灣俠壇的「三劍客」。那時候古龍還默默無聞。後來古龍名氣漸大，躋身高手之林，與「三劍客」合稱「台灣武俠小說四大家」，但臥龍生仍是深受讀者歡迎的武俠小說作家。

陳墨

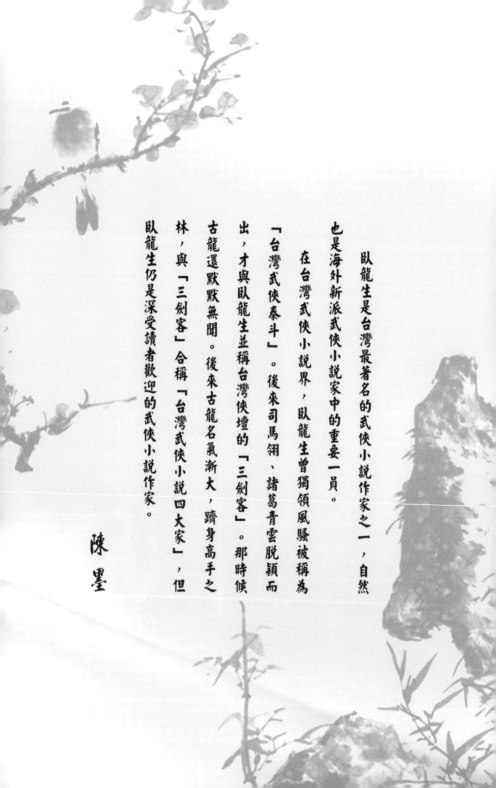

岳小釵（一）

臥龍生

武俠經典珍藏版 25

臥龍生精品集㉕

岳小釵(一)

目錄

武俠長卷的大轉折與大波濤
——《岳小釵》映現奇異命運

知名文學評論家
秦懷冰

《岳小釵》接續《金劍雕翎》，是臥龍生創作成熟期的扛鼎大作之完結篇。

在前篇《金劍雕翎》悉心鋪陳了一代英俠蕭翎從少年時身罹暗疾、全無武功，懵懵懂懂地被捲入自己毫不理解的江湖風暴之後，一路披荊斬棘，捨死忘生，居然逐漸成長為有資格捍衛武林正義的中流砥柱之士，受到武林中不少心懷俠義的血性人物或明或暗的支持。但話雖如此，在蕭翎和已然隱隱操縱江湖大局的曠代梟雄沈木風對抗時，仍不免處於劣勢，左支右絀。這自然是因為沈木風城府深沉，籌謀已久，暗中累積的實力自非蕭翎這邊臨時糾合而成、缺乏統一指揮體系的人馬所能抗衡。於是，千里拚搏、輾轉衝刺下來，蕭翎一方處境自是愈來愈艱險。

兩條伏線的啓動

驚心動魄的武林霸主爭奪戰，常是臥龍生用以設計故事、推展情節的一條主軸；藉由爭奪武林霸主的連番鬥智鬥力之役，來展示江湖風險、人心詭譎，並鋪墊一層又一層、一波又一波的陰謀與背叛，更是臥龍生武俠作品的特色所在。於是，隨著蕭翎在江湖上逐漸成長的歷程，以沈木風爲首的闇黑高手集團機謀百出，武林各大門派紛紛遭到臥底人物的顚覆，包括武當派、丐幫、蜀中唐門等指標性勢力都陷入風雨飄搖的困境，江湖道義眼看將要蕩然無存，使得已蒙名師精心淬煉可堪撐持局面的蕭翎義無反顧，必須以一步一腳印的承擔和抵抗，來與原先所謂義結金蘭的盟兄沈木風周旋到底。

作者在前書所佈的兩大伏線，一是「禁宮之鑰」的秘密，一是岳小釵的下落，隨著情節的推展，讀者當然會發現，這兩條伏線恰恰正是這番武林爭霸之戰的勝負關鍵所在。首先，沈木風集團既已藉由多年來潛伏的臥底人物，藉調配的藥物或掌握的隱私暗中操控了各大門派，蕭翎一方自不可能從江湖上現有的勢力中汲取抗爭的資源，故所能期望的只有出奇制勝，而藉由「禁宮之鑰」以取得如今儼然已傳爲武林神話的禁宮奇珍、武功秘笈，看看其中是否有可用來對付強敵的籌碼，便成爲無可奈何中的一線生機。其次，在千里轉戰中每逢蕭翎陷入絕境，往往獲得出乎意料的奧援，諸般蛛絲馬跡顯示，似是岳小釵遣人暗助。

禁宮之秘的滄桑

「禁宮之鑰」其實只是引子，幾經波折，蕭翎一方終於進入禁宮，但跟蹤而至的沈木風及以「世外隱士」宇文寒濤爲代表的第三方勢力介入爭奪，幾番爭鬥下卻發現：當年在此比鬥爭取天下第一之名的十大高手互相殘殺之餘皆已身亡，所遺奇珍亦早經搜括，稍有價值者只剩一柄金劍及「簫王」張放的武功手冊。臥龍生在揭開禁宮之秘時施展他擅長的「迴筆倒插」寫法，讓蕭翎等人警覺到原來當年進入禁宮的十大高手中，號稱「巧手神工」的包一天其實並未殞身，反而是他巧布絕命機關，暗算了其他九人。至此，包一天的去向也成爲牽動武林大局的重要變數，而因氣味相投，沈木風一方勢將爭取到包一天的加盟，殆屬必然。

值得注意的是，臥龍生著力抒寫宇文寒濤以「螳螂捕蟬，黃雀在後」的陰謀家行徑進入禁宮，企圖利用蕭、沈雙方勢不兩立的機會攫取漁人之利；接著，卻又回溯包一天暗算九大高手謀奪禁宮奇珍的軼事，其情其景，隱喻的意味簡直呼之欲出，不啻在呈現人性的貪婪與陰暗今昔雷同，從而採取不可告人的闇黑手段，亦是如出一轍。由此可見，臥龍生筆下的江湖爭霸情節，其實有相當一部份是在刻劃及挖掘人性的陰暗面與複雜面。而經過了波譎雲詭的禁宮之爭後，蕭翎當然領悟到，若想力抗來勢洶洶的強權，捍衛自己一方的尊嚴，主要是憑不屈不撓的自主意志，以及有情有義的俠者情操；奇珍、秘笈等等，得之固然可喜，卻不可能操之在己，畢竟只能是輔助的資源而已。

爭霸之戰的關鍵

就在強敵咄咄逼人，情勢岌岌可危的時刻，岳小釵不但神出鬼沒地介入蕭、沈鬥爭的格局中，而且終於現身與蕭翎相見。然而，岳小釵失蹤期間曾受「簫王」張放嫡孫「玉簫郎君」張俊救助，並引進已遁入空門、但與張家淵源甚深的忘情師太門下。其間，張俊及同門高手藍玉棠均不可遏抑地愛上了岳小釵，卻因岳小釵掛念蕭翎而心生妒忌；故而，在蕭、沈雙方轉戰千里的漫長過程中，張、藍對蕭翎的敵意使得整個局面更有利於沈木風集團。所幸蕭翎一方雖然屢次處於劣境，但因世外巨擘「北天尊者」之女百里冰始終信任蕭翎，而「毒手藥王」之女南宮玉亦因蕭翎屢次放自己的血拯救她而心懷感恩；因此，沈木風拉攏此二巨擘未果，以致蕭翎一方得以傾而不墜，苦苦支撐。

情節進展至此，作者的佈局是以岳小釵情歸何處，作為蕭、沈之戰最終成敗的關鍵，已是昭然若揭。但在岳小釵作出抉擇後，蕭翎仍需賴身在沈木風陣營的金花夫人反戈一擊，避不露面的北天尊者暗中壓陣，及默默窺視的毒手藥王對偏向敵營的超級高手包一天施毒嚇阻，才得以反敗為勝。這顯示，岳小釵與蕭翎的悲歡離合這條伏線，雖是臥龍生佈局此書的主線，卻仍有分岔而出的諸多旁枝。

生具媚骨與命犯桃花

事實上，岳小釵持身端莊、冷若冰霜，卻仍引得青年高手張俊、藍玉棠如醉如痴地迷戀，究其原委，正是臥龍生所強調的乃因她「生具媚骨」之故，並非她刻意展佈色相招蜂引蝶所致。而蕭翎之所以在不知不覺間引得岳小釵鍾情，更惹起百里冰、南宮玉、乃至金花夫人的垂青眷戀，亦即一般所謂「命犯桃花」，也正是臥龍生作品中用以推展情節時相當鮮明的招數。除了臥龍生在書中作過命理學的註釋外，若從當代醫學、心理學，尤其腦神經科學的角度而言，亦可解釋爲岳小釵、蕭翎等少數特定人物，因具有某種易吸引異性的「費洛蒙」，故而特別容易激發一些和其「費洛蒙」有共振的異性趨之若鶩。

從《金劍雕翎》到《岳小釵》，臥龍生可謂施盡渾身解數，將他的武俠寫作推向「集大成」的境域。從「生具媚骨」到「命犯桃花」，臥龍生的作品精髓是以男女情感的悲歡離合及情慾的起伏升沈，來融化武林爭霸、江湖風雲的種種闇黑鬥爭。至此，臥龍生在台灣武俠小說發展史上的特質和定位，難道不是已有目共睹？

一　出奇制勝

幾度夕陽照殘山，幾度曉風拂明月。

此刻天上無月，但室中有燈。

一燈如豆，蕭翎正對著孤燈出神。

與當代梟雄沈木風鬥智鬥力至此，雖未全面落敗，但確已居於下風。

金花夫人抱傷而去，狀似無情卻有情。

她依附沈木風，不肯離開百花山莊，是真的貪生怕死呢？還是為了要幫助蕭翎？蕭翎想了很久、很久，仍然不能肯定。

孫不邪緩步行了進來，道：「怎麼，小兄弟，你一直沒有坐息？」

蕭翎輕輕歎息一聲，道：「我在想……」

緊隨在孫不邪身後的無為道長接道：「蕭大俠，可是在為那金花夫人擔心？」

蕭翎道：「我受她的太多，卻無法回報萬一。」

無為道長道：「來日方長，以後咱們找機會報答她就是……」

回顧了孫不邪一眼，接道：「蕭大俠完全沒有休息，讓他坐息一下再去吧。」

孫不邪歎了口氣，道：「小兄弟，要你坐息一下，養養精神，你卻在想心事，金花夫人有什麼好想的，她心狠手辣，殺人無數，真要死了，江湖上就少了一個禍害，何況她足智多謀，滿身俱是毒物，想殺她，還真不是一件容易的事，用不著再替她擔心了。」

蕭翎道：「我、我……」

孫不邪接道：「無爲道長不放心留在山上的武當弟子，但又怕你大傷初癒，不宜過分勞累，讓你休息一下，唉，想不到啊！你卻在瞪著眼睛想心事。」

蕭翎霍然站起，道：「對！應該去看看他們，小弟傷勢已癒，精神好得很。」

無爲道長道：「不用急在一時，蕭大俠，還是坐息一陣再說吧！」

蕭翎道：「不用了，此刻情勢詭異，波譎多變，不能再有差錯，咱們走吧！」熄去燈火，當先行出房門。

仰首望天，曉色已現。

商八、杜九、司馬乾等，早已在室外等候。

無爲道長放步而行，道：「貧道帶路。」

蕭翎緊隨其後。

行到一處山崖之下，無爲道長突然停下腳步，回顧了蕭翎一眼，黯然說道：「也許咱們來晚了一步了。」

蕭翎道：「可是有了什麼變故？」

無爲道長道：「他們如不是已撤離此地，可能早已有了意外之變。」

蕭翎心中暗道：這話倒是不錯，如若這懸崖之下，還有武當弟子，縱然不來迎接他們的掌門人，亦該在懸崖之下，布有守望之人才是。

這時，孫不邪、中州二賈、司馬乾等，都有著一種不尋常的感覺，覺出了情勢有些不對。

無爲道長加快腳步，奔向一座茅舍。

蕭翎緊隨在無爲道長身後，暗自運功戒備。

他連番經歷凶險，閱歷大增，口雖不言，心知隨同無爲道長來此之人，大都是武當門下武功高強的人物，一派精銳，盡集於斯。

如有了什麼慘變，武當所受的打擊，實是非同小可。

忖思之間，已然奔近茅舍。

無爲道長突然停了腳步，回顧了蕭翎一眼，緩緩伸出左手，按在木門之上。

他雖力持鎭靜，但蕭翎瞧出他的手在微微發抖，似是這一扇木門，有著千鈞以上之力，無爲道長必須用盡全身的力氣，才能推開這扇木門。

蕭翎暗暗歎息一聲，突然行進一步，守在無爲道長的身側。

他心知無爲道長此刻心情，沉重無比，反應不如平常迅快，這座茅舍中，可能橫著武當門下弟子的屍體，也可能潛伏著強敵，是以守在無爲道長身側，以便能及時保護。

只聽木門呀然而開，目光下，室中景物盡現。

一切都未在幾人的預料之中，室中既無橫陳屍體，亦無潛伏的強敵。

只見雲陽子居中盤膝而坐，在他兩側，分坐著六個道袍揹劍的武當弟子。

似是七人都受了很重的內傷，正在盤坐調息。

蕭翎早已掌心蓄勁，準備隨時出手，但是室中既無大變，頓時放下心中一塊重鉛，長長吁一口氣，散去蓄在掌心的內力。

無爲道長輕歎一聲，道：「師弟無恙嗎？」舉步向屋中行去。

只見雲陽子睜開雙目，望了無爲道長和蕭翎一眼，重又閉上雙目，默然不言。

無爲道長輕輕歎息一聲，道：「師弟內傷很重嗎？」緩步行了過去。

蕭翎緊隨無爲道長身後，行入室中。

雲陽子重又啓開雙目，望了無爲道長一眼，微微頷首。

無爲道長道：「師弟傷在何處?快給爲兄瞧瞧。」

急步奔向雲陽子。

雲陽子仍然是靜坐不動，直待無爲道長行到身側時，突然一躍而起，駢指如戟，點向無爲道長的肋間大包穴。

無爲道長正在感傷悲痛之際，作夢也未料到雲陽子會向自己下手，微一怔神間，雲陽子的指尖，已然觸及道袍。

突起意外，匆忙間一吸真氣，向旁側讓去。

雲陽子出手奇快，變招更是迅如電火，眼看無爲道長避開大包要穴，立時一伸右腕，點向京門要穴。

無爲道長雖然有著過人的武功，但在驚痛恍惚之中，毫無戒備之下，再也無法避開這迅如奔雷、變化莫測的突襲，竟被對方一指點中穴道，頓感半身痲木。

但他究是一代掌門之才，武功成就極高，當下冷哼一聲，反掌切出，擊向雲陽子右腕脈門。

就在雲陽子突起施襲，攻向那無爲道長的同時，分坐在雲陽子兩側六個道人，也陡然一齊躍起，向蕭翎撲去。

六人似是早已分定攻襲的方位，十二隻手掌，不約而同一齊遞出，分攻向蕭翎一十二處部位。

猝然驚變，禍起肘腋，蕭翎亦是毫無戒備，眼看一片掌影，分由四面八方湧來，心知已難在一招之間，拒擋住四面八方的攻襲，當下雙掌齊起，護住要穴，身子斜向一側閃去。

只聽砰砰兩聲，左肩、後背，各中一掌。

那道人發掌雖重，但因蕭翎練習的玄門正宗內功，乾清罡氣，已有小成，雖未來得及運氣護身，但他本能的反應，護住了中掌之處，傷而不重。

六個道人眼看蕭翎中掌之後，竟然沒有倒下，擊中蕭翎的兩個道人，反覺手腕麻木，各自後退了一步，心中大是驚駭！

但聞左側一個道人，道：「拔劍，以六合劍陣圍住他！」語聲甫落，室中劍光連閃，一片劍影，湧向蕭翎。

蕭翎身中兩掌，受傷雖然不重，但因自己毫無防備，故被打得血氣翻湧，一時間，竟無法運氣反擊。

直待六個道人拔出長劍，四面圍來，蕭翎才緩過一口氣，大喝一聲，疾發四掌，以擋四面來勢，反腕拔出長劍，一招「雲氣瀰空」，湧起一重劍氣，護住身子。

但聞一陣金鐵交鳴的脆響，六柄攻向蕭翎的長劍，盡被震盪開去。

六個道人，似是亦知遇上了從所未遇的勁敵，長劍被蕭翎震開之後，不再急進建功，發動六合劍陣，以佳妙絕倫的配合，把蕭翎團團圍困在六合劍陣之中。

蕭翎心中怒火高漲，長劍出鞘，展開快攻，希望能先傷幾人，以消心頭之火，哪知對方六合劍陣，佳妙無比的配合，竟然把蕭翎快速的劍勢，給封了起來。

蕭翎連攻十幾劍，都給對方側襲而至的長劍及時封架開去，才知被困於變化奇奧的劍陣之中，不敢再莽撞出手，劍勢一變，改採守勢。

他昔年學藝三聖谷中，曾聽恩師莊山貝談論過劍陣的妙用，奇奧的劍陣，並非一加一成二的威力，而是每一方，都是有著組陣之人的全部力量，劍劍相因，一體連鎖，合則相因相成，分則各具妙用。

六個人組成的六合劍陣，雖然已把蕭翎生生困住，但蕭翎得自莊山貝所授奇奧的劍法，改持守勢之後，有如光幕繞體，森嚴無比，任他六合劍陣威勢驚人，也無法傷得蕭翎分毫。

但無爲道長卻已被鬥得險象環生，在雲陽子一招快過一招的迫攻之下，顯得手忙腳亂。

原來，他穴道受制，半身痲木不靈，運掌轉動之間，力難從心，被那雲陽子掌、指並施的攻勢，迫得難以兼顧，招招都在間不容髮之中避過。

蕭翎雖然瞧出那無爲道長的危險處境，但自身被困於六合劍陣中難以突圍而出，心中大爲焦急，暗道：孫不邪等都是江湖經驗豐富之人，怎的拖延這久不來？

忖思之間，突聞砰的一聲大震，無爲道長身軀搖了兩搖，摔倒在地上。

雲陽子右手疾伸，點了無爲道長的穴道。

蕭翎見勢心中大急，暗道：孫不邪等久久不來，只怕亦被強敵所阻，看情形是無法等到他們來支援了。

心念轉動，劍勢隨著一變，左掌右劍，全力施爲。

他同時施出了莊山貝、南逸公，兩大奇人高手的絕藝，威勢的凶猛，有如驚濤裂岸，洪流潰堤，整個的六合劍陣，都被他迫得團團亂轉。

六合劍陣的威勢，雖被蕭翎的劍勢壓了下去，但蕭翎一時之間，也無法破圍而去。

只見那雲陽子點了無爲道長的穴道之後，伸手從懷中摸出一條絲帶，竟把無爲道長結結實實地捆了起來。

蕭翎眼看著無爲道長被人捆起，自己卻無法相救，一股怨恨之氣，直沖而上，右手長劍連出三招絕學，灑了一片劍花，左手疾快無比地套上了一隻蛟皮手套。

他默察情勢，如若不用心機，不出奇兵，單憑武功，想闖出這六合劍陣，仍需一段很長時間的搏鬥，必得設法，使出出人意外的手法，才可一舉間破了強敵。

這時，蕭翎雖然還未能完全了然這六合劍陣的變化，但已隱隱覺出他們的劍路，當下劍勢微斂，故意露出一個破綻。

六個人被蕭翎狂風急雨一般的反擊之勢，迫得幾乎亂了陣法，心中暗自驚駭，但六人心中明白，六合劍陣不散，還可拒擋一時，如是陣法亂去，六人各自爲戰，那將無法拒擋蕭翎十回合以上，是以各出全力，維持著六合劍陣。

眼看蕭翎急攻之後，突然露出破綻，不暇多思，兩柄長劍，乘隙攻入，如若蕭翎回劍來救，縱然能把這兩柄長劍封架開去，另外四柄劍，都將乘虛由四方攻入，那才是致命的一擊。

哪知蕭翎左手探出，竟向劍上抓去。

那執劍人冷笑一聲，劍勢故意一緩，讓蕭翎五指抓住長劍，心中暗道：就算你練過金鐘罩、鐵布衫的武功，也難擋我劍鋒橫轉再削之勢，怎敢如此狂妄。

忖思之間，手中的長劍已被蕭翎抓住，當下暗中運氣一轉，發出內勁，推動劍勢，劍鋒由內向外削去。

這是一種巧勁，一個人總是血肉之軀，不論他練成什麼武功，凡是能夠避刀避劍的，大都是憑藉著一股勁氣，那道人讓蕭翎抓住了劍勢之後，再做轉動，這正是破解勁氣的方法，準備一下削斷蕭翎的手指。

但他卻不知蕭翎手中已套上了可避刀劍的千年蛟皮手套。

那道人一劍推削過去，未能削下蕭翎手指，蕭翎卻趁機猛然向內一收，那道人遂身不由己地向前一傾。

方位離動，六合劍陣整個的變化，突然受阻。

蕭翎飛起一腳踢了過去，正中那道人左膝之上。

只聽那道人悶哼一聲，左膝生生被蕭翎踢斷，一跤跌坐地上。

六合劍陣，失去了一人，全陣的奧妙變化，效用頓失。

蕭翎借勢反擊，長劍連連現出奇招，劍芒閃動中，響起了兩聲慘叫，又有兩個道人重傷在蕭翎的劍下。

這時，那雲陽子已然捆好無為道長，眼看蕭翎擊潰了六合劍陣，勇不可當，立即拔劍衝上，大聲喝道：「你們給我退開！」

六人傷三人，餘下的三人，亦被蕭翎凌厲的劍招迫得團團亂轉，傷亡不過頃刻間事，聞得喝聲，一齊收劍而退。

蕭翎已由那喝聲中辨出，不是雲陽子的聲音，當下平劍橫胸，冷冷喝道：「你是何人？假冒武當中人，豈算得英雄行徑？」

雲陽子冷然一笑，舉手在臉上一抹，眉鬍盡脫，露出一張削瘦的長臉，緩緩說道：「你就是那蕭翎了？」

蕭翎道：「不錯，閣下何人？」

那人淡淡一笑，道：「你聽過南海五聖的大名嗎？」

蕭翎沉吟了一陣，道：「在下未曾聽過南海五聖，不過卻聽人提過南海五凶之名。」

那人淡然一笑，道：「五聖也好，五凶也好，反正就是咱們兄弟五人。」

蕭翎目光一掠躺在地上的三個道人，道：「就是閣下和這幾位嗎？」

那人冷然一笑，道：「南海五凶如若這般輕易為人所傷，豈不是有負五凶之名了？」

蕭翎道：「這六位偽裝武當門下弟子的，又是何人？」

那人道：「百花山莊中的劍手。」

蕭翎冷笑一聲，道：「想不到大名鼎鼎的南海五凶，竟然也是百花山莊中的爪牙。」

那人毫不動氣，仍然是淡淡說道：「這倒不用閣下多管了。」

蕭翎心中暗道：此人看上去十分陰沉，不知在南海五凶中排行第幾？

心中念轉，口中說道，「閣下可是五凶之首？」

那人冷冷一笑，道：「區區在我們兄弟之中排行最小，冷手秀士田中元，就是在下。」

蕭翎故意和他攀談，希望借著一點閒暇時光，查看一下外面情勢。

哪知孫不邪和中州二賈，有如沉海砂石一般，竟不見幾人追來茅舍，亦不聞呼喝之聲。

冷手秀士田中元亦似在等待什麼，雙目凝視在蕭翎身上，凝神傾聽。

蕭翎突然一揮手中長劍，道：「你南海五凶，想必都在這裏了？」

他想到孫不邪和中州二賈久久不聞消息，不是遇上強敵惡鬥，就是遭了暗算，是以心中大為焦急。

田中元道：「這個嘛，在下不願回答。」

蕭翎突然高聲說道：「閣下等假扮武當門下，可是奉那百花山莊沈木風之命而來嗎？」

田中元冷冷說道：「這個也不勞閣下多問。」

蕭翎怒聲喝道：「你們南海五凶，都為那沈木風效力，難道是白白的效力嗎？」

田中元淡然一笑，道：「那倒不是，南海五凶向來不做虧本買賣，豈肯白白為人效力。」

蕭翎道：「那沈木風給了你們兄弟何等代價，你們南海五凶竟然肯為他賣命？」

冷手秀士田中元淡淡一笑，道：「姓蕭的，你不覺著問得太多了嗎？」

蕭翎道：「沈木風能夠請得你們南海一派，在下自然是也能請得了。」

田中元一揮手中長劍，冷冷說道：「閣下這等語無倫次，在下得先教訓你一頓了。」長劍一閃，直向前胸刺去。

蕭翎揮劍擋開田中元的劍招，心中暗暗忖道：沈木風派遣南海五凶來此，布下天羅地網，只怕還有後援高手趕到，目下之策，只有先把此人生擒之後，再行逼問……

就這一念在心，使蕭翎很多精妙的劍招都難以發揮出來，因爲他生恐一劍把田中元刺死。

蕭翎心中受了束縛，絕技難以發揮，反而成了招架之勢。

雙方激鬥了四、五十回合，仍然是保持個不勝不敗之局。

蕭翎心中漸感焦急，暗道：這樣打下去如何能有制勝的機會，說不得，只好施下毒手。

心念再轉，突然把自己由束縛中解救出來，長劍疾變，展開反擊，劍劍都攻向田中元致命所在。

蕭翎這一毫無顧慮的放手施爲，使場中形勢突然大變。

田中元久聞蕭翎之名，是以，和他動手之時亦是特別小心，出劍十分謹慎，搏鬥到二十回合後，心中大感奇怪，覺得蕭翎的劍招中，似是含勁未出，每一劍的威力，似是都未發揮出來。

初動手時，田中元心中懷疑甚重，不知蕭翎劍招何以會如此奇怪，動手二十餘回合之後，才逐漸的習慣，攻勢也逐漸凌厲。

蕭翎雖然不能放手施展，但因他劍術本身奇奧，那田中元攻勢增加一分威力，蕭翎的防守之力，也自然加強，始終保持個平衡之局。

直待蕭翎放手展開反擊，田中元才覺出遇上了勁敵，要待收劍而退，已是勢所難能，被蕭翎長劍湧起的重重劍影困了起來。

雙方又惡鬥了十餘回合，田中元已呈不支狀態，蕭翎奇招突出，一劍拍在田中元的右腕之上，擊落了田中元手上兵刃，冷笑一聲，道：「閣下認輸了嗎？」

田中元雙目中凶光一閃，道：「蕭大俠果然名不虛傳，在下領教了。」

只見人影一閃，一個道人，手執長劍，疾奔而來。

蕭翎目光微轉，回手掃出一劍。

這一劍擊出的時間，恰當無比，那道長剛反握劍尖，把手中長劍遞向田中元時，蕭翎的長劍卻及時而至。

只聽唰的一聲，血光迸流，那道人半條右手臂帶著手中長劍，一齊跌落地上。

田中元冷笑一聲，突然發出一掌，擊向蕭翎前胸。

蕭翎左手突起硬接一掌，雙方掌力接實，田中元被震得退後一步。

田中元本可藉機逃出茅舍，但他卻靜靜地站著不動。

蕭翎一則擔心父母的安危下落，二則想從田中元的口中，探得一些消息，是以不願傷他，希望能把他生擒活捉，但他自和田中元動手之後，亦知對手武功非同小可，必得想出一個方法，一擊而中。

雙方默默相對，過了一盞熱茶工夫，田中元突放聲而笑，道：「蕭大俠不該接我一掌。」

蕭翎微微一怔，道：「爲什麼？閣下的掌力，並無驚人之處。」

田中元冷然說道：「我已在指間暗藏毒針，閣下接我一掌，卻在不覺間已中了劇毒，那毒性發作甚快，閣下這般凝立不動，不肯乘勝追襲，定然是已經感覺到了。」

蕭翎先是一呆，暗道：這人如此惡毒。

轉念一想，自己左手早已套上了千年蛟皮手套，利劍尚且不怕，區區毒針又能算得什麼，當下冷笑一聲，道：「在下百毒不侵。」

田中元冷冷說道：「南海五凶的毒針，除了我們兄弟自製的解毒藥物之外，天下恐再無藥物能夠解得。」

這些時日，蕭翎在江湖上走動，長了不少見識，當下說道：「閣下如是不信，那就再等著瞧瞧。」

田中元暗中估計藥物時效此時已快發作，但只見蕭翎仍然靜靜地站在旁側，面帶微笑，肅立不動。

田中元瘦長的臉上，突然間變了顏色。

他呆呆地望著蕭翎，茫然說道：「閣下當真沒有中毒嗎？」

蕭翎微微一笑，道：「我已說過了，在下是百毒不侵。閣下不信，那也是沒有辦法的事了……」

語聲微微一頓，高聲接道：「閣下可是認爲暗施毒針，就可以平安的離開此地嗎？」

田中元微微一笑，道：「除非你蕭大俠能在武功上讓在下敬服。」

蕭翎冷冷說道：「那不是什麼難事。」

他心中激憤，已動殺機，緩緩舉起手中長劍，道：「閣下只要能再接我蕭翎三劍，我蕭翎就絕不再留難諸位了。」

冷手秀士田中元，一看蕭翎舉劍，已知對方深通劍道，這一擊，如若出手，定然是石破天驚，哪裏還敢大意，一面運氣戒備，蓄勢待敵，一面雙目流顧，打量退路，暗中又施用傳音之術，招呼兩個僞裝武當弟子的道人，要他們合力抵拒蕭翎。

只聽蕭翎大喝一聲，長劍一閃，閃起一道銀芒，連人帶劍，直向田中元撲了過去。

田中元舉劍一封蕭翎的劍勢，人卻疾快地向後退去。

這正是莊山貝傳授於蕭翎的馭劍之術，乃劍道中至高之學。

蕭翎離師之後一直奔走江湖，馭劍之術只不過初通門路，今日情勢迫人，只好施展出來。

但聞一陣金鐵交鳴，劍光繚繞中，響起了兩聲慘叫，兩個僞裝武當門下弟子的百花山莊高手，齊齊死於蕭翎劍下，一個被攔腰斬作兩斷，一個齊頸被斬，人頭飛出六、七尺遠！

狡猾的田中元，卻棄去手中長劍，探手抓起了無爲道長，縱身一躍，飛出茅舍。

蕭翎似是未料到，自己擊出的一劍，竟有如此威力，不禁一呆。

就這一刹那工夫，那田中元已然帶著無爲道長走得蹤影不見。

蕭翎一提真氣，追出門外，田中元已到了四、五丈外，直向小山奔去，孫不邪、中州二賈等人，卻仍是不見蹤影。

此時此情，蕭翎已無暇分心去找孫不邪等，提氣直向田中元追了過去。

蕭翎輕功得自柳仙子親自傳授，柳仙子以輕功揚名天下，蕭翎全身施展，有如電光石火一般，不出百丈，已然追到田中元身後兩丈左右，高聲說道：「閣下如若再不肯停下腳步，我蕭翎要施展暗器傷人了。」

語聲甫落，田中元忽然回手一揚，一串銀星，電射虹飛而來。

蕭翎長劍一揮，一陣叮叮噹噹之聲，射來暗器，盡為長劍打落於地。

但這一擋之間，那田中元又借勢向前奔出了六、七尺遠。

蕭翎眼看田中元已然登上山腰，如被他躲入草叢林木之中，再想追尋，那可是大為麻煩的事，不禁心中大急，一提氣，施出「八步趕蟬」的輕功絕技，呼呼呼，一連幾個縱躍，一口氣又追上了八尺距離。

田中元的輕功雖佳，也難和舉世第一輕功名家柳仙子細心傳授的弟子相比，他本就稍輸蕭翎一籌，此刻背上還揹了一個無為道長，更是難和蕭翎匹敵，又奔數丈，已被蕭翎追到七、八尺處。

蕭翎正待揮劍擊出，突然一聲哈哈大笑，道：「蕭兄弟放心，這人跑不了。」

蕭翎閃目一看，來人正是自己心中苦苦惦念的孫不邪，心中好生奇怪，暗道：怎麼？他們又都退回山上來了。

只見孫不邪揚手一掌，發出一股強力，擋住田中元奔行之勢，冷冷說道：「放下人。」

田中元道：「只怕未必見得。」

揚起右手，硬接下孫不邪的掌勢。

雙掌相觸，田中元被震得後退了一步。

就在兩人這一接掌之間，蕭翎已經追了上來，揚手發出修羅指力，點向田中元的左腿「飛揚穴」。

田中元突感左腿一麻，幾乎跌坐在地上。

蕭翎疾快無比地一伸左手，抓住了無爲道長，右手長劍橫裏探出，呼的一聲，擊中田中元的右肋。

冷手秀士田中元內功深厚，雖被蕭翎的修羅指力點中了左腿穴道，但因傷非要害，仍可支撐，但蕭翎拍在肋中的一劍，力道十分沉猛，片刻之間，連受兩次重擊，再也支撐不住，砰的一跤，跌坐在地上。

蕭翎長劍揮動，斬斷了捆在無爲道長身上的繩索，一面向孫不邪道：「老前輩，此人乃南海五凶中的人物，武功十分高強，好好的看著他，別讓他跑了，我先解開無爲道長穴道。」

放下無爲道長，施展推宮過穴手法，在他身上推拿起來。

大約過了一盞熱茶工夫，無爲道長突然睜開雙目，長長吁一口氣，道：「多謝蕭大俠。」

蕭翎微微一歎，道：「道長不用客氣。」

無爲道長緩緩站起身子，望了孫不邪一眼，道：「老前輩一行之中，無人受傷嗎？」

孫不邪神色嚴肅地說道：「除了老叫化子之外，全都受了傷了。」

蕭翎道：「老前輩不是緊隨在晚輩之後嗎？」

孫不邪道：「老叫化瞧著你們進入茅舍，久久未見動靜，正要招呼中州二賈等行近茅舍瞧瞧，突然暗器破空之聲襲來，急雨一般，連老叫化都幾乎被那暗器襲中……」

蕭翎接道：「什麼暗器如此厲害？」

孫不邪道：「來如大雨傾盆，盡都是子午釘、梅花針等一類細小歹毒的暗器……」歎息一聲，接道：「老叫化一看情勢不對，立時下令退回山中，那動手之地距此山區也不過六、七十丈的距離，退入山地，司馬乾已然不支倒地，老叫化只好抱起他向後退去……」

蕭翎道：「幸好他們還沒有派人追趕……」

孫不邪道：「誰說沒有了……」

語聲微微一頓，接道：「老叫化察看了司馬乾的傷勢情形，已知中的是毒藥暗器，據一推想，凡是今日所中暗器，都是淬毒之物，他們沒有告訴老叫化，老叫化也未多問，當先帶路，希望能尋找一處山洞、峽谷之地，安置好他們，老叫化無後顧之憂，也好憑險守護他們，哪知山洞、峽谷還未找到，背後追兵已至！」

蕭翎道：「來的是什麼人物？」

孫不邪道：「十幾個黑衣勁裝大漢，手中分執著施放暗器的梅花針筒和各種不同的兵刃，老叫化本是帶路而行，只好改作斷後拒敵，杜九身負毒傷，仍鼓起勇氣強由老叫化的手中接過了司馬乾，不過，這時他們毒傷都已經發作，行動十分遲緩，老叫化不便催促，也不能催促，所以行不過十丈，已爲強敵追上，老叫化一人獨鬥那十餘人……」

蕭翎道：「情非得已，如何能夠怪得老前輩。」

孫不邪道：「話雖如此，但老叫化仍是不無愧疚之心。」

蕭翎心惦中州二賈的安危，忍不住問道：「以後呢？」

孫不邪目光一掠無爲道長，道：「說起來，老叫化不得不佩服道長的老謀深算了。」

無爲道長黯然一歎，道：「貧道如是老謀深算，也不會有今日這等一敗塗地，武當一門精銳盡遭屠殺的慘局了。」

孫不邪道：「怎麼？那適才接迎老叫化，殺散群匪的人，不是你們武當門下嗎？」

無爲道長搖搖頭，道：「貧道不敢居功。」

孫不邪道：「這就奇了。」

蕭翎道：「究竟是怎麼回事呢？」

孫不邪道：「老叫化眼看敵人勢大，心中又急又怒，連發掌力，雖然傷了對方兩人，但仍然無法阻擋住他們猛烈的攻勢，唉！如是老叫化沒有後顧之憂，半個時辰之內，不難盡殲來犯之敵，可惜心分二用，無法靈活應敵，反被他們逼到一側，有個武功較高之人，藉機越過老叫化追向中州二賈等人……」

蕭翎吃了一驚，道：「老前輩，這麼說來，我那兩位兄弟，已被他們殺死了嗎？」

孫不邪搖搖頭，道：「如是被他們殺了，老叫化也無顏來見你們兩位了。」

蕭翎道：「究竟是怎麼回事？」

孫不邪道：「老叫化眼看情勢危急，但又無法分身相救，那時幾人身中之毒大都已將發作，絕無抗拒之能，正在危急之時，突聞一聲長嘯傳來，四個手執寶劍的黑衣人，有如天兵從空而降，四把長劍閃起了四道銀虹，如同滾湯澆潑，劍劍凌厲無匹，不過一盞熱茶工夫，追來之兵，已被他們殺傷大半，餘下之人，眼看苗頭不對，落荒而逃。」

無爲道長道：「那四人是何來路，老前輩可曾問過？」

孫不邪道：「老叫化正要問他們，四人卻轉身而去，急奔如飛，轉眼間走得沒有影兒。」

蕭翎道：「老前輩可曾瞧清他們的長相嗎？」

孫不邪沉吟了一陣，說道：「四個人都戴著蒙面的黑紗，難見面目……」語聲微微一頓，接道：「不是你這一問，老叫化幾乎忘了，四人之中，有兩個身材特別瘦小，不似男子身材。」

蕭翎茫然說道：「這就使人不解了。」

無爲道長道：「似是他早已知道了沈木風的人施襲，故意在那裏埋伏下人手相助，但如果他們真心相助，何以不肯對咱們早放警告呢？」

孫不邪道：「老叫化也覺著其間有很多可疑之點，使人想不透。」

蕭翎道：「他們既肯出手相助，而且傷了甚多百花山莊高手，自乃是友非敵了。」

孫不邪道：「如若是眞心來此相助，何以不肯留下姓名？」

無爲道長道：「如是他們早知此事，真的存心相助我等，爲什麼不早通知本派一聲，致我武當門下精銳和幾位養息傷勢的武林同道，盡爲所殲。」

蕭翎道：「在下曾留心四外，不見打鬥痕跡，也許那雲陽道長早已帶著貴派弟子，避開此地了。」

孫不邪目光一掃田中元，道：「咱們何不拷問此人？」

蕭翎道：「不錯。」

大步行到田中元的身前，揮手一掌，拍活了田中元的穴道，卻又點了他雙臂、雙腿穴道，冷冷說道：「你假扮雲陽子，自然是知道雲陽道長的下落了？」

田中元緩緩望了蕭翎一眼，淡然一笑，道：「在下如若不說呢？」

孫不邪雙目一瞪，冷冷說道：「老叫化久聞你們南海五凶之名，不過老叫化可不相信你們是銅打鐵鑄的真羅漢，蕭大俠下不得手，老叫化可是下得手，我要先點你五陰絕穴，讓你嘗試一下行血回集內腑的滋味。」

田中元淡然一笑，道：「南海五凶豈是怕死之輩嗎？」

孫不邪道：「好！你不信咱們就立刻試過。」

緩步行到田中元的身側，舉起右手，緩緩說道：「老叫化再給你一盞熱茶工夫想想。」

田中元沉吟了一陣，道：「在下如若說出那雲陽子的下落，諸位將如何對待在下？」

孫不邪望了無爲道長一眼，道：「這要道長作主了。」

無爲道長兩道森嚴的目光，凝注在田中元的臉上，緩緩說道：「我們武當派和你們南海五凶素無恩怨，貧道實在是想不明白，你們南海五凶爲何要和本派爲敵？」

田中元雖然處於生死邊緣，但神態仍然十分鎮靜，輕輕咳了一聲，說道：「咱們南海五兄弟出道之後，曾經九入中原，今日可算是第一次在武功上栽了跟頭，諸位如是真想和咱們南海五兄弟結下不解之仇，儘管對在下施下毒手，不過，諸位也別想折磨在下，我能在片刻之間，使自己氣絕身亡，此後，諸位要憑仗手段，完全搏殺我四位義兄，但只要我四位義兄有一人活在世上，勢必想盡方法，施行報復……」

蕭翎道：「那是你們南海五凶的事，此刻我們問的是雲陽道長和武當門下諸人的下落。」

田中元道：「解開身上穴道，我再告訴你們。」

蕭翎想了想，突伸出手去，拍活了田中元全身穴道，淡然道：「好！你現在可以說了。」

田中元閉上雙目，暗中調息，直待真氣行開，才緩緩睜開眼睛，掃掠蕭翎等一眼，緩緩說道：「在下到此之後，此地早已成了幾座空無一人的茅舍。」

無爲道長道：「此言當真嗎？」

田中元道：「在下既然說了，自然是字字真實。」

蕭翎劍眉一揚，道：「閣下這次不但未能立得功勞，反將帶來之人，大部折損，見著那沈木風時，不知要如何交代？」

田中元道：「這倒不勞費心……」

孫不邪冷笑一聲，道：「怎麼？閣下交代了這幾句話後，就要走嗎？」

田中元哈哈一笑，道：「在下也許難以勝得三位，但自信還能走得。」

話才落口，人已飛躍而起，左手攻向孫不邪，右腳踢向無爲道長，右手抬起對著蕭翎一揚，打出一蓬銀芒。

在這極近的距離之中，蕭翎雖有戒備，亦不禁有些應接不暇，匆忙之間，揮手拍出一掌，人卻施展鐵板橋的功夫，向後仰臥下去。

孫不邪大喝一聲，推出一股掌力，反擊過去。

無爲道長心中恨他暗施算計，眼看一腳踢來，硬是不肯讓避，駢指如戟，疾向田中元小腿上的「懸鐘穴」上點去。

這等武林高手之搏，誰也不肯讓出分毫先機，田中元一舉間，暗器、腳、掌齊出，分攻三人，但卻招來了孫不邪和無爲道長的反擊。

那田中元攻出之勢，只是虛招，發出拳腳之後，懸空向後翻去，腳落實地，人已到一丈開外，縱聲大笑道：「在下失陪，來日方長，後會有期。」

話說完，人已到了七、八丈外，蕭翎挺身而起，欲待追趕，卻被無爲道長伸手攔住，道：「讓他去吧，咱們救人要緊。」

蕭翎心中一動，想起中州二賈等人，還中有毒藥暗器，急急對孫不邪道：「老前輩，他們現在何處？」

孫不邪長歎一聲，道：「就在右面不遠處草叢之中。唉！這沈木風果然是神通廣大，老叫化雖是和他爲敵，但卻不能不佩服他，連南海五凶竟然也被他收服旗下，爲其所用。」

談話之間，已走到了草叢之前。孫不邪當先而行，直入草叢。

蕭翎、無爲道長緊隨在孫不邪的身後，行約兩、三丈後，到了一片懸崖之下。

只見司馬乾和中州二賈都在盤膝而坐，運氣調息，兩隻虎獒緊傍中州二賈身側而臥。

孫不邪一皺眉，道：「奇怪呀！怎麼都像療好了毒傷一般？」

金算盤商八緩緩睜開雙目，望了三人一眼，笑道：「自老前輩去後，又一個黑衣人匆匆而來，用一塊磁鐵，吸出我們身上中的毒針，賜贈了每人一粒解毒之藥服用，一語未發的匆匆而去，那人手法異常熟練，治療我們數人，只不過片刻工夫。」

孫不邪道：「你們沒有問他姓名嗎？」

商八道：「問是問了，但他始終不應一語。」

蕭翎道：「這人連番相助我等，每次都不肯留下姓名，不知是何用心？」

無爲道長道：「那人的生相如何？」

司馬乾睜開雙目，接道：「就兄弟所見而言，頗似一位姑娘。」

蕭翎道：「是女子嗎？」

商八道：「她身材嬌小，十指纖巧，身邊散發出幽幽清香，八成是女人了。」

蕭翎口中不言，心中卻是大感奇怪，暗道：哪來的這麼多女娃兒相助，當真叫人不解了。但覺腦際靈光連閃，接道：「難道是北天尊者之女百里姑娘不成？」

無爲道長搖搖頭，道：「依貧道之見，暗中相助的女英雄，絕非百里姑娘。」

孫不邪道：「爲什麼？」

無爲道長道：「如是那百里姑娘，只怕早就現身和咱們相見了，她私行出走，志在尋找蕭大俠，豈有不肯見面之理。」

孫不邪道：「這話也有道理，可是，不是她又是誰？」

蕭翎茫然說道：「這個，晚輩實在不知。」

無爲道長看他神情不似說謊，不禁歎道：「看來咱們一時之間，也無法研究出個所以然來，但此謎絕對不會拖延過久，近在十日，多則兩月，不難揭穿了。」

一直在閉目養息的杜九，突然睜開雙目，冰冷地說道：「在下有一件事，要告訴道長，那位替我治療毒傷之人，臨去之際，告訴在下一件事，要在下轉告道長。」

無爲道長道：「什麼事？」

杜九道：「他說貴派弟子，已由雲陽道長率領，撤到西方二十里外一座古寺之中，要咱們趕往古寺，和他們相會。」

無爲道長卻只長歎一聲，不再言語。

孫不邪察顏觀色，已知無爲道長此刻焦急無比，恨不得立刻趕往那古寺中去瞧瞧，當下問道：「那人是要咱們一齊去呢？還是只要無爲道長一人趕去？」

杜九道：「那人說要咱們趕往古寺，和他們相會，自非指無爲道長一人了。」

孫不邪道：「諸位毒傷如何了，是否可以趕路？」

杜九道：「咱們可以了。」挺身而起。

商八和司馬乾齊齊站了起來，道：「我等亦可行動了。」

蕭翎道：「咱們可以走了。」

群豪一行西進。

沿途山道崎嶇，十分荒涼，不見人跡。

行約二十餘里，果然有一座破落的古廟，屹立在一座高峰之下。

無爲道長打量那荒廟，只見殿宇重重，廟雖破敗，但其昔年規模卻是很大，當下說道：「咱們也不能盡信那人之言，諸位在外小候，貧道先行進寺中瞧瞧。」

孫不邪道：「老叫化陪你。」

兩人當先向寺內行去。

二　古刹驚變

行到門口之處，瞥見雲陽子帶著展葉青，並肩迎了出來。

無爲道長吃過一次苦頭，記憶猶新，大聲喝道：「站住！」

雲陽子正待行禮拜見師兄，聞言微微一怔，茫然道：「小弟如有過錯，還望掌門師兄責罰。」言罷，合掌當胸，垂首而立。

無爲道長微微一歎，道：「你們過來，小兄適才上了一次大當，想來心中餘悸猶存。」

當下把南海五凶冷手秀士田中元假扮雲陽子的經過，簡略地說了一遍。

展葉青道：「原來如此！」

無爲道長道：「馬總瓢把子的傷勢好些了嗎？」

雲陽子道：「此刻已經能夠進些食用之物和說話了。」

孫不邪似是突然想起了一件奇大之事，道：「你們如何知道沈木風遣人施襲，避來此地？」

雲陽子目光轉注到無爲道長的臉上，道：「小弟亦是茫然不知，準備請教師兄。」

無爲道長道：「怎麼回事？」

雲陽子道：「掌門師兄等去後不久，小弟突然發現茅舍木門之上，釘著一張素箋，在那素箋之上，寫得十分明白，沈木風已然派遣很多高手，準備一舉盡殲我武當門下，要小弟立刻召集武當門下弟子，帶著幾位受傷之人，從速避禍，那函上並且說明了此地有座破落的古刹，走避至此，最好不過……」

無爲道長道：「你們接到素箋之後，就依照素箋上吩咐而來，是嗎？」

雲陽子道：「小弟曾和三弟研商甚久，覺出留下不如走避，一面派了兩個弟子，按那素箋所說，尋找這座古刹，向山上撤退。」

這時，蕭翎和司馬乾、中州二賈等，都已走了上來，隨在孫不邪等身後，向廟中行去。

無爲道長道：「那人不但在暗中相助咱們，使我們武當脫了一次大難，而且，他對那沈木風的舉動亦似十分了然。」

蕭翎突然接口說道：「也許這人就是那以樂聲驚退沈木風的高人。」

無爲道長沉吟了一陣，道：「他的舉動，不但如霧中神龍，難見首尾，而且他似還有著很多的屬下，一個個武功都很高強，在他號令之下，飄忽而來，飄然而去。」

蕭翎道：「奇怪的是那人爲什麼要幫助咱們？」

孫不邪道：「那沈木風作惡多端，結仇無數，也許那人也和沈木風有著深仇大恨。」

無爲道長道：「果真如此，那人就不是以樂聲驚退沈木風的人了。」

蕭翎道：「爲什麼？」

無爲道長道：「那沈木風聞得那樂聲之後，倉皇而退，那是說明了，沈木風很怕那人，至少，他很害怕聽聞得那琴、簫合奏的樂聲。」

蕭翎道：「不錯。」

無爲道長道：「如是沈木風很怕那人，那人又和沈木風有著深仇大恨，他自然直接找那沈木風了。」

談話之間，已進到大殿之中。

這座破落的古剎，雖然隱隱之間，可瞧出昔年規模宏偉，但因年代太過久遠，大都被破壞，斷壁破瓦，難遮風雨，只有建築堅牢的大殿，仍然完好無損，是以，馬文飛等幾個受傷之人，大都集中在大殿之中。

二十餘名精選的武當弟子，共分兩班。

一半留在大殿中休息，兼代保護受傷三人，一半卻分佈在山上和古剎要隘守望，表面上看去，雖然不見如何戒備，實則走近古剎五里之內，大殿中即可迅速接得密報。

蕭翎緩步入殿，抬頭看去，只見大殿一角中，並躺著三個人，似是都已睡熟過去，蕭翎等進入大殿，那些人渾然不覺。

蕭翎回顧雲陽子一眼，道：「道長，咱們過去瞧瞧他們的傷勢。」緩步行了進去。

只見三人仰臥之處，鋪著很厚的褥子，身上覆著白色的棉被，馬文飛閉著雙目，似是睡得正熟，另外兩人，頭也被包紮起來，雙目都在白紗之中，難以看清面目。

蕭翎輕輕歎息一聲，低聲問道：「他們可能保下武功？」

雲陽子道：「武功不至廢去，但只怕三人之中，有兩位要成殘廢之身。」

無爲道長輕輕歎息一聲，道：「貧道已然傾盡我武當靈藥，療救他們的傷勢，是否能夠保下他們身軀不殘，貧道是毫無把握。」

蕭翎心中暗道：如是那毒手藥王在此，定可保全他們身軀。

無爲道長望了雲陽子一眼，道：「眾人大都饑餓了，要他們備些食用之物。」

雲陽子道：「小弟已經要他們準備了，大概就可以送上了。」

說話之間，兩個青衣道童，分別捧著飯菜，行入大殿。

群豪經過一日夜奔走惡鬥，腹中早已饑餓，只是這些人都有武功在身，耐受之力，自非常人能及。

飯菜送上，群豪立刻大吃起來，匆匆餐畢，無爲道長望著蕭翎說道：「此地不宜久留，咱們坐息一陣，待精神恢復之後，立時上路……」

話未說完，瞥見一個中年佩劍道長，匆匆奔入，欠身對無爲道長一禮，道：「啓稟掌門師尊，古剎外發現人蹤。」

無爲道長一皺眉頭，還未來得及答話，雲陽子已霍然起身，道：「我去瞧瞧。」匆匆奔出大殿。

司馬乾道：「兄弟卜它一卦，看看卦象吉凶如何？」

他說卜就卜，也不理會別人，伸手從懷中取出一枚龜殼，裝上六個金錢，兩手合著搖了一陣，撒在地上，凝目察看。

群豪默然不語，都把目光投注在司馬乾的臉上，等他說出那卦象的吉凶。

哪知等了良久之後，仍然不聞那司馬乾說一句話，群豪心中無不大感奇怪，轉臉望去，只見司馬乾仍然凝目望著卦象，呆呆出神。

孫不邪忍不住重重咳了一聲，問道：「你卜這一卦，是凶是吉？」

司馬乾搖搖頭，道：「卦象屬凶，凶中含吉，在下一時之間也無法斷定這卦是凶是吉。」

無爲道長道：「照此說來，這卦象是先凶後吉了？」

語聲甫落，只見雲陽子急急跑了進來，說道：「果然來了強敵，而且來勢奇快，距古刹不過三里左右了。」

蕭翎霍然站起身子，道：「他們來了多少人？」

雲陽子道：「約略望去，總在十人以上。」

孫不邪道：「十人之上，咱們是足以對付得了。」

雲陽子道：「我已傳出信號，要分佈在四周的本門弟子，全體撤回古刹。」

無爲道長點點頭，道：「咱們盡殲來人之後，立刻撤離此地。」

展葉青道：「在下先去助那守在大門外的弟子一臂之力。」言罷，縱身一躍，飛出大殿。

無爲道長目光一掃孫不邪，道：「老前輩請主持大局，分派人……」

孫不邪哈哈一笑，道：「我瞧還是道長主持的好，老夫和蕭兄弟先行迎戰來敵。」也不讓無爲道長答話，牽著蕭翎，大步而去。

這時，留在古刹中的武當弟子，都已雲集大殿外面整裝待命。

無爲道長掠了殿中群豪一眼，緩緩說道：「眼下最爲緊要之事，是保護馬總瓢把子等三人的安危，因此，除由本門中幾位弟子，兩人一組的分守門窗之外，諸位和貧道等，就在大殿之外，列陣拒敵，不知諸位意下如何？」

金算盤商八略一沉吟，道：「道長之言甚是，兄弟去對孫前輩說一聲。」大步向外行去。

且說孫不邪牽著蕭翎，行至大殿門口，果見十幾個黑衣大漢，疾奔如飛而至。

展葉青帶著四個武當門下弟子，各執長劍，一排橫立，擋在門口。

孫不邪心中一動，道：「咱們先隱在大門之內，瞧瞧來的什麼人，再作主意，如是來敵微不足道，那就不用現身了，暗中助那展葉青一臂之力就是。」

他一向想到就做，也不管蕭翎是否同意，就拉著蕭翎隱在大門之後。

凝目向外瞧去，只見三個大漢，當先而至。

左面一人身高八尺，赤紅臉，揹著一對鐵拐杖，身著紅衣、紅靴，全身上下像一團火。

右手一人藍衫佩劍，正是那冷手秀士田中元。

居中一人，身著黑袍，左眉上一條刀痕，把一道濃重的長眉，生生分成兩半。

蕭翎低聲說道：「冷手秀士，既然敢追來此地，想必已有了準備，也許這兩個，也是南海五凶中的人物。」

孫不邪道：「老叫化亦有此感。」

那當先三人來勢甚快，眨眼間已到了展葉青的身前，相距展葉青五尺左右時，停了下來。

那居中的黑衣人，回顧了冷手秀士田中元一眼，道：「可是這人嗎？」

田中元搖搖頭，道：「不是……」

展葉青一揮手中長劍，冷冷說道：「三位要找何人？」

那黑衣人兩道森寒的目光，一掠展葉青和四個中年道長，道：「蕭翎。」

展葉青一揚雙眉，道：「不錯，蕭大俠現在古剎之中，三位想見蕭翎不難，必得先勝了在下手中之劍。」

那居中黑袍人冷哼了一聲，道：「你是什麼人？」

展葉青心中暗道：蕭翎自出江湖，行蹤所至，無不被他搶盡風頭，短短時光，聲名大噪，隱隱間已成最受武林同道敬重之人，再過一些時日，不難成領導武林的領袖人物，我們武當派在武林中歷久不衰的盛名，只怕也要被他掩去。

這三人既是指名向蕭翎挑戰，自非無名之輩，我展某人，今日如能擊敗三人，明為蕭翎，暗中卻一振我們武當派的聲威……

他只管在心中打著如意算盤，卻忘了回答黑袍人詢問。

那黑袍人斷眉聳動，雙目中殺機閃閃，顯然心中十分激怒，不知何故，竟然強自忍了下去，重重咳了一聲，道：「你是武當門下弟子？」

展葉青道：「武當門下展葉青，三位既敢指名挑戰蕭翎蕭大俠，想非無名人物了。」

那居中黑袍人舉起右手，伸展五指，道：「『南海五聖』，你大概聽說過了？」

展葉青微微一怔，道：「久聞大名了。」

只聽那黑袍人道：「既知五聖之名，還不快些替我通報……」

展葉青道：「諸位只有三人，何以要自號五聖？」

黑袍人一張陰森鐵青的怪臉，已然脹成紫黑的顏色，想他定然是一位脾氣暴急的人物，但卻似被一種無可奈何的力量束縛，強行忍下不肯發作。

黑袍人陡然一跺腳，塵土飛揚中，沙石地深陷了兩寸多深的一個腳印，冷冷地說道：「在下攝魂掌孫成，在南海五聖中排行數二……」

目光一掠左面的紅衣人，接道：「這位是在下三弟柴威……」

轉臉望了田中元一眼，接道：「五弟冷手秀士田中元，閣下還有什麼要問的？」

但聞展葉青緩緩說道：「三位要見蕭大俠，不知有何要事？」

攝魂掌孫成怒聲說道：「那蕭翎在是不在？在下的忍耐功夫有限。」

蕭翎正待舉步而出，卻為孫不邪一把拉住，低聲說道：「不要慌，再等片刻不遲。」

展葉青一心想替武當揚威，一揮長劍，道：「過得此關，再見那蕭大俠不遲。」

孫成冷冷說道：「閣下這般刁難，不知是何用心？」

左手一揮，左面那紅衣大漢，突然飛步而出，右手一揚，硬向展葉青長劍之上抓去。

展葉青料不到來勢如此之快，長劍幾乎被他抓住，匆促間，疾向後面躍退五尺，揮手一劍，灑出一片劍花。

柴威大喝一聲，右手呼的劈出一股拳風，前進兩步，左手已然取下肩上鐵拐杖。

他舉動豪邁，攻勢銳利，竟然把展葉青手中那精鋼長劍，視作無物。

展葉青覺出對方拳風猛惡，呼嘯聲中挾帶著一股強大的潛力逼住劍勢，不禁心頭駭然，暗道：此人拳勁強猛，實非好與人物。

忖思之間，那柴威已然摘下兵刃。

展葉青急欲反擊，長劍忽出一招「星河倒掛」，點點寒芒直刺過來。

這一招乃武當劍法中精華招術之一，劍勢綿密異常，攻勢之中，卻帶著嚴謹的守勢，把門戶封閉得十分嚴密。

哪知柴威一推鐵拐杖，硬向那綿密的劍光中攻了過去。

只聽一陣金鐵交鳴，震耳不絕，展葉青竟然又被迫向後退了一步，手腕隱隱作麻。

柴威左手一杖硬攻，逼亂了展葉青的劍勢，右手已然取下了另一根鐵拐杖，舉杖攻去。

只聽孫成冷冷喝道：「住手！」

柴威一收鐵拐杖應聲而退。

孫成舉手一揮，道：「在下此來並無和你們為敵之心，實有要事，求見蕭翎。」

展葉青心中仍然想著那柴威破去自己「星河倒掛」的一劍，只覺他一杖伸來，毫無章法，不知何以竟然把自己劍中蘊藏的變化，全都破去，心中既是震驚，但又有些不服……

柴威仍然不聞展葉青回答之言，不禁大怒道：「也許那蕭翎不在此地，這人裝聾作啞，不肯理會咱們，也不用和他多費唇舌，小弟先把這人和四個牛鼻子老道宰了再說。」

正待舉杖攻上，突然一陣朗朗笑聲傳來。

抬頭看去，只見一個勁裝少年緩步而出。

田中元道：「來人就是蕭翎。」

原來蕭翎隱在門後，看柴威和展葉青動手，亦是心頭駭然，暗道：這人打來不見什麼章法，但是一拳、一杖，竟然都含著無比的威勢，當真是招招都蘊含著千鈞之力，拳拳都可以置人死地，只怕展葉青難再接他幾招，這才縱聲大笑，緩步行出，直對孫成等行了過去。

展葉青望了望蕭翎，面泛愧色，還劍入鞘，退到一側。

蕭翎眼看那柴威出手的猛惡，簡單無比的一拳一杖中自含奇威，心知不是至高的手法，就是此人天生有驚人的神力，亦是不敢輕敵，一面緩步而行，一面暗提真氣，心中盤算對付其人之策。

但見攝魂掌孫成疾行兩步，抱拳一禮，道：「閣下可是蕭翎？」

蕭翎星目微轉，遙掠對方一眼，只見隨同三凶而來的九個黑衣彪形大漢，遠遠地站在孫成身後兩丈左右處，當下應道：「在下正是蕭翎，三位有何見教？」

孫成回顧了田中元一眼，道：「適才在下這位兄弟多有開罪，在下這裏有禮了。」

蕭翎淡淡一笑，道：「不敢當。」

心中卻是大感奇怪，暗道：這到底是怎麼一回事，他們找到此地，難道不是想替那田中元出口氣嗎？

孫成輕輕咳了一聲，道：「咱們南海五兄弟，並無和蕭大俠爲敵之心，只是事情陰差陽錯，又加上沈木風從中作梗，以致開罪了蕭大俠。」

蕭翎道：「不用客氣了。」

他一時之間，不知南海五凶用心何在，不知該如何接口。

孫成拱拱手，道：「兄弟此來，一則賠罪，二則有一事麻煩蕭大俠。」

蕭翎回目一顧，只見孫不邪已然追來身側，但那久走江湖、閱歷豐富的孫不邪，亦是滿臉茫然之色，顯然也是聽不出一點端倪。

孫成不聞蕭翎接口，又拱手說道：「但不知蕭大俠是否肯予相助？」

蕭翎略一沉吟，道：「閣下先請說明什麼事，在下才能酌情決定。」

孫成垂下眼皮，緩緩說道：「咱們南海五兄弟，出道以來，從未求過別人相助，今日求你蕭大俠，實是情非得已……」

頓了一頓，接道：「兄弟如是說出口來，蕭大俠不肯相助，南海五兄弟也無顏再在江湖之上立足了。」

言下之意，如是說出口來，蕭翎不肯相助，今日絕不善罷干休。

蕭翎緩緩說道：「閣下所言之事，如是正大光明，不論何等艱難，蕭某人定將全力以赴，如是見不得天日的卑下之事，就算刀劍加諸我蕭翎之身，在下亦難答允。」

這展葉青只聽得暗暗慚愧，心道：蕭翎光明磊落，正大氣度，實是我所難及。

孫成略一沉吟，道：「好！兄弟據實說出，蕭大俠肯否相助，在下也不能相強。」

蕭翎道：「在下洗耳恭聽。」

孫成道：「咱們南海五兄弟中，老大、老四，突然得了一種瘋癲之症，異姓兄弟，竟不相識，當今武林，只有你蕭大俠能療此疾，還望一展妙手，但得治療好在下大哥及四弟瘋癲之症，南海五兄弟必有一報。」

蕭翎怔了一怔，道：「醫病嗎？」

孫成道：「不錯，在下大哥、四弟之病，來得十分突然，雖只短短一十二個時辰，但已瘋癲得不識幫舊，兄弟曾經遍請附近數十里內一十三位名醫，全都束手無策，因此，只好勞動蕭大俠了。」

蕭翎心中暗道：這療病之事，那無爲道長稱得個中高手，我蕭翎卻不解醫理，怎會找到我的頭上來……心中念轉，口中卻問道：「閣下從何處聽得，在下會治療瘋癲之人？」

孫成緩緩探手入懷，摸出一張素箋，並道：「蕭大俠可識得留函之人？」

蕭翎接過素箋，只見上面寫道：「貴友罹得的怪症，至爲惡毒，二十四個時辰之內，不能治療復元，將要自裂肌膚而死，其狀之慘，不忍目睹。念上天好生之德，指示爾等求治之路，當代高人之中，能夠治療這等瘋癲之症的，除我之外，只有蕭翎有此能耐，但我因要事他往，無暇多留，爾等唯一的機會，是去求那蕭翎了。」

這封信寫得十分簡單，顯是草草成書，下面既未署名，亦無圖記。

蕭翎雙手執著函箋，瞧了又瞧，就是想不起是何人開他這個玩笑。

孫不邪輕輕咳了一聲，道：「那信上寫些什麼？」

蕭翎道：「老前輩拿去瞧過吧！」

孫不邪瞧了一遍，心中亦是大惑不解。

只聽孫成說道：「蕭大俠必然識得此人了？」

蕭翎道：「這個……」

孫不邪接口說道：「如不相識，他如何會指名蕭翎呢？」

蕭翎吃了一驚，暗道：療病的事，關係一個人的生死，豈是亂開玩笑的嗎？正待開口否認，孫不邪又搶先說道：「兩個受傷之人，現在何處？」

孫成道：「距此不遠的一座農舍之中。」

孫不邪目光一掠田中元，道：「蕭大俠仁義之名，天下皆知，既然知道了此事，自將盡力。」

孫成道：「在下是感激不盡。」

孫不邪道：「但爾等和那沈木風聯成一氣，那沈木風卻和蕭大俠，勢不兩立，如是救治你們兩位兄弟，豈不是自樹強敵了嗎？」

孫成道：「如果蕭大俠願施妙手，救了在下的大哥、四弟，南海五兄弟，自然不會再助那沈木風和蕭大俠爲敵作對了。」

孫不邪冷哼一聲，伸手指向孫成背後，冷冷說道：「你們身後是何人物？」

孫成道：「百花山莊中的高手。」

孫不邪冷笑一聲，道：「是啊，百花山莊之人，仍然和你們走在一起，豈知這封信，不是那沈木風的詭計！」

孫成道：「好！在下先殺了百花山莊中隨來之人，以明心跡。」

陡然轉身一躍，直向那列隊身後的大漢撲了過去。

只見他雙手連環劈出，兩個黑衣大漢，連兵刃亦未來得及拔出，人已倒地死去。

柴威、田中元緊隨孫成身後，也向那些黑衣大漢撲去，只見鐵杖飛舞，長劍閃轉，片刻工夫，隨同三人而來的黑衣大漢，盡都橫屍當場，一個也未逃走。

蕭翎只瞧得心中感慨叢生，暗道：這南海五凶，果是名符其實，下手惡毒，翻臉無情。

孫不邪亦是未料到，三人說幹就幹，不禁瞧得一呆。

孫成大步行了過來，道：「蕭大俠此刻可以相信了吧！」

蕭翎心中暗道：就算你殺死了沈木風，我也無法救你們兩位兄弟的瘋癲之症，但此事實不宜拖延下去，正想開口說明自己不通醫道，孫不邪又先行接口說道：「三位請在古剎之外，稍候片刻，老叫化得先和蕭大俠商議一番。」

孫成道：「爲敵爲友，全在蕭大俠一念之間，兩位請便。」

孫不邪轉身直向古剎中行去，一面叫道：「蕭兄弟，跟老叫化子來吧！」

蕭翎隨在孫不邪的身後，行入古剎，說道：「老前輩答應他們療傷的事，是何用心？」

孫不邪道：「南海五凶全力相助百花山莊，沈木風無異是如虎添翼，必得把他們分開才是。」

蕭翎道：「但晚輩不解醫道，如何能夠替人治療瘋癲病症？」

孫不邪道：「這方面老叫化也是和你一般，因此，咱們得向那無爲道長請教一番。」

說著話，卻加快了腳步，直奔向大殿。

這時，無爲道長和中州二賈、司馬乾等，因久等不見動靜，亦覺奇怪，無爲道長正想行出古剎來瞧瞧，卻見蕭翎和孫不邪，已然急奔而至。

孫不邪當先奔入大殿，身子還未站好，就急急地說道：「奇怪呀！奇怪呀！那南海五凶之中來了三個兄弟，指明要蕭翎治療他們兄弟的瘋癲之症。」

無爲道長道：「有這等事？」

蕭翎大步行了進來，道：「可是兄弟對於療病的事，一竅不通，如何有能力爲南海五凶治療那瘋癲之症呢？」

蕭翎道：「他們帶了一封信，來信上指說在下會治療瘋癲之症，故而南海五凶苦苦相求於我。」

無爲道長道：「奇怪的是，他們爲何會找到你的頭上呢？」

無爲道長道：「你答應了？」

蕭翎道：「形勢迫人，不答應亦是不行。」

無爲道長略一沉吟，道：「蕭大俠既然是答應了，只好去瞧瞧了。」

蕭翎道：「可是在下……」

無爲道長道：「貧道和你同去，到時見機行事。」

蕭翎略一沉吟，道：「眼下也只有這個辦法了。」

孫不邪道：「老叫化和你們一起去吧！萬一動起手來，咱們三人，對付他們，正好是一場一對一的拚搏。」

無爲道長道：「此地也已不能停留，我要他們一起走吧。」

回頭望了雲陽子一眼，接道：「你傳令下去，要他們準備，帶上幾位重傷之人，立刻動身。」

雲陽子道：「何處會見？」

無爲道長略一沉吟，道：「你們先到望陽谷去。」
雲陽子應了一聲，道：「小弟遵命。」
無爲道長低聲對蕭翎說道：「咱們去見南海五凶。」
三人行出古刹，攝魂掌孫成等，正自等得焦急，快步迎了上來，對蕭翎抱拳一禮，道：「蕭大俠可願一行？」
蕭翎回頭望了無爲道長一眼，答道：「在下想請無爲道長同往一行，道長醫道精深，也好塡補在下的不足。」
孫成一抱拳，道：「咱們久聞道長的大名，歡迎同往一行。」
孫不邪道：「救人如救火，事不宜遲，既然咱們答應了，就該立即動身。」
無爲道長低聲吩咐了展葉青幾句話，立刻動身。
孫成、柴威、田中元等人，當先帶路，蕭翎、孫不邪、無爲道長等隨後而行。
這六人都算是江湖上頂尖的一流高手，施展開輕功奔走，疾逾快馬。
蕭翎眼看南海三凶越走越快，似是有暗中較量腳勁之心，登時一提氣，加快了腳步。
六條人影，奔行在崎嶇的山道上，有如流星趕月一般。
一陣緊走，足足有四十里路，孫成才陡然停下了腳步，回首說道：「到了。」
蕭翎抬頭看去，只見停身之處，竟是一道深谷盡處，兩側立壁如削，迎面一峰阻路，谷底中滿生著雜草、矮樹，看上去十分荒涼。

無爲道長引頸四顧，不見可容停身之處，當下說道：「兩位病人……」

孫成接口說道：「停身在一處隱密小洞之中，在下帶路。」緩步向前行去。

蕭翎等緊隨身後而行。

只見孫成行到攔路的山峰之下，高聲說道：「護駕二童何在？」

但聞一個尖脆的聲音，應道：「弟子在此。」

緊靠山壁的一塊大岩石之後，緩步走出兩個背插長劍，身著青衣，年約十四、五歲的童子。

蕭翎目光一轉，只見兩個童子面色青中透黃，似是餓了很久的人，但雙目之中，卻是精光外射，竟似有著很深內功。

兩個童子四道眼神，掃掠了蕭翎等一眼，欠身對孫成等一禮，道：「見過三位師叔。」

孫成一揮手，道：「不必多禮，你師父的病勢如何？」

左面一個童子答道：「不見好轉之徵。」

孫成道：「好了，蕭大俠已隨我等到此，快扶出你師父，讓蕭大俠瞧瞧。」

兩個童子應了一聲，四道目光閃電一般又掠了三人一眼，緩步走回大岩之後。

無爲道長心中暗道：這大岩石之後必然別有佈設，是以，不肯讓我等進去瞧看。

蕭翎和孫不邪雖是亦有懷疑，但都忍了下去，誰也未曾說出口來。

孫成似是已瞧出了蕭翎等懷疑之心，輕輕咳了一聲，道：「在下大哥、四弟，病勢甚劇，山洞中零亂不堪，不便諸位到洞中坐了。」

孫不邪心中暗道：只怕是言不由衷。口中卻哈哈一笑，道：「咱們來瞧令兄、令弟的病勢，進不進山洞去，都不要緊。」

孫成淡淡一笑，不再答話。

大約一盞熱茶工夫，只見那兩個青衣佩劍的童子，抬著一個草藤編成的軟榻，行了出來。軟榻上，躺著一個全身藍衣、頭戴方巾的文士，目光下只見那人臉色也是一片青中透黃，和那兩個童子的臉色，一般模樣。

孫成一擺手，道：「放下來。」

兩個青衣童子依言放下軟榻，緩步退後五尺。

蕭翎縱目望去，只見那藍衫文士，亦然緊閉雙目，似是睡得十分香甜，目光一顧孫成，問道：「這位……」

孫成道：「南海五聖之首，咱們兄弟的老大，九劍神環張子羽。」

蕭翎道：「原來是五聖之首，兄弟失敬了。」

孫成黯然道：「在下這位大哥，不但才智高出我等甚多，而且武功亦非我等能及，九支短劍百步之內斬猛虎，一對神環，十丈之內射飛鳥，故而得九劍神環之譽，想不到他一代英雄人物，竟然會困於病魔！」

蕭翎對治病醫傷的事，可算是全無經驗，眼看那張子羽閉目沉睡不醒，簡直是有無從下手之感。

無為道長輕輕咳了一聲，道：「蕭大俠最好先問問這位張兄的病勢。」

蕭翎道：「當該如此……」

轉注到孫成的臉上，道：「令兄一直在暈迷不醒之中嗎？」

孫成搖搖頭，道：「他突得瘋癲之症，連自己兄弟，也不相識，因此迫得在下只好點了他的穴道了。」

蕭翎隨口說道：「要想知他病情，必得先行解開他的穴道。」

孫成猶豫了一陣，道：「此刻他神智仍在迷亂之中，如若解開了他的穴道，只怕他出手傷人。」

蕭翎微微一怔，道：「不要緊，咱們小心一些就是。」

孫成望了柴威和田中元一眼，道：「兩位賢弟，多多小心了。」伸手一掌，拍在張子羽的身上。

只見張子羽雙目睜動，望了幾人一眼，似是想挺身而起。

孫成輕輕咳了一聲，道：「兄弟已經拍活了他的暈穴。」

蕭翎隨口應道：「最好解開他上身的穴道，兄弟亦好查查他的脈象。」

孫成兩道目光，投注在蕭翎的臉上瞧了一陣，道：「解開他雙臂的穴道嗎？」

蕭翎根本不知臂上穴道被點之後，是否還可以把脈，但話既說出了口，只好硬著頭皮，說道：「不錯，必得解開臂上的穴道。」

孫成道：「蕭大俠小心了。」

雙手齊出，拍活張子羽臂上的穴道，退開三步。

蕭翎暗中運氣，雙目注視著張子羽的反應。

只見張子羽雙臂伸動一下，挺身坐了起來。

蕭翎鎮靜了一下心神，緩緩說道：「閣下病情如何？」

張子羽兩道眼神冷電一般，逼注在蕭翎的臉上，緩緩說道：「你是什麼人？」

蕭翎道：「在下蕭翎。」

張子羽冷笑一聲，道：「你叫蕭翎，久仰了。」

蕭翎心中暗道：他神智很清楚啊，哪裏像有病的樣子？

心念轉動之間，突然左腕一緊，已被那張子羽扣住了左腕脈穴。

蕭翎一面運氣，護住脈門，一面笑道：「你的神智很清醒啊！」

只見張子羽右手一起，疾向蕭翎前胸擊來，掌勢挾著輕微的嘯風之聲，力道竟是很強。

蕭翎右手一揚，擋開了張子羽的掌勢，說道：「在下受閣下令弟之邀，來此察看張兄的傷勢。」

張子羽幾次想站起身子，都因胯間和雙腿上的穴道被點，難以如願，但他右手的攻勢，卻是淩厲異常，招招都擊向蕭翎胸前要害。

他左手扣住了蕭翎的左腕，雙手相距，不過是尺餘左右，蕭翎又不便還手回擊，只有揮掌封架那張子羽淩厲的掌勢，雖然他盡可應付，但看去卻是驚險百出。

轉瞬之間，蕭翎已拆解了張子羽十幾招猛攻。

孫不邪雙目圓睜，瞧著兩人搏鬥情形，只覺那張子羽攻擊掌勢，愈來愈見奇幻惡毒，不禁引起了懷疑，暗道：如是那沈木風訂下的詭計，要此人假裝有病，誘蕭翎和我等來此，布下埋伏，準備一網打盡我等，並非是不可能的事情，必得小心一些才是。

當下高聲說道：「蕭兄弟，小心了，快點了他的穴道再說。」

蕭翎和那人拆了十幾招後，亦覺著不對，只感到左腕上被人扣制的腕脈，越來越緊，似難再支持，如是穴脈被他控制，難再有拒敵之能，只怕是立刻要傷在張子羽的手中，再聽得孫不邪呼叫之言，不再留情，展開反擊，一指點在那張子羽的肩頭之上。

三　飛箭示警

這一擊，落手甚重，張子羽頓感全身一麻，再也無力擊出掌勢，鬆開了蕭翎左腕，向後倒去。

孫成抬頭一瞧張子羽，道：「蕭大俠可是又點了他的穴道？」

蕭翎道：「不錯。」

孫成道：「唉！那是說，仍然是無法替他把脈了？」

蕭翎道：「情勢如此，在下自當想個別的法子。」

伸出手去，暗中又點了張子羽雙臂的穴道，右手卻把住張子羽的左腕。

只見他脈搏跳動甚慢，想是因臂上穴道受制有關，除此之外，蕭翎再也瞧不出有何可疑之處。

只聽無為道長道：「蕭大俠，此人脈搏跳動的情勢如何？」

蕭翎查不出張子羽的脈象變化，但形勢迫人，只好應聲說道：「脈象不穩，果是有病之徵。」

孫成望望天色，說道：「在下這位大哥，罹病已有一日夜的時光，追尋蕭大俠，往返所耗，又去了四、五個時辰之久，如若那留函說得不錯，此刻所餘，只七、八個時辰了。」

蕭翎道：「在下盡力就是。」

冷手秀士田中元，望了孫成一眼，道：「看起來蕭大俠似是還未想出一點頭緒。」

孫不邪冷冷地道：「如是令兄罹得是普通之疾，貴兄弟也不會去邀請蕭大俠了。」

孫成一抱拳，道：「不錯，我這位兄弟少不更事，失言得罪，兄弟這裏代爲賠罪了。」

面對奇怪的病人，蕭翎實有著不知所措的感覺，當下說道：「令兄的病情，確是大異尋常，在下要和無爲道長研究一下，才能確定病情。」

孫成略一沉吟，道：「區區雖是不解醫道，但就在下大哥而言，武功實已到寒暑不侵之境，陡然罹患此病，實出意外，因此，在下懷疑到可能是因爲有人加害所致。」

蕭翎道：「令兄的病情，確然使人懷疑。」

孫成道：「有勞兩位費心了。」

帶著柴威和田中元，退到一丈開外，盤坐調息。

蕭翎轉目望著無爲道長，輕聲說道：「兄弟實是不解醫道，瞧不出此人病情，還是勞請道長瞧一下如何？」

無爲道長點點頭，伸出手去，把了張子羽左腕的腕脈，也不禁一皺眉頭，道：「貧道察看他的脈象，不似有病之徵。」

蕭翎道：「難道其人是裝病不成？」

無爲道長沉吟了一陣，低聲說道：「好像是受傷之徵。」

蕭翎道：「道長可有療救之法嗎？」

無爲道長道：「只能照診察所得，開具一個藥方，但是否能予收效，那就難說了。」

蕭翎道：「不知何人，開此大玩笑，留下書函，說我有療病之能，奇怪的是南海五凶，竟然是十分相信。」

無爲道長道：「如若那留書之人，有意相助你說服南海五凶，必在暗中相助。」

蕭翎道：「迄今未見動靜，也許是存心嫁禍了。」

無爲道長道：「爲今之計，只有貧道先擬具一個藥方，告訴蕭大俠，再候片刻，如是仍然不見有何動靜，你就照我所擬，開出藥方，雖然未必能治他的暗傷，至少不會有害。」

蕭翎道：「就目下情勢而言，那也是只好如此了。」

孫成、柴威等，雖然退到一丈開外，但他們卻在暗中留意著蕭翎的一舉一動，看他和無爲道長，低聲交談，好似在研商張子羽的病情，只好耐心地等了下去。

哪知過了半個時辰左右，仍然是不見蕭翎有所舉動，再也忍耐不住，大步行了過來，拱手說道：「南海五兄弟，早已表明了心跡，還望蕭大俠大施妙手，早些療好他的傷勢。」

蕭翎儘管七上八下地不是味道，但表面之上，卻是不得不裝出平靜的神色，說道：「令兄脈象不似罹病。」

攝魂掌孫成吃了一驚，道：「不似罹病？那是怎麼了？」

蕭翎道：「似是受了內傷。」

孫成沉吟了一陣，道：「其中內情，在下並未瞧過，我回到此地之時，在下大哥瘋癲之症已發，究竟他如何罹此怪病，或是受了內傷，在下亦是不知內情。」

蕭翎心中暗道：先問問他罹病經過再說。

目光一轉，望了兩個青衣童子一眼，道：「令兄兩個弟子，難道也不知經過之情嗎？」

孫成舉手一招，兩個青衣童子應手走了過來。

蕭翎默察兩個青衣童子，年紀雖然幼小，但神情卻一片冷漠，暗道：這兩人不知習的什麼武功，小小年紀，竟然練成了這一副冷冰冰的模樣。

只聽孫成說道：「蕭大俠有話相問，爾等要據實回答，不得推託。」

兩個童子應了一聲，四道眼神，一齊投注在蕭翎的身上，緩緩說道：「蕭大俠有何吩咐？」

蕭翎道：「令師在何處罹得此症？」

左面一個童子應道：「就是在此谷之中，家師和四師叔有事他去，但不過半個多時辰，重又連袂而回。」

無為道長接道：「以後呢？」

右面一個童子答道：「我等已瞧出家師和四師叔的神色不對，但家師的規戒素嚴，我等一向不敢插言，四師叔首先支持不住，摔倒在地上，家師似是要說話，但卻未曾說出，就隨著暈倒過去，我等遇此劇變，心中甚是驚慌，師兄守著家師，我去找回兩位師叔。」

無爲道長心中暗暗忖道：是了，南海五凶原本約好在那湖畔會師，接應冷手秀士田中元，卻不料遇上大變，一直未能趕往。

但聞孫成接道：「區區得此驚訊，匆匆趕回，施展推宮過穴手法，救醒了大哥、四弟，但兩人已然神智不清，不識故舊，竟然向我出手，情勢所迫，只好又點了他們穴道，手忙腳亂的鬧了半個時辰，才發覺那巨岩之上，擺著素箋，指名要我等去找蕭大俠，治療兩人病勢，那封素箋蕭大俠已經瞧過了。」

蕭翎點點頭，道：「好！兄弟開具一個藥方，先讓令兄服下試試。」

孫成道：「蕭大俠肯伸援手，咱們南海五兄弟是沒齒不忘的。」

蕭翎道：「勞請取過筆硯，在下立刻擬方。」

孫成揮手對兩個青衣童子說道：「快爲蕭大俠捧上文房四寶。」

左面青衣童子轉身而去，片刻之後，捧著筆硯而來。

蕭翎心中暗自叫苦，只好寫出無爲道長適才轉授的藥方。

孫成不知是否也有配方之能，兩道目光，一直盯在蕭翎的筆尖之上。

蕭翎剛剛開出了兩種藥名，只聽無爲道長說道：「蕭大俠且慢開具藥方。」

蕭翎道：「道長還有高見嗎？」

無爲道長道：「咱們再研究一番，再開藥方不遲。」

孫成臉色微微一變，似想發作，但他終於又忍了下去。

無爲道長好似不曾看見孫成的臉色，望著蕭翎說道：「蕭大俠可是準備爲這位張兄開具一副解毒的藥方？」

蕭翎心頭茫然，只好順著無爲道長的口氣，答道：「不錯啊！」

無爲道長搖搖頭，說道：「用藥雖應小心，但目下情勢不同，這位張兄，已無好多時間，貧道之見，非得採取非常的手段不可。」

蕭翎望了孫成一眼，只見他滿臉渴望之色，站在一側，傾耳靜聽，只好說道：「萬一咱們失手傷了人，豈不要造成了很大誤會嗎？」

孫成接道：「那留函上說明了蕭大俠能夠醫得，想必是指非常手段了，蕭大俠儘管出手，只要治療無錯，縱然不能醫好，那也是無可奈何的事了，咱們南海五兄弟，是一樣感激。」

蕭翎聽得心頭一凜，暗暗忖道：他們對我這樣信任，我如治療不好這人的瘋癲之症，不但要使他們大失所望，而且我蕭某內心之中，也是難安……

忖思之間，忽聽一聲尖厲的嘯聲，傳了過來。

孫成雙眉一聳，冷冷說道：「什麼聲音？」

冷手秀士田中元起身應道：「似乎是人的嘯聲，小弟趕去瞧瞧。」

孫成點點頭，道：「你要小心了。」

田中元道：「不勞二哥費心。」

縱身躍起，一掠兩丈左右，直向那嘯聲傳來之處，奔了過去。

無為道長暗施傳音之術，道：「蕭大俠，貧道經再三推想，開具一個藥方，絕難治療好張子羽的病勢，而且反將引起他們的懷疑……」

蕭翎道：「那要如何才是？」

無為道長道：「貧道之意，不如由蕭大俠施展推宮過穴的手法，在那張子羽身上推拿一陣，先讓他們莫測高深，再作計議。」

蕭翎心中暗道：那留函之人，此刻沒有一點消息，看來是存心開我的玩笑了。他有生以來，從未受過今日的尷尬，明明是一點不懂的事，卻要裝出一副若有所知的神情。

孫不邪一直留心著蕭翎的神情，看他目光充滿焦急，心中一動，拱手對孫成說道：「老叫化聽那嘯聲，高昂激越，直沖雲漢，絕非普通的武林人物，令弟一人，只怕非敵，老叫化陪你去瞧瞧如何？」

孫成略一沉吟，道：「好！」

回顧了兩個童子一眼，道：「好好照顧你們師父。」當先放步行去。

少去了孫成從旁虎視眈眈的監視，蕭翎心裏稍微鎮靜一些，低聲對無為道長說道：「這等冒充內行的事，蕭某實是難以做出，我看不如和他們說明了吧！」

無爲道長正待答話，突見左首一個青衣童子口齒啓動，一縷柔細的聲音，傳入蕭翎耳中，道：「張子羽傷在一種奇妙的金針刺穴之下，在他後腦髮內，釘著三枚金針，你只要把後腦中金針拔出，就可使他回復了清醒神智。」

這幾句話細音柔柔，但聽在蕭翎的耳中，卻是字字有如巨雷下擊一般，爲之呆在當地。

但聞那柔細之音，重又傳了過來，道：「我本當早告訴你，但那二凶孫成，爲人十分謹慎，洞穿細微，如是被他瞧出破綻，那就大爲不妙，此刻，你不妨施用推拿手法，在張子羽的身上，推拿一陣，待那孫成回來之後，你就隨便說幾句唬人之言，然後取出他腦後金針……」

語聲微一停頓之後，又傳了過來，道：「南海五凶，武功十分高強，你放下這段交情，日後自有好處，以後的事，你自己斟酌辦吧！今夜初更之前，我也要趕回去覆命。」

語聲至此，倏然而住。

蕭翎心中既是震驚，又是慚愧，抬眼看去，只見左面青衣童子，微微啓唇一笑，立時又恢復那冷漠神色。

再看右面那青衣童子，一臉肅穆而立，似是毫無所覺，不禁暗暗歎息一聲，忖道：不知何人有此膽量，安排下這等暗樁，當真是才氣縱橫、膽大包天！

但聞無爲道長說道：「蕭大俠，事已至此，你如不冒充下去，也難令南海五凶相信，不如由貧道授你金針過穴之法，你在他身上刺下兩針，然後留下一個藥方，咱們就告辭而去……」

蕭翎心知那人暗施傳音之術，只告訴自己一人，無爲道長卻是毫無所知，當下說道：「不再有勞道長費心，在下已知道療救之法了。」

無爲道長怔了一怔，道：「當真嗎？」

蕭翎道：「大約是不會錯了，等那孫成回來之後，咱們就可動手了。」

無爲道長素知蕭翎從不說無據之言，但實又想不出，他何以會突然知道療救張子羽的辦法。

他爲人老謀持重，蕭翎既不肯說，也就不再多問。

只見蕭翎伸出右手，把在張子羽的左腕脈穴之上，左手卻在張子羽幾處要穴推拿起來。

大約過了一盞熱茶工夫之久，孫不邪、田中元、孫成等連袂而回。

蕭翎停下了推拿，抬頭瞧了孫成一眼，道：「孫兄，可曾瞧到了什麼人物嗎？」

孫成搖搖頭，道：「區區繞行了半周，未見敵蹤。」

蕭翎已知內情，氣膽頓壯，長長吁一口氣，道：「在下詳查令兄脈搏行血，不見病情，想是受了人的暗算，而且那人手法奇妙，傷到了令兄的神經，才使神智不清，反應遲滯。」

孫成道：「病症既明，但不知蕭大俠是否已有療救之策？」

蕭翎道：「疑難雜症，其難在不知來龍去脈。目下兄弟既查出令兄的病情，自是能下手療救了，不過，目下還無法斷定他傷在何處，必得仔細察看，找出受傷之處，才能藥到病除。」

孫成抱拳一揖，道：「那就有勞蕭大俠了。」

蕭翎道：「在下答應了，當盡我心力。」

雙手齊出先從張子羽前胸查起。
無為道長眼看蕭翎裝模作樣之態，心中大是訝異，暗中運氣，全神戒備。
回首望去，只見孫不邪的臉上，也是一片茫然之情，望著蕭翎出神。
只見蕭翎雙手緩緩移動，逐漸地移動到張子羽的後腦之上。
孫成輕輕咳了一聲，道：「蕭大俠，會傷在頭上嗎？」
蕭翎停下雙手，抬起一雙星目，冷冷地說道：「不錯。」
右手一抬，大拇指和食指之間，夾著一枚一寸長短的金針。
孫成臉色一變，緩緩蹲下身子。
這時，柴威和田中元全部都圍攏了上來，所有的目光，都投注在蕭翎的右手之上。
蕭翎目光一掠左面那青衣童子一眼，緩緩把右手金針遞向了孫成。
孫成接過金針，臉上是一種驚訝和敬佩混合的表情。
蕭翎左手輕輕地撥開了張子羽頭上的短髮，只見兩枚金針，一排刺入張子羽後腦之上，其間相距約一寸左右。
孫成長長吁一口氣，道：「好惡毒的手法！」
蕭翎緩緩拔出兩枚金針，道：「好了，如若令兄大腦未傷，稍經養息，就可以恢復神智。」
孫成見蕭翎替張子羽拔出了腦後金針，仍恐其內傷尚未痊癒，忙一抱拳，道：「還望蕭大俠大施妙手，南海五兄弟永銘肺腑，看看是否還有餘傷？」

蕭翎心中暗道了兩聲慚愧，說道：「不過，據兄弟的觀察，令兄不致受傷。」

孫成接道：「但願如此……」

回目一顧柴威，接道：「去把老四抬來。」

柴威應了一聲，行入大岩之後片刻，兩個大漢又抬著藤榻行了過來。

蕭翎心中暗道：看來這大岩之後，有著不少人手，心中忖思，雙手卻一齊動作，在四凶後腦上，取下了三枚金針。

冷手秀士田中元突然道：「請教蕭大俠，在下兩位兄長，可要服些藥物嗎？」

蕭翎道：「不用了，休息片刻，解開他們身上穴道，看看情形再說。」

站起身子長長吁一口氣，如釋重負。

剽悍的南海五凶此刻已對蕭翎生出了由衷的感激，雖然心中急欲早些解開兩人穴道，一看究竟，但未聞蕭翎之言，竟然忍著不動。

大約過了一頓飯工夫，蕭翎才緩緩說道：「好！現在可以解開他們的穴道了。」

孫成應了一聲，右手疾出，拍活了張子羽的穴道。

蕭翎雖然得那青衣童子傳音相告，說明取了兩人頭上釘穴金針之後，立時就可以復元，但心中仍是有些擔心，全神貫注，留心那張子羽的舉動。

只見張子羽緩緩睜開雙目，望了蕭翎一眼，緩緩站起身子。

他身爲五凶之首，不但武功高強，而且也最善心機，已然打量了四周的形勢。

孫成知他爲人，出手惡毒無比，生恐他陡然出手，傷了蕭翎，連忙指著蕭翎，急急說道：「這位蕭大俠，應小弟之邀，來治療大哥的傷勢……」

張子羽神情冷肅，不待孫成的話說完，就接口說道：「我傷得很厲害嗎？」

孫成道：「大哥受了暗算，被人用金針釘了穴道……」

張子羽伸手由孫成手中，取過一枚金針，接道：「告訴我受傷之後的情形。」

孫成道：「大哥傷在後腦，被人用金針釘了幾處奇穴，人就神智不清……」

張子羽搖搖頭，不讓孫成再說下去，目光轉到柴威的臉上，道：「你去解開老四的穴道。」

柴威應了一聲，行過去，解開了老四的穴道，張子羽神色冷漠，兩道目光卻盯在四凶的臉上，一語不發。

全場中突然靜了下來，靜得落針可聞。

直待四凶清醒之後，張子羽才緩緩把目光轉注到蕭翎的臉上，抱拳說道：「咱們兄弟本來要和蕭兄作對，但承蕭兄這番相救之恩，南海五兄弟，自然不便再和蕭兄爲敵了。」

孫不邪聽得心頭火起，忍不住冷哼一聲。

張子羽冷冷地望了孫不邪一眼，緩緩說道：「蕭大俠救了在下，咱們南海五兄弟，不再和你爲敵，那也算是報答了相救之恩，青山不改，後會有期，咱們就此別過。」

轉身行到那大岩之後。

二凶孫成的臉上閃掠過一抹愧疚，望了蕭翎一眼，緊隨在張子羽身後而去。

三凶、四凶、五凶，魚貫地隨在孫成身後，隱入那大岩之後不見。

孫不邪滿臉激憤之色，望著那突立的大岩，似要發作，卻被無爲道長搖手攔住，低聲說道：「咱們走吧！」

三人轉過身子，放腿疾行，不大工夫，已走出了七、八里路。

孫不邪長長吁一口氣，道：「五凶如此狂傲，早知如此，就不該救他們了。」

無爲道長微微一笑，道：「南海五凶，恃技凌人，在中原武林道上，結仇甚多，血洗峨嵋、青城兩派之事，幾乎盡殲了兩派精銳弟子，據貧道所知，兩派中對此大仇血債，一直念念不忘，決意攜手合作，密研武功，立下誓言，不殺南海五凶，絕不在江湖走動，如若咱們和南海五凶搭上關係，日後如何向中原武林同道交代呢？」

孫不邪略一沉吟，道：「這話倒也不錯。」

無爲道長道：「他們不助沈木風和咱們爲敵，咱們減去了幾個勁敵，此行收穫，已算很大了。」

蕭翎突然接口說道：「道長對目下江湖的禍亂之源，有何看法？」

無爲道長聽他突然改變話題，說到江湖大事上去，不禁微微一怔，沉吟了一陣，答道：

「蕭大俠之意，可是說那罪魁禍首？」

蕭翎道：「論目下江湖罪魁禍首，自然是那沈木風了，但在下之意是說，如若殺了那沈木風，是否江湖之上，就從此再無紛爭？」

無爲道長搖搖頭，道：「據貧道的看法，殺了沈木風，也不過可暫使江湖上有一段表面的平靜，但事實上，卻仍是一個暗流洶湧、四方群雄勾心鬥角之局……」

蕭翎接道：「這麼說來，那沈木風雖然是一代梟雄，但並非這一代禍亂之源。」

無爲道長道：「沈木風雖然手段惡毒，但他不過是代表著一個邪惡的標幟，要說這一代真正的禍亂之源，應該是那一把禁宮之鑰，千百年來，武功精進無數，精華之學都在那一場爭名的比武之中，沉淪禁宮，入宮高手，無一生還，誰也無法了然那禁宮中的內情，但人人都懷著一個奇幻的期望，入得禁宮者，必可身價百倍，雖然入禁宮未必能霸統江湖，但如要霸統江湖，非入禁宮不可！」

蕭翎道：「爲什麼人人都要生此奇想呢？」

無爲道長道：「因爲大家都相信，那些才絕一時的高人，定會在禁宮中留下他們一生精研的心血奇技。」

蕭翎輕輕歎息一聲，道：「原來如此。」

無爲道長仰天呼一口氣，笑道：「也許那禁宮中一無所有，只有幾具白骨……」

語音微微一頓，接道：「未開禁宮之前，誰也無法預料到那禁宮中有些什麼，貧道也不過胡言亂語猜上幾句罷了，倒是貧道心中有一件不明之事，想請教蕭大俠了。」

蕭翎道：「什麼事？」

無爲道長道：「蕭大俠何以知道那張子羽後腦髮際之中，被人釘上了三枚金針？」

蕭翎道：「不知內情，看起來的確是有些神秘，我蕭翎絲毫不通醫道，何以竟會想到那張子羽後腦釘有三枚金針，但如說穿了，那就一文不值，因爲有人在一旁告訴了我……」

語聲微一停頓之後，又道：「說來令人難信，是那兩個青衣童子中的一人。」

無爲道長道：「那兩個青衣童子，好像都是那張子羽收傳的弟子，何以會暗中給你幫忙？」

蕭翎道：「那青衣童子告訴我，他將在今夜初更之前，趕回覆命，自然不是張子羽手下的人了。」

無爲道長道：「那是說他是奉命來此，專在暗中相助咱們了？」

孫不邪道：「那人能在大凶、四凶頭上，輕輕易易的釘上了三枚金針，如是要取兩人之命，自是易如反掌，南海五凶之中，以張子羽的武功最高，仍然被那人隨意擺佈，以此推論，他如是想殺死南海五凶，那也是輕而易舉的事了。」

無爲道長道：「他用三枚金針釘了大凶、四凶腦後穴道，又派了一個人，假扮那張子羽的弟子，守在五凶身側，暗中相助咱們，這人的膽氣，可算作宏偉豪壯的大手筆，常人難及……」

蕭翎接道：「不錯，那人手下還得有一個和那張子羽徒弟一般模樣的屬下才行。」

無為道長微微一笑，道：「那倒不用了，只要很好的化妝之術，就可以使他容貌大變。」

孫不邪道：「蕭兄弟，他可曾告訴了你來歷身分嗎？」

蕭翎搖搖頭，道：「沒有。不過，我聽口音，卻有些不似男人。」

孫不邪道：「是女扮男裝的了？」

蕭翎道：「是否為女子化妝，我不知道，只是他的嗓音，太過細柔，有些不似男子。」

無為道長點點頭，道：「是了，他們先行擒去了張子羽兩個隨身小童，利用化妝之術，另行派人，混在張子羽的身側，因那張子羽隨身童子，體型甚小，只好用女子扮作男裝了。」

蕭翎道：「不論那人是男是女，主要是咱們應該知道他的來歷才是。」

無為道長道：「照貧道的看法，短時期內，那人還不會顯露真正的身分。」

孫不邪道：「老叫化就是想不明白，有很多人，不肯正大光明的出現於江湖之上，卻故作神秘，隱於幕後，鬼鬼祟祟，不知是何用心了。」

無為道長道：「有些人，都是為了不得已的原因，如強敵勢大，不敢明爭，但大部分，卻是借用這一份神秘感，來隱瞞自己的身分。」

蕭翎道：「孫老前輩和道長，都是久年在江湖走動之人，難道就想不到一點線索嗎？」

無為道長口齒啟動，欲言又止。

孫不邪道：「蕭兄弟不用多費心機了，看樣子不但沈木風的舉動他能瞭若指掌，就是咱們的一舉一動，恐怕也在他監視之下，他如想見你蕭兄弟，你就是不想見他，也是不行，他如是不想見咱們，談話也是無用。」

蕭翎道：「唉！這人不知是否救我父母的那人……」

語聲甫落，突聞嗤的一聲，一支長箭，直射過來，釘在蕭翎身旁五尺外，一株大樹之上。

箭尾處白簡飄風，帶著一封素箋。

無爲道長飛身而起，隨手取下箭尾素箋，只見上面寫道：函致蕭翎親拆。

緩緩遞向蕭翎手中。

蕭翎匆匆瞧了信皮一眼，打開信封，只見上面寫道：「沈木風已感覺到難以生擒於你，收歸己用，因此，已決定要置你於死地。

「據我所知，他的手段，十分惡毒，似乎是要用一種強烈的毒藥，而且他派了百名以上精明幹練的人，對付你一個，這事沈木風進行十分機密，我所知有限，特來奉告，還望多加小心。」

這封信上面沒有名銜，下面也未署名，只是簡簡單單說明了一件事。

蕭翎看完了全信之後，輕輕歎息一聲，把素箋交到了無爲道長手中。

無爲道長看了一遍，道：「寧可信其有，不可認其無，咱們得準備一下才是。」

孫不邪在無爲道長閱讀之時，也藉機瞧了全信，當下說道：「老叫化倒有一個辦法，咱們將計就計，瞧瞧那沈木風用的什麼惡毒手段。」

無為道長道：「不知老前輩有何高見？」

孫不邪道：「咱們先去找到貴派中人，再說不遲。」

語聲微微一頓，道：「老叫化似是記得你對令師弟說過，要他率人在望陽谷中等候，只是，老叫化跑了甚多地方，就是想不出望陽谷究在何處？」

無為道長道：「所謂望陽谷，只是一句暗語而已，貧道帶路，不過一個時辰，就可以到了。」

這等山野之地，人跡稀少，三人施展輕功，放腿急奔，果然，在一個時辰左右，來到了一座翠谷之中。

谷中長藤繞樹，長不過百丈左右，一層翠色籠罩了整個的山谷。

無為道長舉手互擊三掌，只見三丈外翠藤啓動，展葉青飛躍而出，遙遙一禮，道：「迎接師兄。」

無為道長道：「不用了，馬總瓢把子的傷勢如何？」

展葉青道：「已然大見起色。」

當先帶路，把幾人引入了翠藤之下。

蕭翎抬頭看去，只見一座突出的山岩，籠罩了三丈方圓一處空地，三面青藤環繞，遮去日光，十幾位武當弟子，都在盤坐調息，但背上的長劍，卻未解下。

孫不邪暗暗歎息一聲，忖道：武當派乃如今江湖上一大劍派，只因和百花山莊爲敵，竟被逼得掌門率領門下精銳，到處奔行避難……

只聽蕭翎說道：「孫老前輩有何良策，對付沈木風派出之人？」

孫不邪哈哈一笑，道：「老叫化這法子簡單得很，只是要會易容之術才行。」

無爲道長道：「易容之術，貧道略知一、二。」

孫不邪道：「那就好了。」

語聲微微一頓，接道：「那沈木風已知蕭兄弟的武功，絕非他屬下高手，能夠勝過，因此，那百名追蹤蕭兄弟的高手，必帶有特殊之物，不管是用什麼手段，但惡毒是可以想見，咱們必得早些了然他們用什麼惡毒之物才行，因此老叫化主張，就貴派弟子中，選出幾人，扮成蕭兄弟的模樣，由老叫化和蕭兄弟易容從中保護，只要能找出他們用的是什麼惡毒之物，那就不難對付了。」

無爲道長雙目盯在蕭翎的臉上，瞧了一陣，道：「老前輩的辦法，雖然高明，但要扮成蕭大俠這等容貌，倒非一件易事。」

孫不邪道：「這也不難，只是扮得有些類似就行了，咱們白天躲在店中，盡量避免和人見面，只要放出消息，沈木風自然會找上門去。」

無爲道長點點頭，道：「目下各大門派，都爲了沈木風實力過於強大，不肯當面和他爲敵，蕭大俠能夠在極短時日中，聲譽卓著，也就是因爲他敢和沈木風抗拒所致，古往今來，江湖之上，從無一人能像蕭大俠一般，在這樣短促的時光中，名動武林，受人欽重……」

蕭翎突然插口說道：「在下有一事，心中不解，請問道長。」

無爲道長道：「蕭大俠有何見教？」

蕭翎道：「道長盡率武當門下精銳，武當山三元觀，尚有甚多弟子，如若沈木風派遣高手，襲擊三元觀，貴派留在觀中弟子，抗拒無力，豈不是要盡遭劫難？」

無爲道長沉吟了一陣，道：「這個，貧道亦曾想到，不過，那沈木風乃是大奸巨惡的人物，貧道和武當門下的精銳，既然不在三元觀中，縱然血洗三元觀，盡殲留在山中弟子，也不能一舉間把我武當派消滅，反將留人口實，也更增我同仇敵愾之氣，陰險如沈木風，恐不願爲之。」

忽見孫不邪一跺腳，道：「老叫化就是想不明白，當今九大門派，何以不肯同心協力，給那沈木風來一個迎頭痛擊，時日拖延愈久，沈木風的實力愈強，難道一定要火燒眉毛，才肯挺身而出不成。」

無爲道長輕輕歎息一聲，道：「老前輩說得雖是不錯，但各大門派，亦有他們苦衷，就貧道所知，各派掌門人，並非是不知其中道理，只是那沈木風實力過於強大，誰都不敢先擋銳鋒，唉！孤注一擲的拚法，一個不好，必將鬧得全派被殲，所以，各大門派中人，都暗中選派了精明弟子，追尋那禁宮之鑰的下落，寄望從那禁宮之中，尋得上一代高人的絕傳奇技，能一舉制服那沈木風，又可光大門戶，領袖武林……」

說至此處，語聲停頓，回顧了蕭翎一眼，又道：「貧道有幾句不當之言，想請問蕭大俠。」

蕭翎微微一笑，道：「可是有關那禁宮之鑰？」

無為道長道：「不錯，據聞那禁宮之鑰確落在岳雲姑的手中，不知是真是假？」

蕭翎搖搖頭，道：「晚輩雖然見過那岳雲姑，不過，那時晚輩尚是一個全然不解武功的人，自是不知那禁宮之鑰的事。」

無為道長道：「傳聞岳雲姑已然仙化，不知是真是假？」

蕭翎黯然說道：「此事並非訛傳，我那雲姨，確然已登仙界。」

無為道長輕輕咳了一聲，道：「貧道要再問一句不當之言，那禁宮之鑰，是否真落在了岳小釵的手中？」

蕭翎正待答話，忽聞一人笑道：「不錯，落在了岳小釵姑娘手中！」

蕭翎轉頭看去，只見中州二賈和司馬乾、雲陽子等，魚貫而來，那接口之人，正是商八。

商八大笑而言，目光一轉瞧到了蕭翎，立時住口不說。

蕭翎望了商八一眼，道：「這件事我這兩位兄弟最清楚了，道長問他們吧！」

商八尷尬地一笑，道：「據那岳姑娘親口告訴區區，那禁宮之鑰，確然已由她收存在身邊，不過她並未帶在身上，不知存放於何處……」

無為道長接道：「但願岳姑娘能夠早入禁宮，學得那制服沈木風的良策。」

提到了岳雲姑和岳小釵，蕭翎心中感傷甚深，雲姨物化，屍體未葬，岳小釵又不知流落何方，生死不明，想到悲傷處，不禁長歎，垂下頭去。

商八說得逸興橫飛，本想滔滔不絕地說下去，但見蕭翎悲苦神情，立時噤若寒蟬，不敢再多接口。

孫不邪橫掃了群豪一眼，道：「岳雲姑已然仙逝，岳小釵下落不明，禁宮之鑰有如沉海砂石，那也不用談了，目下要緊的事，是如何對付那沈木風，挽回江湖大劫，難道那禁宮之鑰不現江湖，咱們就任憑那沈木風宰割不成？」

蕭翎黯然的心情，卻被孫不邪幾句話激起豪氣，挺身說道：「目下江湖上諸大門派，和各方豪雄，所以不敢和沈木風抗拒，無非是被那沈木風的惡名震懾……」

微微一頓，接道：「在下之意，咱們先在江湖上，讓那沈木風受點挫敗，傳揚出去之後，或可激起那諸大門派聯手抗拒之心。」

無爲道長道：「蕭大俠所言所示，雖是上策，但如再能配合一點謀略，或收效更快一些。」

蕭翎道：「願聞高見。」

無爲道長道：「咱們在獲得小勝之後，虛放傳言，說沈木風要對某大門派下手，重振聲威，形勢相迫，或可早日激起武林道上，聯手對付沈木風的豪氣。」

孫不邪道：「兵不厭詐，愈詐愈好，對付這等惡毒之人，那也不用計較什麼手段了。」

蕭翎長長歎息一聲，說道：「有一事，在下是不得不先行說明。」

無爲道長道：「什麼事？」

蕭翎道：「據在下所知，江湖上各大門派，包括丐幫和神風幫，都有沈木風的人在那裏臥底，是以各大門派如有動靜，沈木風立時可得訊息，此事至關重大，不可不預謀對策。」

無爲道長呆了一呆，道：「有這等事，太可怕了！貧道立時修書，分遣我武當門下弟子，易容改裝，送給各大門派，要他們注意就是。」

蕭翎目光炯炯，掃掠了武當門下弟子一眼，道：「貴派中亦有奸細，道長遣人之時，還望多多考慮一下。」

無爲道長神情凝重地道：「這個貧道自應多加思慮……」

目光轉動，環顧坐息四周的眾弟子一眼，道：「你們暫時退下。」

環坐四周十幾位武當弟子，一齊站起身子，退了出去。

這時，突岩之下，只剩下了孫不邪、中州二賈、蕭翎、司馬乾，以及無爲道長、雲陽子、展葉青等幾人。

無爲道長眼看門下弟子去遠，低聲說道：「咱們不能太過分散實力，最多分成兩批，而且還要前後呼應，萬一和沈木風相遇之後，也可和他一戰。」

蕭翎道：「道長說得是。」

孫不邪道：「不過，咱們要多打扮幾個蕭翎，以亂那沈木風的耳目。」

無爲道長道：「正該如此。」

群豪經過這一番商議之後，立時依計行事。

於是一場鬥智鬥力的惡鬥，在江湖之上展開。

無爲道長除了派遣一批武當弟子，送信到各大門派之外，另選六位武術最強弟子，換下道袍，改著俗裝，帶著展葉青，隨同孫不邪、蕭翎等離開了望陽谷。

雲陽子帶著一部分武當弟子，照顧馬文飛的傷勢。

這時，群豪都經過一番精細的化妝，連那堂堂一代掌門的無爲道長，也扮成一個落魄的文人。

孫不邪青巾紮頭，扮作了一個車夫，司馬乾布招銅鑼，裝成一個賣卜先生。

中州二賈走江湖，易容改裝，直似家常便飯，兩入扮成一對趕騾子的腳夫。

展葉青和蕭翎卻穿上土布褲褂，裝扮成兩個半百老人，乘坐健騾。

六個武當弟子分別扮作擔夫布商，一行人沿官道直奔鄂州。

沿途之上，群豪留心觀察，果然發現不少武林人物，快馬奔馳。

顯然，江湖上正有巨大的波動。

沈木風耳目雖然靈敏，但他也沒有想到，無爲道長等，竟然會易容改裝，出現於江湖之上，是故，一路之上，竟未發生事情。

這日，太陽下山時分，已到鄂州城郊。

商八低聲對騎在騾子上的蕭翎說道：「南關外有一座六和大客棧，因爲房屋眾多，住的人也最是複雜，沈木風如若有人手來此，那六和客棧中必有耳目，咱們既是有爲而來，住那裏最好了。」

蕭翎點點頭，道：「好吧！咱們快行一步，你留暗號，指明去處，如是咱們一行人，一齊擁進那六和客棧，必將引起那沈木風派遣的暗樁疑心，此番不比往日，咱們不能再使我明敵暗。」

商八點點頭，留下暗記，催動健騾，直奔六和客棧。

到達客棧，已是掌燈時分。

商八招呼夥計，接去健騾，要了一座跨院，當先向前行去。

只見店中燈火通明，正是晚餐時候，五間寬大的廳中，擺了十幾張桌子，但都已經坐滿了人，這家客棧，竟還兼營著酒飯生意。

蕭翎目光一轉，瞥見兩個身著黑衣勁裝的大漢，面對而坐，一眼看去，面善得很，一時卻又想它不起。

他怕啓動別人疑心，不敢多看，隨在商八身旁，穿行入跨院。

這是一座三明五暗的大客房，進門擺了一張八仙桌，以作進餐之用。

帶路的店夥計，望了蕭翎和展葉青一眼，看他們全身穿著土布衣褲，留著三寸長短的花白鬍子，腰裏勒著一條四指寬的腰帶，一副土裏土氣的樣子，怎麼看，也不像要住獨門獨院，當下說道：「兩位老掌櫃，這座獨院，房價很貴，如是兩位不願多花錢，那面還有現成的通舖。」

商八伸手取了二兩重的一錠銀子，丟在那店夥計手中，說道：「夠不夠？咱們兩位員外，雖然很少出門，但用起錢來，卻是大方得很。」

那夥計一聽口氣，似是已知遇上常住客棧的行家，急忙陪著笑臉，道：「用不完，用不完，四位請坐著，小的去給幾位砌壺茶來。」

蕭翎目睹那店小二背影消失，才低聲對商八說道：「商兄弟，你瞧出可疑人物沒有？」

商八點點頭，道：「劍門雙英，追風劍裴百里和無影劍譚侗。」

杜九冷冷地接道：「劍門雙英，在武林中亦算很有名氣的人，何以竟也死心塌地為那沈木風……」

商八食指按在口上，低聲說道：「小心一點。」

杜九立時住口，緩步行到院中。

商八眼看杜九行入院中把風，才低聲說道：「劍門雙英既在此地出現，那是可以證明了，百花山莊已有人在鄂州城中，不過，有一點可疑之處，倒叫兄弟思解不透。」

蕭翎道：「什麼事？」

商八道：「那沈木風派出百位武功高強之人，追尋大哥，準備暗下毒手，卻不會明槍明劍的和大哥動手，必將是暗施算計，如若劍門雙英，也是奉命追尋大哥，暗施算計的人，絕不會明目張膽的在這六和客棧出現……」

蕭翎道：「不錯，他們如是易容改裝來算計我，自然是容易一些。」

商八道：「除非那暗中向咱們示警之人，和沈木風有所勾結，沈木風絕然想不到，咱們會現身在耳目眾多的城鎮之中。」

蕭翎沉吟了一陣，道：「此言甚是有理。」

商八道：「如是大哥在鄂州城中現身之後，被那沈木風暗樁發現，百花山莊人，趕來此地，那就不足爲奇；但大哥尚未現身之前，百花山莊的高手，卻已到此地，這就有些不可思議了。」

展葉青突然接口，說道：「如若咱們能把劍門雙英生擒過來，或可逼問出內情。」

商八道：「在下之見不可……」

只聽杜九一聲輕咳，傳了進來。

商八立時住口不言。

轉眼看去，只見那店小二左手提著茶壺，右手端著一個木盤，大步走了進來，道：「四位可要吃點什麼？」

商八要了佳釀、菜餚，那店小二才退了出去。

展葉青輕輕咳了一聲，道：「商兄不同意小弟之見，那是另有高明之策了。」

商八道：「兄弟的看法，他們來此，定是別有所圖，咱們必須暗中追查。」
展葉青道：「不錯，暗中追查。」
蕭翎道：「好！咱們就分成幾班監視他們，區區先去。」
展葉青道：「在下先去吧！」舉步向前行去。
商八急急說道：「大哥和展兄，都不用辛苦了，兩位這身裝束，都是年過半百的人，但你們的行動舉止，卻是無一處像過半百以上的人，不要說劍門雙英能在一眼之間，可以瞧出你們是易容改裝，就是一個普通的人也能一眼之間，就瞧出了兩位的舉止可疑。」
蕭翎道：「那要怎麼辦呢？」
商八略一沉吟，道：「好吧！兩位暫且留在此地，在下出去瞧瞧……」一個轉身，閃出室外而去。
別瞧他大腹便便，但行動起來，卻是靈活無比。
杜九起身關上門窗，低聲說道：「兩位請守在房中別動，我去室外把風。」
只聽一聲呼叫道：「酒菜送到。」
杜九打開房門，接過酒菜道：「咱們一天趕路，此刻十分睏倦，碗筷明天再來收吧。」
那店小二怔了一怔，道：「好吧！」轉身而去。
杜九把酒菜送入房中，說道：「咱們快些食用，進過餐後，熄去燈火。」
蕭翎口雖不言，心中卻是暗自忖道：似這等鬼鬼祟祟的生活，實是悶氣得很。

三人匆匆吃過酒飯，杜九收了菜盤碗筷，熄去火燭，靜坐室中。足足等了將近一個時辰之久，仍不見商八回來，蕭翎暗中擔起心來，他一去這久時光，不聞消息，莫不是出了什麼麻煩……

心中念頭轉動，忍不住歎息一聲，說道：「商兄弟該回來了。」

此刻酒客大都散去，已不似剛才那般吵雜，有一種夜闌人靜之感。

杜九輕輕咳了一聲，道：「大哥有所不知，商老大外表雖是一團和氣，但他要強之心，強烈無比，嘻嘻哈哈的笑語中，卻有著不達目的不甘休的決心，他既然去了，如是不查一個水落石出，只怕不肯回來。」

蕭翎輕輕歎息一聲，道：「但願他無恙歸來才好。」

展葉青道：「咱們再等上一個時辰，如是他還不回來，咱們就設法找孫老前輩和敝師兄研商一個尋他之策。」

原來，孫不邪、蕭翎等分批而行，相約有言，除非情形特殊，必得碰面不可之外，不論是住店、行路，不得會談，以免引人注意。

幾人正在商討之間，虛掩的室門，呀然一響，一個人影疾衝而入。

杜九低聲喝道：「什麼人？」

喝問聲中，人卻一閃身子，擋住了門戶之處。

但聞來人低聲說道：「我！快些燃起燈火。」

杜九已聽出是商八的聲音，急急晃燃火摺，點起案上火燭。

抬頭看去，只見商八一臉鐵青之色，站在那裏，右手按在左臂之上，鮮血已然濕透了一隻左袖。

蕭翎吃了一驚，急步衝到商八身前，道：「商兄弟，傷得很重嗎？」

商八道：「不要緊，區區一點傷勢，兄弟還撐得住，敷用一些金瘡藥，就不礙事了。」

展葉青探手從懷中摸出一個絹袋，道：「我們武當門中的止血生肌散，貴兄弟想已聽過了！」

杜九打開絹袋，取開商八右手，替他敷了藥物，包好傷勢，才搖頭說道：「好險啊！好險！只是分釐之差，就傷到筋骨了。」

商八精神一振，道：「我還當因此廢了這一條左臂，想不到竟然還是好好的。」

蕭翎道：「怎麼回事？」

商八長長吁了一口氣，道：「小弟到了廳中，劍門雙英剛好結帳而去，我跟著他們穿過了幾條街道，到了一處人群雲集的熱鬧之處，各色燈籠，隨風飄動，光如白晝，行人接踵擦肩，兩側盡都是高大漆門宅院。」

展葉青道：「那是什麼地方，怎的如此熱鬧？」

商八道：「是鄂州城中娼妓雲集之地。」

蕭翎道：「劍門雙英去那裏做什麼？難道兩人都是好色之徒？」

商八道：「我也是甚感奇怪，劍門雙英就算要去那等所在，也該換換衣服，何故如此匆忙，小弟心中懷疑，就追了進去……」

展葉青接道：「怎麼？難道那沈木風在妓院之中，也埋下了暗樁，布下了耳目不成？」

商八道：「我瞧那地方不只是設有暗樁耳目，只怕是一處發號施令的所在……」語音微微一頓，接道：「我瞧他們走進了一家妓院，名叫『三江書寓』，我就隨著追入一瞧，只見人如潮水川流不息的出入，院中設備十分講究，迎面是魚池假山，流瀑飛泉，兩旁是垂簾繡戶，綵燈高照，絲竹笙管，聲達戶外，十室九客滿，生意可算是生財有道，日進斗金。」

他一生善於經營，聚斂之富，鮮有其匹，但一談賺錢生意，仍不禁是眉飛色舞，忘了創痛。

蕭翎一皺眉，道：「說下去。」

商八打個哈哈，道：「老毛病總改不了……」

輕輕咳了一聲，接道：「小弟眼看著劍門雙英，繞過假山，直向後院，就跟著追了過去，哪知假山之後有一座通往後宅的圓門，由兩個龜奴把守，兩個龜奴狗眼看人低，大概瞧到了小弟這身衣著，難登大雅之堂，就出手把我攔住，不准入內，小弟本想強闖進去，但又怕驚動了劍門雙英，只好退了回來，默查了四周形勢，找了一個燈光幽暗之處，躍上屋面，繞到那三江書寓之後……」

蕭翎道：「可曾瞧到了劍門雙英嗎？」

商八道：「那後院之中，滿種花樹，高吊綵燈，照得四周屋面通明，幾處繡閣中，都有厚厚簾子垂下，只見隱隱燈火，小弟一看院中形勢，已知是經過高人設計的佈置，不論你停在哪一方屋面，都無法避開那高吊燈火的照射，害得小弟在屋面停了一頓飯的時光，仍是無法躍上三江書寓的後院屋面……」

蕭翎想到他臂傷敷藥不久，多言無益，忍不住接道：「商兄弟，你說得簡單一些，不要震動了傷處。」

商八微微一笑，接道：「小弟瞧來瞧去，想不出躍上那三江書寓的良策，但想這樣長耗下去也不是辦法，總得想個法子，混進去瞧瞧才是，只好折回原地，借了一件衣服……」

他進門之後，蕭翎等一直忙著替他敷藥、紮傷，未曾留心到他的衣著，此刻看他，竟是穿著一件黑緞長袍。

展葉青道：「你一時之間，哪裏去借這身衣服？」

商八笑道：「我找了一位和我身材相同之人，點了他的穴道，脫下他的衣服，留下一些銀子，重入三江書寓。果然人要衣裝，兩個龜奴看了我一眼，竟是未再攔阻，任我走了進去。」

展葉青道：「那後院之中，可是沈木風等人會集之處嗎？」

商八道：「後院之中，曲廊迴欄，佈設精雅，又非前院能及，只是兩排房屋，都緊閉著門戶，卻不知劍門雙英進了哪一處房間之內，小弟繞著那迴廊走了一遍，仍是無法確定劍門雙英，在哪座門戶之內，但卻感覺到正陷入一片危境之中。」

展葉青道：「哪裏不對了？」

商八道：「初入院中還未覺著什麼，走了一周之後，才覺著情勢不對，原來那十二座門戶的分佈之位，竟是隱隱含著八卦方位，決非一座普通妓院，心知陷於險境，不宜再多停留，急急向外退去，繞過一個廊角，忽聞金刃劈風之聲，斜裏攻來，我心中雖有警覺，但卻未料到，在廊角竟會隱藏有人，一時間，閃避不及，右臂中了一刀……」

杜九道：「你可瞧出了那人嗎？」

商八搖搖頭，道：「沒有看到，也無暇去看，但那人出刀之快，卻是江湖上甚爲少見，也幸虧我中了一刀，不敢再向前闖，一提氣躍上屋面，就在我躍上房的同時，數十道寒星閃爍，齊射向我停身之處，方圓八尺內，盡爲暗器籠罩，我如稍逞豪強，硬向前闖，或是忿於這一刀之恨，回手擊敵，只怕是非傷在暗器之下不可了。」

蕭翎失聲說道：「這等佈置，並非只是爲了對付兄弟一人，而是事先都已經過周密的算計，幸是兄弟識謀過人，未曾中那暗算。」

商八道：「有一事我卻感不解！」

蕭翎道：「什麼事啊？」

商八道：「就是兄弟中這一刀，我第一次過那迴廊之時，亦曾留心瞧過，不見有人，事後想那段曲折迴廊，也不宜藏人，這一刀簡直不知從何而來。」

蕭翎沉吟了一陣，道：「如是那迴廊曲轉之處，是一座活動的機關，可以隨時轉動……」

商八接道：「不錯，兄弟就沒想到這一層，好惡毒的佈置啊！就算一刀砍你不死，還有那狂雨一般的暗器猝然而至，就算是一流好手，只怕也難避開，小弟福至心靈，竟然躍上屋面，逃得性命。」

杜九道：「你逃上屋面，就沒有人追你了嗎？」

商八道：「那片屋面，緊靠前宅，而且遊人正多，我行動又極快速，一點屋面，就躍落人群之中去了。」

蕭翎道：「這麼說來，那三江書寓，實是有些古怪了。」

展葉青道：「那沈木風耳目遍佈天下，到處都設有巢穴，他既派出了百名高手，暗算蕭兄，咱們爲什麼不挑他幾處分舵，以牙還牙。」

蕭翎道：「展兄說得不錯，今日咱們休息一晚，明晚上去那三江書寓瞧瞧，到時再見機而行。」

商八道：「大哥最好能和無爲道長、孫老前輩研商一下，再作決定。」

展葉青道：「不知在下師兄，是否住進六和客棧之中？」

商八道：「住進來了，兄弟出去之時，曾經查看過了暗記，令師兄和孫老前輩，全都已住進六和客棧，只是不知他們住在哪座房中。」

蕭翎道：「那沈木風耳目靈敏，咱們今宵分班守夜。」

一宵無事，天亮之後，無爲道長和孫不邪先後進入跨院之中。

蕭翎正想請兩人來，兩人卻未約而至，急急把昨夜禹八經歷之事，告訴兩人。

無爲道長道：「看來，咱們已然無法和那沈木風避免衝突，挑他一處暗穴，那就等於挖了他一隻眼睛。目下鄂州地面，雖有沈木風的屬下，但沈木風決不會把全部力量集中於斯，縱然是和他對了面，也可抵擋一陣。」

孫不邪道：「道長機智多謀，想必已胸有成竹。」

無爲道長微微一笑，道：「計謀倒是有，但不知能否適用，貧道說出後，如有不適之處，還望諸兄指教。」

當下把籌思之策，很仔細地說了一遍。

孫不邪點頭讚道：「好極！好極！先亂敵人，乘虛而入。」

這當兒，突然啪的一聲輕響，一顆石子，落入院中。

無爲道長一揮手，低聲說道：「諸位小心。」

蕭翎道：「怎麼回事？」

無爲道長搖搖手，不要蕭翎問話。

過了片刻，突聞室外啪啪連續兩響，無爲道長才起身說道：「貧道已在四周布下把風之人，適才那落石輕響，乃是有傳警之意，有著可疑人物到來。」

蕭翎道：「那兩聲連響，可是那可疑之人已去嗎？」

無爲道長點點頭，應道：「不錯。」

站起身子，接道：「貧道要先走一步了。」

孫不邪接道：「老叫化也該找幾個助拳跑腿之人，就此別過了。」

蕭翎望了商八一眼，道：「兄弟雖是一些皮肉之傷，但失血甚多，需得好好養息幾日。」

商八笑道：「有得半日養息，大約已經夠了。」

蕭翎想到如是留下他一人在此養傷，那也是危險得很，當下不再言語。

近午時分，蕭翎帶著中州二賈和展葉青，離開了六和客棧，直奔群英樓。

這群英樓乃鄂州城中，最大的一家酒樓，蕭翎登上群英樓時，無爲道長和東海神卜司馬乾已經先到。

無爲道長青袍長髯，足登福字履，頭戴方巾，又是一番裝束，臉上早經易容，如非事先約好，蕭翎一眼也無法瞧出是無爲道長改扮。

司馬乾布招銅鑼，仍是一個賣卜的先生。

此刻午時未到，樓上酒客，已坐有六成。

蕭翎目光一轉，緩步走入了一個客房之中，只見兩個中年佩劍武士，早已在房中等候，送上一個包裹。

蕭翎立刻換上衣服，抹去臉上易容藥物，片刻間回復了本來面目，啓簾而出，選了一張靠窗的位置坐下。

那地方十分顯眼，凡是登上樓的客人，一眼間就可看到。

商八、杜九、展葉青，分在蕭翎身旁不遠處桌位上，暗中保護，六道目光，不時打量四周客人，心中甚是緊張。

眾人不知那沈木風要用什麼惡毒手段對付蕭翎，生恐一個失神，蕭翎爲人謀算。

蕭翎落座不足一刻工夫，東北角處，突然有一個酒客起身下樓而去。

商八心中一動，低聲對杜九說道：「小心那小子。」

杜九微微頷首，目光一直盯著那人。

只見他行到樓梯口處，停了下來，又回頭打量了蕭翎兩眼，才下樓而去。

片刻工夫，一個雙手捧著菜盤的酒保奔上樓，先把盤中一盤熱炒，放在四個酒客的桌子上，轉向蕭翎奔來，欠身說道：「這位客爺要吃什麼？」

蕭翎隨口要了兩樣菜，叫了一壺茶，那酒保才重又轉身而去。

四　敵蹤隱現

片刻工夫，那酒保已托著酒菜，送上來了。

這酒保送上酒菜過快，引起商八疑心，低聲對杜九說道：「情形有些不對，你想，無論大小酒樓，都該有個先來後到，這酒保對咱們龍頭大哥，似乎特別垂青，你要小心了。」

說話之間，果見那酒保直對蕭翎行去，杜九暗中運氣，蓄勢戒備，只要那酒保稍有異樣行動，立時便以迅雷不及掩耳的舉動，發出掌力。

只見那酒保放下了盤中酒菜之後，欠身退了下去。

杜九暗暗鬆了一口氣。

那酒保繞到展葉青的身側，問過他要的酒菜，才回身而去。

蕭翎斟了一杯，正待舉杯飲下，突然一個細微的聲音傳入耳際，道：「不能飲酒吃菜。」

這聲音甚是陌生，而且又不似男子口音，蕭翎的目光轉動，全樓不見一個女子。

心中暗自奇道：這是何人？暗中來警告我。

又過了一陣工夫，那酒保竟又轉了回來，望望蕭翎桌上的酒菜，道：「可是酒未燙熱？」

蕭翎搖搖頭，道：「不是……」

酒保道：「那是菜不可口了？」

蕭翎冷冷說道：「也不是。」

那酒保望了桌子上酒菜一眼，道：「既然酒熱菜好，客人何以不食用一些？」

蕭翎心中一動，暗道：一個酒保，怎的是如此多管閒事。

這些時日中，他江湖閱歷大增，心中動疑，表面上卻不動聲色，淡淡一笑，低聲對那酒保說道：「在下聞得這酒菜之中，似有異味……」

那酒保笑道：「客官說笑了。」

蕭翎道：「你如信其無毒，何不先乾一杯，請啊！請啊！」

口中說話，雙手一齊動作，右手疾出，點了那酒保右腿「風市」穴。

左手端起酒杯，暗用內力，強把一杯酒，灌入那酒保口中。

他手法乾淨俐落，雖然勉強那酒保喝下杯中之酒，但滿樓酒客，卻是大都未曾發覺。

蕭翎放下酒杯，緩緩站起身子，輕輕在那酒保背心上，拍了一掌，那酒保身不由己地嚥下了口中之酒，蕭翎順勢拍活那酒保穴道，低聲說道：「老兄多多珍重。」

那酒保穴道已解，立時轉身向樓下奔去，但他飲下之酒劇毒無比，行到樓梯口處，毒性已發，砰一聲摔倒地上，口鼻中鮮血滲出。

蕭翎目睹酒中奇毒如此之烈，暗道了一聲慚愧，心想如非有人警告，我全然無備之下，飲下此等毒酒，只怕是一樣難逃危運。

那酒保突然摔倒不起，頓時引起滿樓酒客注意，紛紛轉臉望去。

這時，瞥見一個酒客，離位而起，一伏身抱起那酒保，快步下樓而去。

蕭翎目光一轉，暗暗忖道：這滿室酒客之中，只怕有著不少百花山莊的高手混在其中，敵暗我明，不宜在此多留了，探手入懷，摸出一塊散碎銀子，放在桌上，起身下樓而去。

杜九低聲對商八說道：「想不到沈木風竟是真在酒樓之中埋有暗樁，咱們走吧！」雙雙起身下樓而去。

展葉青目光四顧了一眼，高聲喝道：「這酒菜之中有毒啊！小心了。」

那酒保無故摔倒，已引起了甚多酒客的疑心，再經展葉青這一嚷，頓時引起一片驚慌混亂。

展葉青借著混亂，急急下樓。

且說蕭翎下得樓梯，直向店外行去，到得店門口處，耳際間又響起了那柔細的清音，道：「小心暗算。」

蕭翎回目一顧，未瞧出那傳警之人，心中暗道：他既不肯現身，那是不願和我相見了。

抬頭看去，只見大街上人來人往，接踵擦肩，正是午市熙來攘往時間，難道百花山莊中人，敢在這等熱鬧所在下手……

心念未完，瞥見寒芒一閃，一蓬毒針，電射而至。

蕭翎吃了一驚，急急向旁側一閃，避開毒針。

但聞一陣砰砰的輕微之聲，一蓬毒針，大部都釘在店門之上，少數幾支，卻射在店中。兩聲極短促的慘叫，傳了過來，緊接著是兩聲大震，兩人撞倒木桌，滾落實地，氣絕而逝。

那毒針細如牛毛，中人之後無聲無息，而且奇毒強烈，那兩個中針之人，固然是糊糊塗塗死去，就是站在旁側之人，也是瞧不出這兩人，何以會突然倒了下去。

蕭翎眼看傷及無辜，心中大是憤怒，凝目在人群之中搜查，但見人群來往，竟是瞧不出可疑之人。

這時，中州二賈、展葉青，已從樓上奔下，目光一掠兩個倒在地上之人，急步出店而去。

蕭翎氣憤塡胸，竟然在店門口處，目光炯炯，四下搜尋兇手，忘了行動。

商八急步向蕭翎身側行去，藉機說道：「大哥快來。」

蕭翎心神一清，想到還有大事要辦，舉步隨在中州二賈身後行去，心中忖道：這沈木風施展這等莫可預測的手段，加害於我，當眞是防不勝防了，今後，必得處處小心了。

展葉青緊隨在蕭翎身後五尺處，留神四外，暗中保護。

蕭翎心中餘怒未息，暗中留心戒備，只要發現暗襲之人，立於重手懲處。

行過了兩條街道，到了一處十字路口，但見路旁廊下，排滿了各色攤販，不停地招呼客人。

蕭翎目光一轉，只見五、六丈處，有一條僻巷，大街上人聲吵雜，行人混亂，最是難防暗襲，不如轉入僻巷，正待施展傳音之術，招呼商八、杜九，卻瞥見一個滿身褸衣的中年叫化子，迎面行了過來，雙目盯注在自己臉上，蕭翎心中一動，暗道：久聞丐幫弟子，遍佈大江南北，這人注視於我，或是丐幫弟子，奉那孫不邪之命而來……

心念轉動之間，那中年叫化，已然行到蕭翎身前三、四尺處。

低聲說道：「你是蕭大俠？」

蕭翎道：「不錯，兄台可是丐幫……」

話未說完，瞥見那丐幫弟子，雙手齊揚，右手打出一蓬毒針，左手拔出一把匕首，猛向蕭翎撲了過來。

在這等極近距離之下，陡然施襲，匕首好擋，那毒針卻是極端難防。

幸得蕭翎在連遇暗算之下，心中早有防備，和那中年叫化說話時，並未鬆懈戒備，看他雙手揚動，立時劈出一掌，人卻仰身向後倒去，貼地橫翻三尺。

形勢迫人，蕭翎不得不在大街之上，眾目睽睽之下，施出「鐵板橋」的功夫，閃避那近身施襲的毒針。

那中年叫化武功不弱，眼看蕭翎迅快無比地翻向一側，避開了毒針奇襲，劈出的掌力，直逼過來，立時橫移兩步，先把掌力避開，左手一抖，匕首電射蕭翎，人卻轉身一躍，放腿向正西奔去。

但聞幾聲短促的呼叫之聲，四、五個無辜路人，俱傷在毒針之下。

蕭翎眼看又有數人中了毒針而亡，心中激怒無比，伸手接住了疾射而來的匕首，陡然一躍而起，揚腕投出。

那柳仙子的暗器手法，在武林中號稱一絕，蕭翎在大怒之下，運足腕勁擲出，勢道奇速，挾帶著一片嘯風，破空閃電而去。

那中年叫化，身法甚快，蕭翎匕首反擲出手，他已跑出了兩丈多遠，不聞蕭翎追來，不覺間回頭望去。

就在他回頭一望的剎那，匕首已疾射而到，只見白芒一閃，閃避已自不及，一把匕首，正中頂門，深沒及柄。

那中年叫化，十分剽悍，右手一抬，竟把匕首拔了出來，又向前奔跑丈餘，才倒地死去。

只聽大街上一陣混亂的呼喝道：「不得了，打死人了！」剎那間狂呼亂叫，步履雜亂，人群奔跑。

商八行到蕭翎身前，一扯蕭翎衣袖，道：「快走，隨在小弟身後。」

蕭翎黯然一歎，隨在商八身後行去。

這時，商八、杜九，都已了然目下形勢，百花山莊中人，雖是裝扮作各色不同的身分，暗中施襲，但卻志在蕭翎一人，兩人早已暗中商量，分在蕭翎身前身後而行。

商八轉入了僻巷之後，閃入一個高大的門樓下，伸手從懷中取出一個人皮面具，道：「大哥快些戴上。」

蕭翎戴上面具，杜九已從懷中取出了一件折疊好的青衫，遞了過去，道：「大哥再罩上這件衣服，他們就瞧不出來了。」

蕭翎接過衣服，急急穿好，展葉青也已趕到，急急說道：「街上一片混亂，地保衙役，即將趕到，咱們不宜在此多留，快些走吧！」四人魚貫而行，繞過僻巷，又轉入另一條大街之上。

啇八道：「咱們最好裝作互不相識，但也不要離開太遠，以便彼此照應。」

幾人行了一段，未再遇施襲之人，蕭翎看看時光還早，專在街上蹓躂，亦非辦法，轉身行入了一座酒店之中。

這座酒店，規模不大，似是專做一些販夫走卒的生意，此刻午時已過，店中稀稀疏疏，坐著三、四個人。

四人魚貫入店，各自坐了張桌子。

店中除了做成的幾樣小菜之外，別無可吃之物。

蕭翎等分別點了酒、菜，各自吃了起來。

四人酒、菜剛送上，酒店外突然行進來四條大漢。

這座酒店之中，不過六、七張木桌。

蕭翎等四個人，就坐了四張。

餘下三張，也早已有人坐了。

這四個大漢，部分著疾服勁裝，當先一人揹了一支奇形外門兵刃閻王筆之外，另外三人各揹了一柄單刀。

蕭翎目光一轉，看這四個大漢，各自掛著一只鏢袋，袋中高高鼓起，一眼之下，即可覺出，四人那鏢袋之中，裝滿了暗器。

只見那當先一個身揹閻王筆的大漢，直行到蕭翎對面坐了下去。

餘下三人，竟然也分在商八、杜九、展葉青位置對面坐了下去。

商八、杜九以及那展葉青，都已經改裝，很難瞧出，縱然是識得之人，也無法瞧出幾人身分。

那身揹閻王筆、坐在蕭翎對面的大漢，打量了蕭翎一眼，突然伸出手去，把蕭翎面前的一壺酒，提了過來，也不問蕭翎是否同意，立時自斟自飲起來，他酒量既豪，動作又快，片刻工夫，那一壺酒已然被他喝個點滴不剩。

蕭翎心中雖然不悅，但卻強自忍了下去。

那大漢把一壺酒喝完之後，隨手又把一個空的酒壺推到了蕭翎的身邊。

蕭翎長長吁一口氣，仍未作聲。

只聽那在靠門口和杜九同坐一桌的大漢，高聲說道：「等一會兒，如是有了什麼事故，諸位還請坐著別動，免得受到無妄之災。」

蕭翎吃了一驚，暗道：這室中除了我和兩位兄弟之外，就是那展葉青了，另外兩個老態龍鍾之人，自無可疑之處，難道他們已經知道了我們四人的底細不成……

忖思之間，突見這座小店大門，被人推開，一個赤手空拳的長衫老人，大步而入。

那老人四顧了一眼，緩緩走向商八身前，道：「在下借坐一個位子如何？」

商八的桌位之上，原已坐了一個身揹單刀的大漢，此刻再加上一個青衫老人，已是坐了三人。

金算盤商八，久年在江湖之上走動，論他武功成就，也算得江湖上一流的高手，機智沉著，又非常人能及了，雖然覺著這兩人來得可疑，但卻仍然忍了下去，不動聲色，只在暗地裏打量了兩人一眼。

只見那赤手空拳的老人，兩邊太陽穴高高突起，分明是一位內外兼修的高手，那身揹單刀的大漢，看上去雖也強壯矯健，但如比起那青衣老人，顯是相差甚遠了。

商八心中暗道：這些人不知是何來路，但看情形又不似和我等爲敵。

過了片刻工夫，那身揹闊王筆的大漢，再也忍耐不住，起身行到那青衣老人身前，恭恭敬敬地行了一禮，道：「莊主，我瞧他們不會來了。」

那青衣老人搖搖頭，道：「他們既然約了咱們，決然不會失約，咱們再等一會兒。」

蕭翎心中暗道：原來，他們和人約會，不知何以選了這樣一處所在。

商八和那老人面對而坐，看他形貌，似是聽人說過，但一時之間，卻是想不起來。

心有所思，不覺間多瞧了那青衣老人兩眼。

只聽那身揹單刀、坐在身側的大漢，冷笑一聲，道：「有什麼好瞧的。」

商八心中一震，趕忙別過臉去。

那身揹閻王筆的大漢心中忽然動了懷疑，冷冷望了商八一眼，道：「閣下是何人物？」

商八道：「小的趕車的車夫。」

那大漢突然一伸手，向商八手腕上抓了過來。

商八心知只要自己一閃避，立刻將暴露了身分，當下靜坐不動，任那人握住了手。

只見青衣老人揮手說道：「不要多惹是非。」

那身揹閻王筆的大漢，似是對那青衣老者十分敬畏，立刻鬆了商八的手腕。

只聽砰的一聲，店門又被人推開，一個二十五、六歲的藍衫少年，推門而入。

蕭翎一見來人，不禁心頭一震，暗道：看來那沈木風也到鄂州城來了。

原來，來人竟是沈木風的大弟子單宏章。

只見單宏章目光轉動，四顧了一眼，說道：「哪位是朱老爺子？」

那青衫老人緩緩站起身子，道：「區區便是洛陽朱文昌。」

單宏章一抱拳，道：「久仰大名，今日幸會。」

朱文昌微微一笑，道：「好說，好說，兄台如何稱呼？」

單宏章道：「在下姓單，雙名宏章，此有請帖一張，敬請朱老前輩過目。」

朱文昌接過請帖，看了一眼，道：「閣下和沈莊主怎麼稱呼？」

單宏章道：「那是家師。」

朱文昌道：「好，請上覆令師，就說老朽如約前往。」

單宏章笑道：「秦、尤、許三位老前輩都將如約而去，朱老前輩請早些來。」

朱文昌道：「單兄放心。」

單宏章一抱拳，道：「晚輩就此別過。」

朱文昌道：「老朽不送了。」

單宏章道：「不敢有勞。」轉身大步而去。

那單宏章走後不久，朱文昌也緩緩起身，大步向外行去。

那身揹閻王筆的大漢舉手一揮，三個背插單刀的大漢，齊齊站起身子而去。

蕭翎壺中之酒，和面前酒杯，被大漢拿了過去，等幾人走後，才叫過酒保，重新添了一壺，換過酒杯。

只見商八仰起頭來，自言自語地說道：「朱、秦、尤、許，那是武林四大賢了。」

蕭翎站起身來，緩步行到商八的座位之前，說道：「商兄弟，你識得那青衣老人嗎？」

商八搖搖頭，道：「但洛陽朱文昌的名頭，卻是聽人言過已久，朱、秦、尤、許，武林四大賢，以朱文昌為首，想不到沈木風竟然找到了這四位從來不問江湖是非的賢人頭上。」

微微一頓，接道：「據聞那武林四大賢人武功高強，只是他們生性淡泊，一向不和武林人物來往，在殺伐不息、名利爭逐的江湖之上，獨樹一幟，故有四大賢人之稱。」

蕭翎站起身子，道：「看情形，那沈木風已經親身趕來鄂州城中，現在我們行蹤已洩，倒也不便在此久停，咱們走吧！」算過酒錢起身而去。

這時蕭翎戴的人皮面具，臉色青中透黃，右頰之上，還多了一撮黑毛，看上去極是醜怪。

商八和蕭翎走在一起，杜九和展葉青走在一起，四人藉機瀏覽了一下鄂州城的形勢，牢記於心中。

待到華燈初上，四人才行到了一條陋巷之中，折入了一家豆腐店中。

兩個武當弟子，早已在店中等候，蕭翎等取下人皮面具，重又換了一身裝束。

展葉青一身湖青長衫，裝作一個貴家公子模樣，臉上稍經修飾，掩去本來面目。

商八長衫瓜帽，外罩黑馬褂，套上了一個人皮面具，打扮成一個紹興師爺式的大管家。

杜九也戴了一個人皮面具，三綹長髯，掛上腰刀，形如長隨。

蕭翎青衣小帽，戴上一個娃娃臉面具，裝作展葉青隨身小廝。

四人裝束停當，一個武當弟子欠身說道：「敝掌門已和孫老前輩約好，不論事情如何，五更時分，在此相會。」

蕭翎點頭道：「好！你們好好守護此地。」

另一個武當弟子低聲對展葉青道：「三師叔身分，是江南巡閱使程大人的二公子，程志青。」

展葉青微微一笑，道：「記下了……」

目光轉到蕭翎的臉上，道：「蕭大俠，兄弟想給你取個名字，暫叫程翎如何？」

蕭翎微微一笑，道：「名字很好。」

四人借夜色掩護，轉出陋巷，只見一輛黑色篷車，停在路中。

一個扮作車夫的武當弟子，跳了下來，迎上來，道：「孫老前輩在車中等候。」

四人登上篷車，只見孫不邪已然恢復了原來裝束，身著百綻大褂。

蕭翎一抱拳，道：「老前輩，可曾找到了貴幫中人？」

孫不邪道：「老叫化已找得幾個小叫化子，聽候差遣，不過，一切行動，都由無爲道長計畫，老叫化只有一句話告訴你們，進入那三江書寓之後，不要再手下留情，據我丐幫弟子所報，沈木風已然趕來鄂州，同行高手甚多，萬一打了起來，那也不用手下留情了……」

目光轉到展葉青的臉上，道：「令師兄調度有方，佈置周密，運籌帷幄之才，實是常人難及。」

展葉青聽他誇獎師兄，心中甚喜，說道：「老前輩過獎了。」

孫不邪道：「老叫化這身打扮豈能進入妓院，就此別過。」雙肩一晃，穿門而去。

這時，車輪轆轆，篷車正飛奔在大街上。

蕭翎低聲對展葉青道：「如非情勢所迫，最好不要動手，免得使那沈木風派來鄂州的主腦人物逃走。」

談話之間，篷車突然慢了下來。

原來，已然行近了三江書寓。

杜九挑起車簾看去，只見人潮洶湧，萬頭攢動，兩側花燈高挑，爭奇鬥豔，引得狂蜂浪蝶，紈袴子弟，一個個趨之若鶩。

人群攔道，馬車難行。

杜九一躍下車，怒聲說道：「閒人讓道！」雙手一分，推得七、八個人踉踉蹌蹌地向後退去。

別人看他雖是便衣青帽，但掛著腰刀，氣勢凶惡，正是身著便裝的武林打扮。

原來，明朝中葉，常有巨宦大官，私下行訪，那護駕的武官衛士，自是也著便裝，但卻又在隱隱之間，表現出他的身分，身著便裝，卻又要掛上一支金把垂纓的腰刀，此事行得多了，民間自有傳聞。

那些被杜九推開之人，心中原是不服，但見他那一身裝束和華貴的馬車，誰也不敢多言，只好忍了下去，紛紛讓開去路。

馬車直行到三江書寓門前，停了下來。

商八掀開車簾，當先而下，蕭翎、展葉青魚貫下了馬車。

杜九、商八當先開道，大步向三江書寓行去。

蕭翎緊隨在展葉青的身後，亦步亦趨。

這三江書寓在這鄂州城中，乃是最負盛譽的一家妓院，院中姑娘，個個美豔多姿，因此，在這塊妓院林立之地，也以那三江書寓的生意最好。

展葉青氣勢不凡，進得那三江書寓的大門，立時有兩個龜奴迎了上來。

杜九一橫身，攔住兩個龜奴，冷冷說道：「別要驚著二公子。」

兩個龜奴應了一聲，停了下來。

商八繞過展葉青迎了上去，打著官話，道：「咱們二公子，久聞你們三江書寓的豔名，特地抽空來此瞧瞧，可有上好的客室，帶咱們二公子去坐坐，只要咱們公子爺玩得開心，你們有得賞錢可拿。」

那商八精通多處方言，說來是叫人難辨真假。

蕭翎暗中打量那兩個龜奴一眼，身著土布褲褂，但眉宇間卻現出一種桀驁不馴之氣，被商八一頓官話，打的呆在當地，半晌不言不語。

顯然這三江書寓中，亦有了嚴密的戒備，這兩個龜奴，分明是武林高手改裝，一副生手生腳的模樣。

杜九冷笑一聲，道：「咱們師爺給你們說話，你們聽到沒有？」

兩個龜奴相互瞧了一眼，左面那人答道：「小人禮貌不周，客爺勿怪……」

伸手指著北廂一個繡簾低垂的門戶，說道：「還有一個空房，諸位客爺，請房裏坐吧！小人去招呼姑娘們見客。」

商八晃著腦袋，道：「咱們二公子是何等身分，豈能在這等混雜之處取樂。」

杜九抬頭一看，道：「那假山之後，是何處所？」

右面一人道：「那是後院，今日已被熟客訂滿。」

杜九道：「攆他們走就是。」大步向前行去。

兩個龜奴全是生手，一時間，不知該如何應付，呆呆地站著不動。

展葉青冷笑一聲，道：「你們這家書寓，可是不想開了……」人卻緊隨在杜九身後行去。

杜九已聽商八說過三江書寓的大略形勢，大膽行到通向後院圓門前面，一掌擊在門上，喝道：「快些開門。」

原來，那圓門竟然是緊緊的閉著。

但聞呀然一聲，圓門大開，一個身著綢褂的中年大漢，擋在門口冷冷說道：「閣下找哪一位？」

杜九冷冷然道：「逛窯子來。」

那青衣大漢打量了杜九一眼，道：「後院客滿，閣下明日請早。」伸手去關木門。

杜九右腿一抬，踹在一扇門上，道：「給我滾開！咱們二公子特地趕來，豈能掃興而歸？」

那青衣大漢正待發作，展葉青和蕭翎已然趕到。

展葉青怕兩人可能會衝突起來，急急說道：「這人開門很快，賞他一片葉子。」

啇八應了一聲，由懷中取出一片金葉子，遞了過去，道：「還不快謝二公子賞賜。」

那青衣大漢瞧了手中金葉子一眼，少說也有二兩左右，立刻欠身說道：「多謝二公子的厚賞，小人替諸位帶路。」當先向前行去。

蕭翎藉機四顧一眼，果然發覺屋面上一片通明。

但這後院情景，和前院大不相同，前院是每一間客房裏，燭火如晝，屋簷下吊著花燈，弦管盈耳，歌聲不綴，但這後院之中，卻別是一番情調，屋面上燭火通明，院中走廊，卻不見一盞花燈，每一間客房門窗，都有厚厚的布簾垂遮，不見燈光外洩，笑語之聲也只是隱隱可聞。

顯然這後院客室，是經過特殊設計建築而成的。

那青衣大漢帶著幾人，走完了一道長長的走廊，將到盡處，才推開一扇木門，招手一揖，道：「幾位請裏面坐，小人立時叫姑娘們見客。」

杜九心中暗道：這小子把我們帶到此地，只怕是不懷好意，要當心他一些才是，當下說道：「房裏有人嗎？」

那青衣大漢道：「如是有人，小人怎敢帶諸位來此。」

杜九道：「好！你進去燃起燈火！」那青衣人應了一聲，當先行入室中。

杜九站在門口，暗運功力戒備，卻是不肯隨他而入。

只見火光一閃，室中亮起了一支火燭。

燈光燃起，杜九才緩步而入。

這是一座兩丈方圓的寬敞客室，四周都垂著深紫色的布簾，檀桌、錦墩，佈置得十分豪華。

那青衣大漢緩緩說道：「小人去替幾位叫姑娘來。」

杜九冷冷說道：「不用慌，咱們公子是萬金之軀，區區職責所在，不得不小心一些。」急步繞著垂落簾子，行了一遍，道：「你去吧！快些要他們送上酒、菜，最好的姑娘叫兩個來，先陪咱們公子喝酒，如是咱們公子爺吃得高興，說不定會留宿，那就是你們的造化了。」

那青衣大漢聞言轉身出門而去。

展葉青帶著蕭翎，步入客室，那商八卻留在室外。

蕭翎低聲說道：「由那廊簷到這座客室，竟有兩重門戶，堅壁厚門，哪裏像是妓院？」

杜九低聲應道：「小弟已查過牆壁，至低限度，這絨幔之後，沒有敵人埋伏。」

蕭翎道：「那百花山莊萬花樓上，層層有機關埋伏，這三江書寓，如若真是那沈木風經營之地，只怕這室中也有埋伏，咱們小心一些。」

只聽到商八輕咳了一聲，道：「好標緻的姑娘。」

他這幾句話聲音雖低，但卻用丹田之力道出，展葉青等聽得十分清晰，急急就座，蕭翎站在身側，杜九卻退到垂簾入口處，肅然而立。

只聽蓮步細碎，環珮叮噹，垂簾啓處，魚貫走進來四個美貌少女。

當先一個，身著白衣，鬢插紅花，薄施脂粉，淺掃娥眉，打扮得甚是樸素。

第二個綠衫綠裙，胸插翠花，也是一身素裝。

第三、第四兩位姑娘，卻是濃妝豔抹，全身紅衣。

一個二十上下，面目清秀的小廝，隨後而入，欠身一禮，說道：「這四位是咱們三江書寓最紅的四塊金牌……」

展葉青指指那兩位素妝少女，說道：「賞他一片金葉子。」

商八早已隨在那小廝之後，走了進來，伸手往袖中取出一片金葉子，遞到那小廝手上，道：「這是公子爺賞錢，留下前面兩位姑娘。」

那小廝怔了一怔，接過賞錢，低聲對兩位穿紅衣女子說道：「走啦。」當先轉身而去。

兩個穿紅衣的少女，望了展葉青一眼，嘟起小嘴，隨那小廝而去。

展葉青望望兩位姑娘一眼，道：「姑娘請坐。」

蕭翎站在展葉青的身後，暗中卻留神著二女的一舉一動，只見二女道謝一聲，落落大方地在兩側坐了下去。

那展葉青自幼在武當山中長大，從未和女人單獨相處，此刻面對著兩個絕美佳人，雖是逢場作戲、別有用心而來，一時之間，倒也不知該說些什麼。

過了良久，才想起一句話，道：「兩位姑娘的花名如何稱呼？」

那白衣姑娘微微一笑，道：「賤妾白梅，這位是綠荷妹妹。」

展葉青輕輕咳了一聲，道：「兩位姑娘在這三江書寓很久了嗎？」

白梅道：「薄命女子斷腸花，但淪落風塵也不過三月時光。」

展葉青聽她口齒伶俐，暗暗忖道：這女人能說會道，只怕不是好與人物……

忖思之間，酒、菜已經送上。

白梅挽起酒壺，替那展葉青斟了一杯酒，道：「請教客爺貴姓？」

展葉青道：「在下姓程。」

白梅倒滿了自己酒杯，道：「有幸得遇程公子，賤妾奉敬一杯。」舉杯一飲而盡。

展葉青舉杯放在唇邊，嗅了嗅，道：「有負姑娘雅意，在下是滴酒不沾。」

綠荷拿起展葉青面前的筷子，道：「公子不會吃酒，那麼多用點小菜。」

挾起盤中一塊雞肉送上，說道：「我們姊妹得蒙公子垂青，心中感激不盡，公子酒不沾唇，賤妾等自是不敢勸酒，請吃下這塊小菜如何？」手中雞肉，直向展葉青口中送去。

展葉青心中爲難，只覺吃也不是，不吃也未免太過示弱，正自猶豫難解，忽見一隻手伸了過來，食、中二指，挾住了綠荷手中的一雙檀木筷子，道：「咱們公子是何身分，姑娘怎能如此失禮。」

展葉青目光一轉，瞧那出手之人正是蕭翎，微微一笑，也不阻止。

五　青樓波折

蕭翎暗運內功，一股暗勁，順著筷子，傳了過去，直向綠荷擊去。

二女舉止，不似常在風塵中人，蕭翎心中早已動疑，存心藉機會試試二女，是否身懷武功。

只見綠荷明亮的雙目，轉注在蕭翎臉上，眨動了兩下，突然尖叫一聲，放開了手中筷子。

蕭翎這些時日中，江湖閱歷大增，心中暗道：我傳出的內力，雖然不重，但如她不會武功，受此一擊，必將是花容失色，氣血翻湧，哪裏還能叫得出來，而且我傳出的力道，十分迅快，此女明明在承受一擊之後，毫無傷損，故意丟下筷子，裝作驚慌之狀，高聲尖叫，有意傳警，這其間雖只有片刻時光之差，但其用心結果，卻是大不相同……

心念轉動，口中卻冷冷說道：「姑娘好心機啊！好做作啊！」

綠荷望著展葉青道：「公子這位書僮，好生無禮……」

展葉青淡然一笑，說道：「他可是傷著了姑娘嗎？」

綠荷道：「雖未傷著，但卻駭我一跳。」

展葉青道：「他未和姑娘手指相觸，肌膚相碰，不知如何會駭了姑娘一跳？」

綠荷兩道清澈的眼神盯注在展葉青的臉上，道：「公子當真沒有瞧到嗎？」

展葉青道：「我是未瞧出來。」

綠荷緩緩站起身子，道：「賤妾雖然淪落在風塵之中，但自幼卻也讀過幾年詩書，而且行有行規，公子垂青賤妾，賤妾自是甚感榮寵，公子就算輕薄賤妾，那也罷了，但公子縱容一個隨身小廝，對賤妾這般無禮，那也未免欺人太甚了……」

白梅輕輕拉了綠荷一把，說道：「妹妹快些坐下，這位程相公瀟灑文雅，氣度華貴，自是大有來頭的人物，妹妹豈可對待相公無禮。」

綠荷借階下臺，緩緩又坐了下去。

白梅目光轉注到展葉青的身上，道：「公子不要生氣，我這位妹妹脾氣一向很壞，唉！因此之故，也不知得罪了多少客人。有道是大人不見小人怪，公子萬金之軀，自是不會生我們小窯姐的氣了，奴家敬你一杯。」端起酒杯，又乾了一個滿杯。

蕭翎暗道：好啊！轉來轉去，不是要他吃酒就是勸他吃菜，看來這酒、菜之中，果然是有些名堂了。

展葉青端起酒杯，做了一個樣子，仍是酒未沾唇，又放回了原處。

白梅也不再勸展葉青，卻望著蕭翎說道：「小管家，今日我這綠荷妹妹，是你家相公招來，在我們行規中說，別人輕薄不得，只要你家相公，今宵不肯寵幸我綠荷妹妹，小管家有興致可明日再來，招我這位綠荷妹妹奉侍，那時，小管家怎麼輕薄，她也不會生氣了。」

蕭翎只聽得雙頰發燒，如非戴著人皮面具，定可看到他滿臉羞紅。

啇八久走江湖，江湖上玩樂之地的竅門，無不熟悉，擔心展葉青和蕭翎被這個妖豔的女郎套住，落入圈套之中，立時緩步走了過去，道：「這位小管家，雖是咱們公子的隨從，但兩人自小在一起長大，彼此之間，相處甚洽……」

只聽室外傳入了一聲高喝，道：「白梅、綠荷，見客。」

白梅、綠荷緩緩站起身子，道：「公子請稍坐片刻，賤妾見客之後就來。」

展葉青從未進過妓院，眼看兩人起身欲去，竟不知如何才好，啇八一橫身，攔住了去路，道：「兩位姑娘欲往何處？」

白梅道：「啓簾見客。」

啇八冷冷說道：「咱們公子在北京城中，會過無數名妓，也是不准她們再行見客，兩位身價多少，開出盤價，咱們包下了。」

綠荷道：「行有行規，貴公子縱然多金，咱們姐妹也不敢貪多，有背行規。」

啇八冷笑一聲，道：「咱們今宵留定了兩位。」

目光轉注到杜九的臉上，道：「喚那龜奴進來。」

杜九應了一聲，大步行出室外，片刻工夫，帶了一個身著青衣小帽的大漢，行了進來。

啇八望了大漢一眼，道：「你可是當値之人？」

那青衣大漢應道：「不錯，師爺有何吩咐？」
商八冷冷說道：「這兩位姑娘的身價若干，咱們公子包下了，不用啓簾見客。」
那青衣小帽的龜奴，掃掠白梅、綠荷一眼，面現難色，沉吟了一陣，道：「這兩位姑娘，是我們三江書寓中頂尖的紅姑娘，結交的客人都是本地仕紳名流，很多客人，常有非兩位不歡之癖，如是貴公子包下兩位姑娘，只怕今晚，咱們這三江書寓，非被鬧一個天翻地覆不可。」
商八道：「小小一個鄂州府的仕紳名流，算不得什麼。咱們公子既然是看上了兩位姑娘，就非得留下不可。」
那龜奴陪笑說道：「這麼辦吧！小人暫帶兩位姑娘出去應酬一下，半個時辰之內，定把兩位姑娘送回。」
展葉青冷冷說道：「這人說話無禮，掃我酒興，打他一個耳光子。」
杜九應聲出手，一掌劈去。
那龜奴眼看一掌劈來，橫向旁側閃去。
杜九出手，何等快速，那人避開了杜九左掌，卻不料杜九右掌隨後而至，呼的一聲，掌個正著。
這一掌落勢甚重，打得那龜奴身子搖了兩搖，幾乎摔倒在地上。
那龜奴受此一擊，心中大怒，大聲喝道：「你怎麼可以出手傷人？」
杜九冷冷說道；「你如再激怒了咱們公子，當心劈下來你的腦袋！」

白梅柳腰款擺，蓮步姍姍地走向杜九，道：「這位出手好快喲！」

商八眼看已出了手，立刻就將有一場激戰，看那龜奴閃避杜九第一掌的身法，十分快速，並非是平庸之輩，立時舉手向外一揮。

中州二賈，久年相處，彼此之間舉手投足，都能了然對方心意，杜九不再理會白梅和那龜奴，閃身出室，守住室外的門口。

商八卻一橫身，攔住了白梅和那龜奴去路，道：「姑娘快請回座位上去。」

白梅輕歎一聲，道：「王子犯法，和庶民同罪，那位出手傷人，未免有些過份了。」

那龜奴藉白梅和商八談話的機會，暗中運氣調息。

蕭翎低聲對展葉青道：「這兩個丫頭桀驁不馴，如不給她們一點苦頭吃吃，只怕難以馴服。」

展葉青微微點頭，霍然站起，右手一揮，疾向白梅腕脈之上抓去，口中怒聲說道：「臭丫頭，如此放肆。」

白梅眼看展葉青出手快速異常，哪裏還敢裝作，嬌軀一閃避了開去，道：「這是爲何？」

展葉青冷冷道：「原來姑娘有著如此快速的身手，那無怪不肯馴服了。」

口中說話，手卻未停，雙手連揮，拍出三掌。

這三掌都是武當門中綿掌中的奇招，一般武師避開一招，也非易事，但那白梅卻能輕易把三招盡皆避過。

商八道：「姑娘好身法。」
右手一伸，疾向白梅右臂抓去。
白梅嬌軀向前一傾，疾快一個旋身，輕巧絕倫地竟又把一擊避開。
商八一皺眉頭，道：「姑娘身手果非等閒。」
雙手施展開擒拿手法，連攻四招。
白梅嬌軀連閃，竟把四招一齊避開。
她連連避開了展葉青和商八兩個高手擒拿的攻襲，竟未還一招。
蕭翎眼看那白梅身手如此矯健，亦不禁爲之暗暗驚駭，忖道：這丫頭如若果是百花山莊中人，武功只怕還在金蘭、玉蘭之上，不知是何身分。
白梅雖然連連避開了展葉青和商八兩人的掌勢、擒拿，但心中卻知遇上了第一流的高手。
避開了商八擒拿手法之後，緩緩說道：「幾位究竟是何身分?官場中人，卻難有這等身手。」
商八道：「姑娘身法雖然奇奧，但江湖上的見聞，卻是有限得很。」
白梅冷笑一聲，道：「彼此既然已經挑明，幾位也不用再隱瞞身分了。」
商八道：「姑娘這等身手，亦非煙花院中人物，不知可否先見告身分?」
白梅右手纖指沿著衣襟輕輕一劃，一襲外衣，有如刀割一般的整齊，接著一抖嬌軀，身著外衣突然落在地上，露出一身緊裹嬌軀的勁裝。

緊接著，左手一彈，羅衫落地，露出了玄色長褲。

這時商八擋在出口之處，展葉青站在酒席之前，蕭翎仍然站在展葉青的身後。

綠荷仍然是穿著外衣長裙，斜倚在一張木椅之上不動。

白梅一身玄色勁裝，站在商八和展葉青兩人之間，腰中橫束著一條白色的絲帶，分插著四把匕首。

目光轉動，掃視了商八和展葉青一眼，道：「幾位已然陷身絕地，此刻不說，等一會兒亦是非說不可，那是敬酒不吃吃罰酒了。」

商八道：「姑娘的口氣很大，不知在百花山莊中是何身分？」

白梅怔了一怔，道：「諸位好像已經很清楚我們的底細了。」

商八道：「難道姑娘還覺得這三江書寓很隱秘嗎？」

白梅目光轉注到綠荷的臉上，緩緩說道：「綠荷妹妹，眼下這幾位，都是經過刻意裝扮而來，雖然掩去了本來面目，但都是當今武林中的一流高手，姊姊一人之力，只怕難以對付得了，還有勞妹妹出手了。」

綠荷淡淡一笑，緩緩脫去長裙、外衣，露出一身綠色的緊身勁裝，腰中也橫束了一條白色絲帶，和白梅一般的分插著四把匕首。

商八目光一掠兩人，兵刃插著的方位，立時說道：「這兩位丫頭的武功，同是一條路子，咱們能找出一個人的破綻，那就不難收拾兩個人了。」

綠荷冷冷說道：「幾位試試再誇口不遲。」

雙手一招，各握著一把匕首。

蕭翎心中暗道：那綠荷適才一聲尖叫，這龜奴又被我等留在此地，只怕他們已經得到消息，此刻不見動靜，只怕是正在佈置了。

只聽商八說道：「好！我來試試姑娘匕首上的奇幻招數。」

蕭翎身子一側，搶在商八的前面，道：「不用勞動你了……」

目光轉到綠荷的臉上，說道：「姑娘對在下心中記恨甚深，此刻當可報得適才之辱了。」

綠荷冷笑一聲，道：「你是死有餘辜。」

雙手陡然一抬，兩道寒芒，疾向蕭翎身上刺來。

燭光下，兩把匕首幻起一片寒芒，籠罩了蕭翎前胸數處大穴。

她這出手一擊，只瞧得展葉青和商八心中一凜，暗道：這丫頭好快的手法，好奇幻的招數。

心中輕敵之心，一掃而空。

蕭翎一提真氣，腿不屈膝地向後退了一步，便輕輕把一招避開。

綠荷怔了一怔，道：「你究竟是何身分？」

蕭翎道：「一個小廝而已。」

綠荷冷冷說道：「閣下武功不在你們公子之下。」

蕭翎道：「承蒙誇獎了。」

心中暗暗盤算道：這兩個丫頭武功的確不弱，如不早些把她們制服，等一下強敵趕到了，內外夾攻起來，那時就更難對付了……

忖思之間，瞥見那青衣小帽的龜奴，突然一躍而起，疾向商八撲了過去，手中寒光閃閃，竟然也拿了一把匕首。

商八冷哼一聲，左手疾點那人右脈穴，右手平胸推出，一招穿心拳，擊了過去。

這一擊快速絕倫，而且攻守兼備。

只聽一聲慘叫，那龜奴疾退兩步，一跤跌摔在地上，鮮血湧出，身子掙動了一下，氣絕而逝。

商八心中一直記著一刀之恨，出手十分狠毒，一擊致命。

他一擊震斃了那龜奴之後，左手已奪下了那人手中的匕首。

白梅看那龜奴被商八一拳擊斃，心中吃了一驚，暗道：這幾人都是一流高手，實非好與人物。

蕭翎藉二女心神轉注到那龜奴屍體之時，雙手悄然套上了千年蛟皮手套。

展葉青望了那龜奴屍體一眼，冷冷說道：「兩位姑娘如若還不知早日悔悟，這龜奴就是兩位的榜樣了。」

白梅冷峻地望了展葉青一眼，緩緩道：「只怕未必。」

突然躍起，左、右兩手，各執一把匕首，疾向商八衝了過去。

就在白梅躍起的同時，綠荷也緊隨躍起，撲向蕭翎，右手匕首，迎胸刺去。

蕭翎早已有了打算，眼看綠荷一刀刺來，右手一揮，疾向那刀上抓去。

綠荷心中暗道：我這匕首，鋒利無比，就算你練過鐵沙掌的功夫，也要傷在匕首之下。

去勢微緩，故意讓蕭翎抓住匕首，暗運功力，左右一搖。

在她想來，這揮手一搖，必可使蕭翎斷去五指，鮮血淋漓，哪知事情竟是大謬不然，對方抓住了匕首，不但毫無損傷，自己反覺得手中匕首，有如被一道堅固的鐵鉗鉗住，竟是難再移動。

綠荷暗運功力，一挫腕，仍是無法收回匕首，這才知道遇上了生平未遇的勁敵，不禁大吃一驚，左手一揮，拍向蕭翎的右腕。

蕭翎心中暗道：這丫頭可惡得很，非得讓她吃些苦頭不可，默運內力，陡然向前一帶，奪過了綠荷手中匕首。

這時，綠荷的左掌，剛好劈下，啪的一聲，正擊在自己右臂之上。

但她武功不弱，在千鈞一髮之間，收住了劈出掌勢的力道，手掌雖然擊中在右臂上，但卻是並未受傷。

蕭翎左手疾收，快逾閃電一般，扣住綠荷的左肘關節，微一加力，綠荷驟感到骨疼如折，全身力道盡失，無能反擊。

蕭翎制住綠荷，轉目望去，白梅和商八正展開了一場激烈絕倫的惡鬥，白梅手中兩把匕首，招招如電光石火一般，攻向商八要害大穴，商八全力反擊，施展擒拿手法，空手入白刃，扣向白梅緊握匕首的雙腕。

但那白梅刁滑異常，商八雖然盡出怪招，仍然無法擒拿住白梅的手腕，不過白梅那凌厲的攻勢，已被商八壓制了下去。

蕭翎目注兩人搏鬥之情，心中暗道，再有十回合，商八可控制全局，二十回合內，可以奪下白梅手中匕首，但此刻形勢不同，拖延時間，於我有百害而無一利，此非爭名比武，何不暗助商八一臂之力。

心念一轉，暗提真氣，發出了修羅指力。

一縷暗勁，疾湧而去。

白梅只覺到右腿突被一股無聲無息的力道擊中，全身頓感痲木。

商八雙手伸來，輕而易舉地握住了白梅雙腕，微一用力，奪下白梅手中匕首。

白梅覺出腿上受擊甚重，已無抗拒之能，也不再出手還擊，任那商八出手點了兩臂穴道，目光一掃蕭翎和展葉青，道：「哪一個暗中出手傷了我？」

蕭翎淡淡一笑，道：「區區在下。」

商八突然舉起手中匕首，尖利的鋒芒，輕輕在白梅臉上移動，說道：「姑娘如是珍惜這如花玉容，那就據實回答在下的問話。」

白梅冷冷地望了商八一眼，道：「那要看你問什麼了！」
商八緩緩說道：「沈木風現在何處？」
白梅冷笑一聲，道：「沈大莊主行蹤神秘，豈是我等可以猜測，他也會陡然在此室之中出現……」
語聲微微一頓，接道：「你可是認爲今宵還能離開這三江書寓嗎？」
陡聞室外傳來一聲怒喝，道：「再接一掌試試。」
聲音中帶著一股冰冷的味道，正是杜九所發。
展葉青右手一扯，脫去長衫，嗤的一聲抽出長劍，道：「我去接應杜兄。」大步向室外行去。
只聽室外兵刃相擊的聲音陣陣傳來，想是打鬥十分激烈。
商八一皺眉頭，道：「強敵已全面發動，這個丫頭要如何處理？」
蕭翎道：「百花山莊中人，個個積惡甚多，但兩個丫頭已無法反抗，殺之不武。」
商八手中匕首微微一挑，在白梅左頰之上，劃了一道血口，冷冷說道：「姑娘可是認爲在下下不得手嗎？那沈木風是否已來了鄂州？」
白梅突然一閉雙目，兩行淚水，順著眼角流了下來，緩緩說道：「殺剮毀容，任憑於你，不用多問我了。」
她臉上是一股自憐自惜神色，但卻緊咬牙關，不肯再言。

蕭翎輕輕歎息一聲，道：「不能太怪她們，百花山莊規令森嚴，她久處在沈木風積威之下，心中早已畏懼萬分，殺了她們，也是無用，點了她們穴道算啦。」

商八道：「大哥說得是。」

伸手又點了白梅的兩處穴道。

只見垂幔一動，一道寒芒疾射而出，直射向蕭翎後心。

蕭翎右肘一抬，點了綠荷穴道，左手疾向後背一抄，抓住了一支銅鏢。

右手一抖，把奪得綠荷的匕首投入了垂幔之中。

只聽垂幔後一聲悶哼，傳了出來，想是有人被蕭翎匕首擊中。

商八一伸手，抓住垂幔一用力，沙的一聲，竟把垂幔扯下了一片。

凝目望去，只見一個全身青衫的大漢，倚壁而立，前胸之上，插著一支匕首，深沒及柄，看樣子早已氣絕而逝。

壁間一座暗門，尚未關閉。

商八低聲說道：「小心了，這室內有機關佈設。」

蕭翎道：「咱們衝出去吧！」一側身子，當先向前行去。

只見劍光耀目，展葉青揮動手中長劍，正和一個青衣大漢，鬥得十分激烈。

杜九似是已被人逼到院落之中，展葉青揮劍擋在門口。

蕭翎身子一側，掠過展葉青身旁而過，左手一伸，抓住了那青衣大漢手中長劍。

他手中套著千年蛟皮手套，刀劍難傷，別人不知內情，看他空手來抓長劍，心中自是毫無畏懼。

那人長劍被蕭翎抓住，不禁微微一呆，就在他一怔神間，展葉青一劍刺來，透胸而過。

蕭翎順勢奪過那大漢手中長劍，飛步出了室門。

抬頭看去，只見杜九被四個大漢團團圍在中間，合力迫攻。

這時，院中高挑著兩盞紅燈，景物清晰可見。

那四個大漢的武功，都很高強，兩人施劍，兩人用刀，攻勢猛烈異常，杜九一手鐵筆，一手銀圈，分拒雙劍雙刀，處境極是危險。

蕭翎一提氣，疾衝而上，手中長劍左右擺動，擋開了兩柄長劍。

杜九眼看蕭翎到來，精神大振，銀圈封開雙刀，鐵筆奇招突出，點中了一個使刀大漢的左肩。

那大漢被杜九一筆洞穿肩頭，受傷甚重，疾向後面退去。

蕭翎飛起一腳，又踢在那大漢左膝之上，咯噔一聲，那大漢一條腿，生生被踢斷。

那人連受兩處重創，哪裏還能站立得住，一屁股坐在地上。

蕭翎動作奇快，左腿踢出的同時，右手長劍也遞了出去，唰的一聲，劈斷了一個執劍大漢的左臂。

四個圍攻杜九的高手，片刻間傷了兩個人，餘下兩人，心中大為震駭，哪敢戀戰，同時急攻兩招，倒躍而退。

那大漢奔行之間，突聞衣角飄風之聲，直撲下來。

回頭看去，只見蕭翎連人帶劍疾撲過來，來勢奇快，有如電閃雷奔一般。

那大漢吃了一驚，暗道：這人來勢好快。

急忙舉起手中長劍，疾向蕭翎迎去。

蕭翎左掌拍出一掌，擊在那人長劍之上，右手長劍疾沉而下，劈斷那大漢一隻臂膀。

那大漢倒是堅強得很，雖被劈落了一隻臂膀，冷哼一聲，仍然向前奔去。

蕭翎左手一抬，發出修羅指力。

一縷暗勁，急射而去，正擊在那大漢背心之上。

那大漢既斷一臂，又爲修羅指力擊中，哪裏還能支撐得住，悶哼一聲，倒在地上死去。

蕭翎殺機已動，發出修羅指力的同時，右手長劍也投擲出手，白虹一道，破空飛去，直向那執刀大漢後背擊去。

那大漢聽金刃破空之聲，疾飛而至，疾轉身軀，回手劈出一刀。

哪知蕭翎的劍勢中含蘊力道奇強，那大漢揮手一刀，只不過把劍勢震得約略一頓，閃閃寒芒，穿胸而入，屍體栽倒，氣絕而逝。

蕭翎殺了兩人，回頭看去，只見那兩個受傷之人，亦爲杜九所殺。

奇怪的是，這幾人死去之後，竟是不見再有人來，四面一片悄然。

抬頭看屋面，燈光如晝，照得屋頂一片通明。

展葉青大步行了過來，道：「咱們一番打鬥，已驚動了整個三江書寓，此刻不再見強敵出現，只怕是別有陰謀。」

蕭翎流目四顧一眼，道：「不錯，咱們該小心一些才是。」

語聲甫落，忽然南面屋門，響起了一聲冷笑，道：「你們早已在我等包圍之下，四面暗器，都是極爲細小的淬毒之物，如若我一聲令下，四面將一齊發動，爾等縱然本領再強一些，也難逃出那千百萬密如驟雨、細若牛毛的暗器襲擊，勢必要被傷在暗器之下不可。」

蕭翎不願暴露身分，低聲對展葉青道：「展兄和他答話，兄弟暗中觀察一下情形。」

展葉青微微頷首，高聲說道：「閣下是什麼人？」

暗室又傳出那人的聲音，道：「你不用問老夫是誰，眼下爾等只有兩途可循，不是放下兵刃，束手就縛，就是死在各種淬毒暗器之下。」

展葉青一皺眉頭，低聲說道：「蕭兄，此刻咱們該當如何？」

蕭翎道：「看四周形勢，他亦非完全是虛言恐嚇，若他所說的是真，那確實不宜避開，爲今之計，只有先行設法，退回咱們飲酒室中，再設法激他發出暗器，也好量情籌思破敵之法。」

只聽商八的聲音傳了過來，道：「兩位最好識趣一些，老夫一向不知憐香惜玉。」

蕭翎等轉目望去，只見商八左手牽著白梅，右手扣著綠荷腕脈，大步行了出來。

杜九沉聲說道：「老大，快退回去。」

南八搖搖頭，道：「屋裏不能停，他們要施放毒煙，咱們退回房中，那是自投羅網了。」

杜九冷冷說道：「原來他們想把咱們誆回房中，施以毒煙相害。」

說話之間，南八已走到了幾人身前。

展葉青低聲說道：「這院落四周，滿伏暗器，此刻咱們已陷入他們的暗器陣中了。」

南八四顧一眼，只見院落中一片平坦，除了地上青草之外，可以說是毫無可資藏身之地，不禁一皺眉頭，道：「他們如要施放暗器，說不得只好借用這兩位姑娘的嬌軀，當作盾牌了。」

但聞北面一座房中，傳出了另一個冷冷的聲音，道：「爾等不見棺材不掉淚，不叫你們見識一下，大約你們還不肯相信了。」

蕭翎低聲說道：「四面都有暗器，不可大意，咱們各顧一面。」

語聲甫落，陡然向前躍飛五尺，抓住一具屍體，反身一躍，退回原地。

這一陣去來，不過是眨眼之間，當真是快如電光石火。

北面室中又傳出一聲冷笑，道：「我只想叫爾等先見識一下，開開眼界……」

語聲微微一頓，接道：「放出飛鴿。」

一陣鳥翼劃空之聲，兩隻灰色飛鴿，由窗口飛了出來。

這兩隻鴿鷹，大約在籠中關了不短時間，出籠之後，立時振翼直上。

兩隻飛鴿，剛剛飛過屋面，忽聞一陣沙沙之聲，燈光下，只見千百枚銀線，閃閃生光，兩隻飛鴿，同時墜落實地死去，落地之後，竟然未再掙動一下。

顯然，那暗器不但密如驟雨，而且都經過劇毒淬煉。

北面暗室中又傳出那冷漠的聲音，道：「爾等之中，誰是蕭翎？」

蕭翎怔了一怔，一時之間，反不知是否該挺身承認。

猶豫之間，商八已哈哈大笑，道：「咱們之中並無蕭翎，如是那蕭大俠，也在此地，只怕你們早已死傷於他的掌、劍之下了。」

杜九伸手抓住了白梅，擋在身前，說道：「南、北兩面各有一屋，皆藏有敵人，咱們衝到那室中去，再設法破隙而出。」

一向足智多謀的商八，此刻竟然也想不出一個主意來，沉吟不語。

但四人心中都明白，如是四周暗器的密度，都如北面的佈置一般，幾人很難有機會衝入屋中。

奇怪的是，那人問了一句之後，竟然不再說話，暗夜中，雙方默默地對峙著。

良久之後，商八才低聲對蕭翎說道：「大哥，他們似是在等人，時間對咱們極為不利，我瞧只有衝入室中，咱們四人之中，大哥是唯一有生存機會的人，因此，不用顧及到我們了……」

蕭翎搖搖頭，道：「不成，每一個人都有生存的權利，咱們四人為何應該是我。」

展葉青輕輕歎息一聲，道：「蕭大俠還未了解中州二賈他們兩人的心意，在此等情形之下，我等要盡可能保護你蕭大俠的安全。」

蕭翎一皺眉頭，道：「這是什麼話，咱們四人生死同命，在下開道，咱們先闖入北面房中，再作道理。」

目光一轉，只見白梅雙目圓睜，瞧著自己，似是有話要說。

蕭翎心中一動，道：「商兄弟，你點了她們的啞穴？」

商八道：「我怕這兩個丫頭，胡亂喊叫，所以點了她們的啞穴。」

蕭翎道：「商兄弟，解開這位白梅姑娘的穴道。」

商八對蕭翎之言，一向是絕對聽從，也不多問，伸手拍活了白梅的穴道。

白梅長長地吁一口氣，望著蕭翎，低聲說道：「你是蕭大俠？」

蕭翎道：「不錯，在下蕭翎。」

白梅道：「有一位玉蘭姑娘，你可認識嗎？」

蕭翎想到金蘭、玉蘭，同時陪伴，久已失蹤，不禁心頭黯然，輕輕歎息一聲，道：「不錯，姑娘也認識玉蘭姑娘嗎？」

白梅道：「我和玉蘭情如手足……」

突然放低了聲音，道：「不能向那北面房裏闖，在那密如狂雨的暗器之下，你們沒有機會。」

蕭翎微微一怔，道：「姑娘可有良策？」

白梅道：「只有一個辦法，但得蕭大俠信任我們才行。」

蕭翎道：「什麼辦法？」

白梅道：「放了我和綠荷妹妹……」

啇八冷笑一聲，道：「小丫頭想得倒好，啇老二大風大浪行舟無數，難道真的還會在陰溝裏面翻船嗎？」

白梅道：「這麼說來，你是一點也不了解那沈木風了，別說我們兩個女婢，就是比我們再重要十倍的人，他若是想殺你們，也不會顧慮到你們擄的人質。」

蕭翎低聲道：「啇兄弟，解開她們的穴道。」

啇八呆了一呆，道：「當真放了她們？」

蕭翎道：「可不是當真嗎？」

啇八拍活了白梅身上另外兩處穴道，接道：「這位綠荷姑娘呢？」

蕭翎道：「一併放去。」

啇八依言施爲，盡解二女穴道之後，道：「兩位可以去了。」

白梅道：「這樣不成，不能讓他們瞧出來是你們放了我們。」

杜九冷冷說道：「要裝作是你們自行掙扎逃走？」

白梅道：「不錯！爲了掩人耳目，還得借重兩位，和我們姊妹動手幾招。」

商八道：「咱們送佛送上西天，兩位見著他們之後，要他們多發幾枚暗器。」

呼的一掌，疾向白梅拍了過去。

白梅一閃避開，低聲說道：「蕭大俠，聽到我尖叫之聲，立刻向北室中闖去。」

蕭翎道：「記下了。」

商八道：「女人的話，不可聽信。」雙掌一緊，連攻四招。

幾人這一番對答之言，聲音都放得很低，那埋伏在四周之人，縱然能聽到一點聲音，也都是隱隱約約，難知內情。

綠荷回手一掌，拍向展葉青，道：「可敢硬接我一掌試試？」

展葉青冷笑一聲，揮手硬接一掌。

他對蕭翎決定釋放二女一事，心中大不以為然，但見商八唯蕭翎之命是從，自己不好出手攔阻，心頭那股氣，實難忍下，不禁形諸於神色之間，綠荷一掌劈到，立時把一股怒火，盡皆發在綠荷的身上，右手一揮，全力推出一掌。

雙掌接實，響起了一聲輕震。

綠荷嬌嚶一聲，被震得連退了四、五步。

白梅也隨著虛攻一掌，倒躍而出，高聲說道：「妹妹傷得重嗎？」一面說話，一面奔向北面密室中。

展葉青道：「蕭兄這仁慈之風，果然人所難能，實叫兄弟佩服得很。」

蕭翎知他心中憤怒自己釋放二女一事，微微一笑，也不和他爭辯。

展葉青道：「不過，江湖上，奸詐百出，蕭大俠這等仁慈，實是不適在江湖上走動。」

蕭翎道：「留下二女，各位也未必就能脫得今宵之危，何不放了她們。」

展葉青道：「蕭兄惜敵，但敵人卻未必憐我，仁釋二女，無疑是縱虎歸山……」

話未說完，突聞一聲尖叫，傳了過來。

蕭翎縱身而起，道：「快衝過去。」

展葉青、商八、杜九，緊隨蕭翎之後，衝向正北方去。

但聞一陣沙沙之聲，正南方的屋中，暗器打出百縷銀針，疾射而來。

蕭翎掄動手中屍體，抵擋銀針，道：「快衝過去。」

四人動作奇快，一躍丈餘，正南方銀針發出，四人已躍離原地甚遠，那銀針雖然異常惡毒，但力道難及，成了強弩之末，蕭翎手中屍體，擋住了部分銀針，展葉青等卻藉機登上廊沿。

這時，如若北方室中，也打出暗器銀針，在不及一丈的距離中，蕭翎、展葉青等，縱然武功再強，也要傷在那淬毒的暗器之下。

但那室中靜寂如死，竟然不見暗器發出。

蕭翎用屍體一擋銀針之後，縱身而起，躍上廊沿。

只見商八、杜九、展葉青等，各執兵刃，緊依廊沿壁間走去。

蕭翎飛起一腳，踢開門戶，身子閃到一側。

只聽一個微弱的女子聲音，道：「諸位……進來吧！」

聲音正是白梅所發，但微弱異常，似是受了重傷一般。

蕭翎左掌護面，閃身入室。

商八、杜九，隨後衝入。

杜九掏出火摺子，隨手一晃，登時亮起了一道火光。

凝目望去，只見四個勁裝大漢，都已橫屍室中，綠荷滿身毒針，早已氣絕而亡，白梅倒臥在門後，只餘一縷弱息。

這是一幅淒慘的畫面，二女以生命、鮮血，換得了蕭翎等四人的安全。

蕭翎一伏身，抱起白梅，道：「姑娘，你傷得很重嗎？」

白梅搖搖頭，道：「我不行了，蕭大俠不用為我擔心，日後，你殺了沈木風，就算為我報了仇。」

蕭翎歎息一聲，道：「姑娘如非為了救助我等，如何會受此重傷，蕭翎等必當用盡心力，拯救姑娘的生命。」

白梅搖搖頭，道：「不用了，這室中的機關，都已被我毀去，你們從後窗沿著廊沿走，別讓屋面的燈光照著，向西行走到廊沿盡處，越牆而出，那就算脫險了……」她一口氣，說完了心中之言，累得嬌喘不息。

蕭翎看她雙目緊閉，似是已無法支撐下去。

立時一提真氣，右手按在她背心之上，一股熱流，直攻入了白梅的命門穴中。

白梅長長喘一口氣，道：「不知我可否一見蕭大俠的真面目？」

蕭翎道：「好。」伸手取下臉上人皮面具。

白梅打起精神，瞧了蕭翎兩眼，道：「好好照顧我那玉蘭妹子。」言罷，閉目氣絕而逝。

蕭翎黯然歎息一聲，放下白梅屍體。

四顧了一眼，道：「她衝入室中，出其不意的突施辣手，殺了兩人，餘下兩人，一人放出毒針，綠荷反擊，殺了那人，白梅和另外一人動手，落得個兩敗俱傷！」

展葉青望了蕭翎一眼，臉上泛現愧色，道：「兄弟誤解兩位姑娘棄暗投明之心，這裏謝罪了。」分對兩具屍體，恭恭敬敬，各行一個長揖。

蕭翎歎息一聲，道：「有朝一日，咱們殺了沈木風時，各位不要忘記遙祭兩位姑娘。」

商八道：「小弟記下了。」

蕭翎道：「咱們走吧！不能辜負了兩位姑娘捨命相救的一番心意。」當先向前行去。

幾人依照白梅所囑之言，打開後窗，果然有一道長長的走廊。

蕭翎暗運內力，扭斷窗格，沿走廊向西行去。

到了一處屋角所在，忽見寒芒一閃，一柄單刀迎面劈來。

蕭翎右手一抬，抓住單刀，用力一奪，那人生生被拖了出來。

展葉青長劍探出，唰的一聲斬斷了那人一條右臂。

只見那人身子一轉，砰的一聲撞在壁上，消失不見。

原來，這壁間竟有轉動的機關。

啇八恍然大悟，道：「是了，我中了那一刀，就是如此，他在轉動的機關中，陡然出刀，叫人防不勝防。」

說話之間，已然到廊沿盡處，蕭翎一提氣，當先飛過一道矮牆。

只見那矮牆之外，花木扶疏，亭台聳立，竟是一個幽靜的花園。

但見人影連閃，啇八、杜九、展葉青紛紛躍了過來。

啇八目光一轉，道：「這地方有些不對，咱們得快些出去。」貼壁而行，向西行去。

幾人疾行過西側牆邊，幸無變故發生。

越牆而出，只見燈火明亮，行人往來，竟然又到了三江書寓的前面。

幾人輕功雖佳，但在華燈高挑，千百行人注視之下，幾人越壁而出，自難免被人瞧見。

幾人動作迅速，俱是滑溜無比，眨眼之間已隱入人群之中不見。

蕭翎道：「咱們要往何處去？」

三江書寓中的變化，一切都出了四人的意料之外，幾人想好的應變計畫，似是都不適用。

六　雙姝奮身

幾人沉默出城，來到一處江邊。

杜九流目四顧一眼，只見停身處一片荒涼，遠處江濤隱隱，傳了過來。

蕭翎回目一顧，道：「有人來了。」

但見兩條人影，疾奔如飛，片刻間，已到了幾人身前。

蕭翎凝目望去，只見來人身著灰衣，手中各執一木棒，竟是丐幫弟子。

他吃過苦頭，幾乎被那毒針打中，見來人雖是丐幫衣著，也不敢稍鬆戒備。

只見左首那丐幫弟子說道：「哪一位是蕭大俠？」

蕭翎還未來得及答話，商八卻一挺身，道：「什麼事？」

那丐幫弟子打量了商八一眼，道：「小叫化奉我幫中孫長老之命而來，請蕭大俠趕去救人。」

蕭翎微微一怔，道：「救什麼人？」

那叫化道：「武林四大賢人爲那沈木風設計所困，情勢緊急，敝幫孫長老和武當無爲道長，都已趕往相助，但恐實力不敵，要我等趕到三江書寓，通知蕭大俠，即刻趕往相助……」

商八心中忖道：原來情勢又有了變化，無怪無人接應我們了。

但聞展葉青冷冷說道：「兩位奉命到了三江書寓，何以知我等來到此地？」

那中年叫化道：「小叫化在三江書寓之外，遇上了一個算命先生，指示小叫化一路追來。」

蕭翎暗道：那人定是司馬乾，看來是不會有錯了。

當下問道：「現在何處？」

那叫化子道：「現在羅氏宗祠。」

蕭翎道：「好！有勞兩位帶路。」

兩個叫化子陡然轉身，折向東南行去。

四人展開輕功，緊追在兩個叫化的身後。

行約七、八里路，兩個帶路的叫化子突然停了下來。

左手一人揚手指著一片黑色的房舍，道：「那就是羅氏宗祠。」

展葉青道：「兩位不去嗎？」

兩個叫化子齊聲應道：「我等還要上黃鶴樓上一行，而且孫長老有命，不許我等進入祠中。」

也不待蕭翎等再行答話，轉身急奔而去。

蕭翎道：「咱們進去瞧瞧。」

商八道：「此刻，咱們不用再穿這等偽裝的衣著了。」

蕭翎道：「不錯！」摘下了人皮面具收入懷中，脫去小廝衣著，露出本來面目，當先行去。

群豪齊齊脫下外衣棄去，魚貫而行。

這是一座很荒涼的祠堂，但建築的氣勢，卻很宏偉。

蕭翎邁步登上了六層石階，只見祠門緊閉，傾耳聽去，不聞一點聲音，心中奇道：難道那武林四大賢人，都已遇害不成。

心念轉動之間，舉手一推木門。

但聞呀的一聲，木門大開，原來那木門竟是虛虛地掩著。

進得大門，眼前是一處庭院，院中長滿了荒草，顯然這羅氏一姓，已經沒落，宗祠竟是無人看守整修。

行過了荒草庭院，又到了一座二門前面，敢情這座宗祠，還是兩進院落。

商八搶在蕭翎前面，道：「情勢有些不對，大哥小心戒備了。」揮手一掌拍在木門之上。

他掌力雄渾，這一掌又是用出全力劈出，但聞砰的一聲，那木門應聲而開。

凝目望去，只見一片黑暗，仍然瞧不出有什麼可疑之處。

商八低聲說道：「大哥，據那丐幫弟子所言，孫老前輩和無為道長，都已趕到此地，怎的不見一點動靜，何況那武林四大賢人，雖然個個超脫拔俗，不願在武林恩怨中打轉，但他們的武功，卻是各有大成，沈木風縱然能夠把他們困住，也難在一時之間，置他們於死地，何以不聞一點聲息呢？」

蕭翎一皺眉頭，道，「不錯，這其間確有可疑……」

杜九道：「小弟為大哥開路。」

也不管蕭翎是否答應，舉步向前行去。

蕭翎知他全是一片維護自己之心，也不忍出口阻攔，舉步緊隨在杜九身後而行。

展葉青低聲對商八道：「咱們落後八尺，防備暗器施襲。」

商八經過了那三江書寓的凶險一戰後，已知面臨的強敵是一位殘酷、狂悍的敵手，武功、機智，無不超人，而且手段又極惡毒，哪裏還敢大意，伸手從懷中摸出了金算盤提在手中。

展葉青右手長劍交到左手，右手也從懷中摸出了兩柄七休劍，扣在手中。

兩人準備妥當，蕭翎和杜九，已然遠行到八尺開外。

四人戒備而行，直到正廳門前，仍是不見任何動靜。

杜九飛起一腳，踢在廳門之上，只震得壁窗嗦嗦作響。

那廳門雖牢，也擋受不了杜九這一腳，呀然大開。

杜九一側身衝入大殿中，晃燃了一支火摺子。

火光下，四面望去仍是不見人蹤，心中大爲氣惱，罵道：「兩個臭叫化子，若是再叫我碰上，非得拔了他們舌頭不可。」

這時，商八和展葉青，亦到了大廳外面。

商八仰臉望著天上星斗，喃喃自語地道：「難道這是調虎離山之計……」

語聲未落，突然一陣輕微的呻吟之聲，傳了過來。

杜九臉色一變，疾快地把手中的火摺子投向那呻吟聲傳來之處。

蕭翎冷冷喝道：「什麼人？」

只聽一個斷斷續續的微弱聲音應道：「我，小叫化子。」

蕭翎聽那聲音十分耳熟，尖聲叫道：「你是彭兄弟嗎？」

那微弱的聲音道：「正是小叫化子。」

杜九道：「在供台後面。」

蕭翎搶在杜九前面，道，「我去接他出來。」

大步行近供台，伸手從下面拖出一個人來。

目光到處，不禁一呆。

原來拖出之人，穿著一身百花山莊的武士衣服。

蕭翎沉聲喝道：「你是誰？」

那人似是受傷很重，強行振作精神答道：「彭……」

蕭翎細聽那聲音，確似彭雲，接道：「你是彭雲兄弟，爲何穿了百花山莊的武士衣著？」

彭雲道：「我傷得很重，沒有氣力說話，快些……到後面救人……」

蕭翎道：「救什麼人？」

彭雲道：「武林四大賢人和無……爲道長……」

蕭翎吃了一驚，道：「他們現在何處？」

彭雲道：「祠後不遠……」說完四個字，人已暈了過去。

蕭翎望了杜九一眼，道：「你守著彭兄弟，用內力助他恢復，我先到後面瞧瞧。」轉身一躍，退出大廳。

展葉青和裔八站在大廳門口之處，聽得甚是明白，展葉青聽得掌門師兄有難，連話也顧不得和裔八講，急急縱身而起，追在蕭翎身後。

裔八低聲說道：「杜老三，小叫化緩過氣，帶他離開此地，回那豆腐店中等候。」

杜九點點頭，抱起一陣風彭雲，退在大廳一角，暗運內力，在那彭雲前胸推拿。

裔八說完幾句話，也不待杜九回答，縱身而起，緊隨在展葉青身後而去。

且說蕭翎一馬當先，放腿飛奔，片刻間已到了祠堂後面。

這座宗祠之後，是一片很大的池塘，星光下水波蕩動，不見人蹤。

蕭翎心中大奇，暗道：「那兩個丐幫弟子會說謊話，難道那一陣風彭雲，也會說謊不成。」

但眼下是一片茫茫水波，四下不見人蹤。

展葉青行到蕭翎身後，低聲說道：「敝師兄現在何處？」

蕭翎道：「不知道，所以咱們得仔細找找。」

展葉青心中暗道：一片池水，景物了然，哪裏還會有人。

忖思之間，突聽一聲長笑起自水池正中，聲音沙啞、陰森，聽得人汗毛聳立，心頭悚然。

蕭翎厲聲喝道：「沈木風！」

只聽池中人應聲道：「不錯。」

蕭翎心中暗道：這人當真是詭計多端，不知怎的，竟然停身在水池之中。

口中卻冷冷說道：「藏身水中，並非難事，倒也不值得賣弄。」

只聽沈木風沙啞的聲音說道：「蕭兄弟可要到小兄舟中一敘嗎？」

蕭翎凝目望去，只見池中一片黑暗，哪有人蹤，當下說道：「彼此既已照面，那也不用再故弄玄虛了。」

語聲甫落，突見水池正中，燈光輝煌，現出一座方舟。

這船異於常舟，全船成了一座方形，舟中人影閃動，景物清晰可見。

商八道：「是啦，舟停池中，再用很厚的銀灰油布蒙起，星光幽暗，視界不清，咱們未曾想到，很容易被他欺騙過去了。」

只見沈木風站在船頭之上，高聲說道：「諸位請來舟中一敘如何？」

商八道：「沈大莊主舟中想已有很多人了。」

沈木風哈哈大笑，道：「一個老叫化，一個牛鼻子老道，還有四位佳賓，在江湖上盛名甚著，但卻是不在江湖上出現。」

蕭翎道：「武林四大賢人？」

沈木風道：「不錯，蕭兄弟得丐幫中人相助，耳目倒是靈敏得很。」

蕭翎道：「兄弟極願到沈大莊主的舟中觀光一番。」

沈木風道：「歡迎得很，可要為兄派小舟迎駕嗎？」

蕭翎估計那巨舟離岸上，大約有五、六丈遠，中間如不接力，無論如何難以渡過去，如若施展「登萍渡水」的輕功，自己大約可以渡過，但不知商八和展葉青是否可以渡過。心念一轉，高聲說道：「沈大莊主如肯派船相迎，那是最好不過了。」

沈木風道：「蕭兄弟稍候片刻。」說完，舉手一揮。

一隻小舟，直向岸邊行來。

蕭翎低聲對展葉青和商八說道：「兩位要小心一些，不可食用舟上之物。」

蕭翎的目光一轉，只見兩個操舟之人，雖然身著勁裝，但卻赤手空拳，未帶兵刃。

兩個勁裝大漢齊齊欠身行了一禮，道：「恭迎三莊主。」

蕭翎冷冷說道：「在下蕭翎，不敢當三莊主的尊稱。」

兩個大漢道：「大莊主吩咐小的這麼叫，小的們豈敢不遵。」
蕭翎不再理會兩人，舉步跨上小舟。
啇八、展葉青緊隨蕭翎之後，登上小舟。
兩個黑衣大漢，立時搖櫓划舟，直向大船行去。

沈木風高大微駝的身軀，肅立在船頭之上，伸出手來，道：「三弟可好？」
蕭翎身子一側，跨上大船，道：「不敢有勞沈大莊主。」
他心知沈木風為人卑下惡毒，只要和他手指相觸，說不定就會中毒。
展葉青、啇八緊隨蕭翎之後，登上大舟。
面對著一代梟雄沈木風，三人心中都有沉重、惶懼的感覺，不知他何時會突然暗施算計，個個都暗中戒備。
沈木風緩緩轉過身子，兩道森寒的目光，逼視在蕭翎的身上，說道：「蕭兄弟，你對我沈木風好像很陌生了。」
蕭翎道：「在下不敢高攀。」
沈木風冷冷說道：「一個人忍耐有限，如是兄弟你逼我過甚，為兄也無法顧念舊情了。」
蕭翎道：「沈大莊主已對在下施盡了惡毒手段，蕭某還活著，那是我命不該絕。」
沈木風冷哼一聲，道：「好一個命不該絕！」

語聲微微一頓，又道：「不過，我沈某人一向主張人定勝天。」

蕭翎緩緩說道：「大莊主才智過人，武功高強，也許有此能耐。」

沈木風緩緩說道：「過獎了，貴好友孫不邪、無爲道長，此刻都在艙中，蕭兄弟也該進入艙中瞧瞧了。」

蕭翎目光一轉，見孫不邪和無爲道長並肩坐在上席，左、右兩側，各坐著兩個青衣老人。桌上滿擺菜餚，和一壺酒，但六個人卻是正襟危坐，神態木然，似是被人點了穴道一般。

沈木風哈哈一笑，道：「蕭兄弟，怎麼不進去啊！」

蕭翎流目四顧，只見舟中四周都被一層紫綾幔起，不見板壁，靠北面有一座緊閉的木門，想是通往內艙之中。

艙內除了四個青衣老人和孫不邪、無爲道長之外，再無其他之人。

啇八身子一側，搶在蕭翎的前面，道：「兄弟帶路。」緩步進入艙中。

蕭翎目光轉注到沈木風的臉上，道：「沈大莊主先請。」

沈木風不再說話，緩步行入艙中。

蕭翎緊追沈木風的身後，展葉青卻守在艙門邊，未進艙中。

沈木風目顧展葉青冷笑一聲，道：「那艙門外和艙中，相距不過是數尺距離，如若他們兩位在艙中有了變化，你也是一樣逃不過去。」

展葉青冷然一笑，道：「不勞沈大莊主費心。」

蕭翎目注孫不邪和無爲道長，緩緩說道：「這四個青衣老人，想來是你約請的武林四大賢人了。」

沈木風道：「不錯，蕭兄弟的耳目很靈敏。」

蕭翎道：「這六位老前輩可都是被你點了穴道嗎？」

沈木風微微一笑，道：「蕭兄弟武功淵博精深，不妨試試看能否解開他們的穴道。」

蕭翎緩步走到孫不邪身前，仔細地打量了一陣，慢慢伸出右手，按在孫不邪的背心之上，暗運內力，攻入孫不邪的內腑。

一股強烈的熱流，攻入了孫不邪內腑之後，催動了孫不邪的行血，只見孫不邪臉上紅光閃動，顯是行血湧集，身上有幾處經脈不通。

但卻查不出傷在何處。

蕭翎收回右掌，轉望著沈木風，道：「他們不是被點穴手法所制。」

沈木風道：「那麼照你蕭大俠的看法，他們是何物所傷？」

蕭翎口中冷冷說道：「不論你沈大莊主用的什麼手法，傷了他們，但在下既然來了，必得設法把他們救離此地。」

沈木風笑道：「好大的口氣，六人現都在此，爲兄倒要瞧瞧你如何救走他們。」

蕭翎心中暗道：我既無能解開幾人穴道，想救起幾人，只有設法把沈木風制服，逼他解開幾人受制的經脈，但此人一向老謀深算，顧慮周到，這座木舟之上，亦不知埋伏有多少人手。

但此刻情勢，已是難有第二種選擇之途。

當下說道：「沈大莊主年事漸高，時間對你愈來愈是不利，但我蕭翎的體能、武功，卻是在與日俱增，咱們之間的一場拚搏，拖延時間愈長，對我的勝算越大，大莊主以為如何？」

沈木風淡淡一笑，道：「對我沈木風而言，此等事，不能一概而論。」

蕭翎回顧了孫不邪等人一眼，道：「今日你沈木風如若能把我蕭翎也折在此地，今後武林中敢和你作對之人，將是愈來愈少。」

沈木風冷笑一聲，道：「蕭兄弟可是想和爲兄的比試一下武功嗎？」

蕭翎道：「決一死戰，不是你死，便是我亡。」

沈木風淡然一笑，道：「除非是情勢和境遇，已使我無法選擇，我仍然希望你重返百花山莊……」

他仰起臉來，長長吁了一口氣，道：「蕭兄弟，你說得不錯，爲兄的年已老邁，如是武林霸業有成，我沈某人也不能號令天下幾年，繼我主盟武林霸業之人，自然是蕭兄弟了。」

他乃一代梟雄人物，陰沉毒辣，一向使人莫測高深，但這幾句話，卻是說得黯然神傷，對蕭翎現出一片惜愛之情。

蕭翎正待接言，瞥見那沈木風舉起雙手擊了一掌。

那緊閉的內艙木門，突然大開，一個全身紅鱗的怪人，移步行來。

蕭翎疾快地移動身軀，背對商八，轉目望去。

只見紅色怪人，行頭十分可怖，紅髮披垂，自頸以下，全是一片片紅色的鱗甲，雙手奇長，戴著三寸左右的指甲，臉上也被一種紅色的物體罩著，只露出一對閃爍的眼睛。

蕭翎自見到沈木風出現舟上之後，已知登舟之後，處境必將凶險萬分，早已暗中套上了千年蛟皮手套。

禹八心中暗打主意道：這怪人身上的紅鱗，不知是何物做成，應該先探它一下堅硬的程度如何？

右手一抬，打出一顆寶石。

這寶石堅硬無比，尤甚鋼鐵，四面棱角，尖利異常，禹八身懷此石，當作暗器，犀利實非鋼鐵鑄煉的暗器能及，且其物珍貴異常，如非情勢險惡，禹八是甚少使用。

今宵形勢不同，禹八出手一擊，用出了十成勁力。

燭火下，寶光閃閃，正擊在那紅鱗怪人的前胸之上。

但聞砰的一聲，如擊在堅鐵之上，那堅硬銳利尤甚金鐵鋒芒的寶石，突然被反彈回去，擊在艙門口的木壁上，登時深嵌入木壁之中。

蕭翎冷冷說道：「紅衣五龍。」

沈木風道：「只是五龍之一，蕭大俠如能把他制服，咱們再動手不遲。」

昔日蕭翎率領馬文飛等群豪，大鬧百花山莊，勇破十八金剛劍盾大陣，和數百黑衣武士的圍攻，突圍而出，亦遭遇過紅衣五龍攔路，蕭翎舉手一劍，就把一個紅衣怪人震倒。

原被那金蘭、玉蘭誇傳厲害無比的五龍，卻被蕭翎一劍震倒，但事後蕭翎才知是南宮玉暗中相助，早用鎖功毒粉，暗鎖五龍武功。

今宵再度相遇，已無南宮玉暗中相助，這紅衣五龍的功力如何？要憑真實武功對付了。

蕭翎提聚真氣，目注那紅衣怪人，想尋找一處下手所在。

但那人全身都為紅鱗掩去，除了兩目之外，再無法找出可對下手之處。

只聽沈木風接道：「有一件事，必得先行告訴你蕭大俠，這人身上的紅鱗，已經過了劇毒淬煉，只要被刺破見血，一個時辰之內，毒攻內腑而亡，世上沒有可以解救的藥物。」

蕭翎道：「多承相告。」

說話之間，那紅衣怪人依然緩步逼到蕭翎身側。

蕭翎看那紅衣怪人，舉動之間十分緩慢，心中暗道：他身上披著淬毒鱗甲，行動轉身之間，必然要大受影響，如是在廣敞之地，和他對手，可以用靈活的輕功對付他，但此舟狹小，運轉不便，勢必得施用雄渾掌力，對付他不可了。

他心中有了計較，反而鎮靜下來，慢慢那紅衣怪人直逼到身前兩、三尺處，仍舊肅然而立，不肯輕易出手。

忽然蕭翎右手一揚，迅若電光石火，拍出一掌。

這一掌出手之快，只瞧得那沈木風也不禁暗暗的讚歎。

那紅衣怪人，眼看蕭翎起手一掌，直向前胸擊來，也不讓避，右手一起，五指尖銳的指甲，有如五把尖刀，直向左肩抓來。

蕭翎左手一揚，封住那怪人右手，右掌卻已擊中了那人前胸。

這一掌，蕭翎用了八成以上的內力。

但聞砰的一聲大震，那紅衣怪人被蕭翎擊中前胸的一掌，震得向後退了三步。

沈木風哈哈一笑，道：「蕭大俠，那紅鱗上劇毒奇烈，快些運氣閉上穴道，如想保得性命，只有齊肘間斷去雙手。」

蕭翎冷笑一聲，道：「不勞費心。」

揚手一指，疾向那紅衣怪人點了過去。

原來，他心想這一掌，如若擊實，縱然不能把那紅衣怪人震斃當場，亦可使他暈倒地上，難再掙動，哪知事情竟然是大出預料，那紅衣人只被震得退後三步。

蕭翎心知只有先把那紅衣人擊傷之後，才能全力對付那沈木風，是以，見那紅衣人未受大傷，立時發出修羅指力，指向那紅衣怪人的前胸處「紫宮」要穴，一般暗勁，直湧過去。

那紅衣人連受兩次重擊，雖是鱗甲護身，亦是有些支持不住，身子不由搖了幾搖，似要栽倒地上。

沈木風吃了一驚，暗道：數月不見，這蕭翎的功力，似是又有了很大的進展，此人得天獨厚，稟賦、師承兩大要件，盡得上選，今宵如不殺他，只怕日後，很少再有殺他的機會了。

心念一轉，忽然發出一聲低嘯，那搖搖欲倒的紅衣人，聽得那嘯聲之後，忽然穩住了身子，兩道森冷的眼神，逼視在蕭翎的臉上。
沈木風眼看那紅衣人，仍有再戰之能，立時冷笑一聲，道：「蕭翎，我已再三相勸，但你仍執迷不悟，今宵是不能再放過你了。」
一抬右手，直向蕭翎拍去。
他身軀高大，雙手特長，距蕭翎雖有著四尺距離，但一探身出手，竟然可及蕭翎的後背。
蕭翎前有強敵，那滿身紅鱗的怪人雙目殺機閃動，緩步逼了過來，使蕭翎不敢稍分心神。
沈木風又出手由後側擊到，蕭翎明知沈木風的功力深厚，人所難及，揮掌開碑，彈指碎石，但也無法回身迎敵，只好運起乾清罡氣，護住身子，準備避過要害，受他一擊，先把這紅衣怪人擊倒之後、再鬥沈木風。
且說商八眼看沈木風突然出手攻向蕭翎，雖明知不敵，但也不能不管，右手一揮，寶光閃動，一語不發，金算盤疾向沈木風右臂上肘擊去。
這等人身關節所在，最是脆弱，商八爲解蕭翎之危，只好攻其必救。
但聞沈木風冷笑一聲，左手突然疾翻而起，屈指一彈，正擊在商八的金算盤上。
商八只覺手中的金算盤突然向上翻去，直似要脫手而出，不禁心頭駭然，急用內力，向下一擊，金算盤才未脫手。
瞥見寒光一閃，兩道白芒，疾飛而至，直向那紅衣怪人飛去。
原來是展葉青發出了兩柄七休劍，並排而至。

沈木風左手指力，擊開了商八手中的金算盤，右手已然拍近蕭翎右肩。

掌勢還未觸及蕭翎的右肩，覺著被一股無形的力道所阻，不覺叫道：「護身罡氣。」

右掌突然加上幾成力道，立掌如刀，劈了下去。

蕭翎這護身罡氣，還未登大成之境，一般江湖人物，故是難以傷他，但像沈木風這等深厚功力的人物，蕭翎自然是無能抵禦，只覺一股強力，沖破護身罡氣，擊在肩頭之上，忽覺得肩頭上如被人砍了一刀，一條右臂登時麻木難抬，肩頭上劇疼難耐，心知受了重傷，肩骨不碎，亦被擊斷。

他生性倔強，一咬牙，忍痛不言，橫裹移開三尺。

沈木風不聞蕭翎呼叫之聲，不知他受傷輕重，但自己運氣擊破蕭翎護身罡氣，雖然擊中蕭翎一掌，但亦被蕭翎護身罡氣的反震之力，震得右臂痠痛，麻木難動，一時間整條右臂，已然難再運用。

這些變化，不過一剎那的工夫，電光石火，目不暇接。

但聞錚錚兩聲，展葉青打出的兩支七休劍，正擊在那紅衣怪人的肩頭之上。

原來這紅衣人雖有刀槍難入的鱗甲護身，但他身受了蕭翎雄渾掌力一擊，雖未當場暈倒，內腑也已受了重傷，展葉青兩支短劍飛來，已無能閃避，兩支短劍，盡都擊中。

展葉青這七休劍，乃千年寒鐵製成，專破內家氣功。

但這鋒利的寶刀，卻是無法透穿那紅色鱗甲，兩劍撞在那紅色鱗甲之上，盡皆落地。

但聞商八大喝一聲，金算盤一招「浪撞礁岩」，全力向沈木風撞擊過去。

沈木風右臂麻木難動，只好閃身避開，左手疾劈一掌。

商八一擊不中，第二招還未出手，沈木風掌勢已到。

但見寒光一閃，一柄長劍，疾向沈木風左臂之上削去。

原來展葉青疾躍而入，劈出一劍。

沈木風左手一沉，避開劍勢，橫裏推出一掌。

這一掌變化奇快，展葉青讓避不及，只覺一股強烈的勁力逼來，迫得只好向艙外跳去。

沈木風冷森一笑，道：「蕭翎，這池中木舟，只怕就是你喪身之地……」

話還未完，突然錚錚錚三聲弦響，緊接著一蓬金芒，破空而入，擊向那紅衣人。

這時，那紅衣人已然把蕭翎逼到船艙一角，伸出十個戴著尖銳指甲，龍爪一般的怪手，緩緩向蕭翎抓去。

蕭翎爲情勢所迫，只好強忍著右肩傷痛，準備拚出左手，全力擊出一拳，自己縱然被他尖利的十指抓死，這一拳，也要他重傷當場。

就在他準備拚個同歸於盡之時，那一蓬金芒及時而至。

只聽那紅衣人一聲怪吼，抓向蕭翎的雙手，突然反蒙著自己的眼睛，一陣顫動摔倒地上。

蕭翎死裏逃生，不禁一呆，耳際間琴聲幽幽，傳了過來。

沈木風突然厲喝一聲，左手一揮，把商八打了兩個跟頭，飛身躍起，一腳踏在那紅衣人身前，然後一伏身，挾起那紅衣人，躍出艙門，登上一隻小舟，破浪而去。

這幾下起落如飛，動作快極，展葉青雖然守在艙外甲板之上，眼看著沈木風登上小舟離去，竟未及阻攔。

要知他被沈木風一記掌力逼出艙外，雖然未受重傷，但已被沈木風的強勁掌力震動內腑，正自暗中運氣療息，沈木風起落如飛，一踏甲板，躍上小舟而去，根本就來不及出手阻擋。

其實以那沈木風的武功，就算展葉青沒有受傷，也無法阻攔得住。

蕭翎望著沈木風挾起那紅衣人躍出艙去，才如夢初醒一般，暗道：好險啊！好險。如若那沈木風在挾起那紅衣人，飛躍出艙之時，順手給自己一掌，豈不是要傷在他的掌力之下！

這片刻時光中，他兩歷生死大劫，想起來，不禁爲之駭然不已。

凝神聽去，那琴聲不知何時，已然沉寂不聞。

商八究竟是老江湖，大危過後立時警覺到情勢不對，低聲說道：「大哥，咱們快些把人救走。」

蕭翎望了四個青衣老人和孫不邪、無爲道長一眼，道：「咱們得先設法解開六人穴道。」

商八道：「不用了，等把六人救上岸去，再設法解他們穴道不遲。」

說話之間，已當先扶起兩個青衣老人。

蕭翎一手一個，扶起了無爲道長和孫不邪，展葉青抱起了另外兩個青衣老人。

七　似水柔情

三人行上甲板，但見四周水波茫茫，那一艘小舟爲沈木風所乘去，已無可渡之物。

這三人都不會水中功夫，望著四周水波，不禁興起了英雄無用武之地的感歎。

蕭翎輕輕歎息一聲，道：「怎麼走？」

商八道：「這池塘不大，距岸亦不過數丈之遙，咱們跳水，也得走上岸去，愈快愈好。」

展葉青道：「爲什麼？」

商八道：「這艘方舟之上，只怕是別有佈置。」

蕭翎道：「咱們快些走了。」

一提真氣，正待躍入水中，瞥見商八放下兩個青衣老人，砰砰兩掌，擊落兩扇艙門，投入水中。

蕭翎當先一躍，飛落在一扇艙門之上。

放下無爲道長、孫不邪，自己卻躍入水中。

商八、展葉青緊隨躍下，兩扇艙門的浮力，把六人運到岸上。

展葉青低頭瞧瞧滿身濕淋的衣服，回顧那池塘中燈光輝煌的方舟一眼，心中暗道：這未免庸人自擾了，如若我們能從容一些，那就不致如此狼狽了……

心念轉動之間，突聞砰砰兩聲爆震，震得方舟四面分裂，大火熊熊而起。

那木舟上的佈設，似都是易燃燒之物，大火一起，立刻燒了起來。

展葉青心中暗道了兩聲慚愧，目光轉注到商八的臉上，道：「如非商兄洞察細微，及時離開那木舟，此刻，咱們都已經葬身那火窟之中了。」

蕭翎輕輕歎息一聲，道：「看來一個人在江湖中行走，單憑武功，也是難以生存，還要加上機智、運氣才行。」

商八望了孫不邪和無為道長一眼，說道：「大危已過，此刻咱們要設法解開這六人穴道才是，武林四大賢人，一向不捲入江湖恩怨之中，數十年如一日，武林中人也不願去招惹他們，此番沈木風加害四人未成，咱們如能救醒，沈木風又多了四個強敵。」

蕭翎道：「我懷疑那沈木風，並非單純點了六人穴道，能否救醒他們，目前尚難預料。」

商八道：「大哥之意，可是說那沈木風在六人身上，下了奇毒？」

蕭翎道：「不錯。」

語聲微微一頓，接道：「適才舟上搏鬥形勢，咱們已處劣勢，如非有人暗中相助，小兄早已傷在那紅衣怪人手中了。」

商八沉吟了一陣，道：「什麼人暗中相助呢？」

蕭翎道：「小兄亦爲此大惑不解，但在我最爲險惡之時，他卻適時出手，似是用金針一類的暗器，打傷了那紅衣人的雙目。」

商八道：「如金針一類暗器，卻難及遠，那暗助之人，最遠離咱們在三丈以內。」

蕭翎道：「正是如此，可是咱們竟然都未能發覺他的行蹤。」

商八道：「大哥可記得那金針來路嗎？」

蕭翎道：「就小兄記憶所及，那金針似是由艙門射入。」

展葉青道：「如若有人站在甲板之上發射暗器，在下自信，決不會逃過我的雙目。」

蕭翎沉吟了一陣，道：「展兄，可曾聽到什麼聲音嗎？」

展葉青道：「蕭兄正和那紅衣怪人惡鬥之際，似是有一陣幽幽的琴聲，傳了過來。」

蕭翎道：「這就是了，昔日令師兄和孫老前輩，在湖畔和那沈木風率領的高手相遇，雙方即將動手之時，聽到一陣樂聲傳來，沈木風倉皇逃走，事後，令師兄和孫老前輩談起，那樂聲似是洞簫和琴聲配合而成的一種音韻；今日咱們又親耳聽到了那琴聲，沈木風仍然驚惶而去，以致預作佈署的惡毒手段，都未及施展出來。」

商八道：「這證明了一件事，沈木風對於那琴、簫之聲，非常畏懼，只是不知何人有此能耐，能令一代梟雄沈木風聞弦而逃。」

蕭翎道：「小兄懷疑那一蓬金針，亦是那彈琴之人所發。」

商八道：「奇怪的是，他一直不肯和咱們相見。」

蕭翎凝目思索了一陣，欲言又止。

展葉青心惦師兄安危，接口說道：「蕭兄，孫老前輩和敝師兄，都是閱歷豐富、足智多謀之人，如能先解開他們穴道，或可有助解此疑團。」

蕭翎道：「展兄高論甚是，不過，在下卻覺得成功的希望不大，但不能不盡力一試。」

商八抬頭一看，說道：「此地不便，咱們到羅氏宗祠中去。」抱起青衣人，當先行去。

三人各抱兩人，行入祠堂大廳，放下了六人，商八道：「我查看一下四周形勢。」

展葉青道：「商兄請便。」

雙手齊出，先在無為道長身上開始推拿起來。

蕭翎凝目觀看，默然不語。

只見無為道長閉目而坐，動也不動一下，展葉青施展推宮過穴的手法，推拿了一頓飯工夫之久，無為道長仍是毫無動靜。

展葉青停下手，拂拭一下臉上的汗水，道：「恐怕是一種獨門點穴手法，小弟不成，還要勞煩蕭大俠了。」

蕭翎道：「兄弟只怕也難成功。」

蹲下身去，緩緩伸出右掌，抵在無為道長的背心之上，暗中運氣，一股熱流攻入無為道長的命門穴中。

片刻之後，蕭翎收回右掌，左手疾出，連拍了無爲道長身上四處大穴。

蕭翎用盡了所有解穴之法，哪知無爲道長仍是端坐如故，毫無反應。

蕭翎長歎一口氣，道：「不成，看來咱們是無能解救他們了。」

這時，商八已悄然行入廳中，伸手按在無爲道長前胸之上，只覺他心臟仍在跳動，道：「他們都還活著。」

蕭翎苦笑一下，道：「單以無爲道長而論，他體內確有幾處經脈不通，只不知那沈木風用的什麼手法，咱們竟然無能解開他們的穴道。」

商八道：「各大門派的點穴之術，大都不同，有斬脈、震穴、拂穴各種手法，只要他們氣息未絕，總還有救，大哥也不用心急，慢慢總可找出解救之法。」

突聞簫聲嫋嫋傳了過來。

那簫聲雖柔細，但聽在幾人耳中，卻如巨雷下擊一般，都不禁爲之一怔。

蕭翎搖搖手，不讓兩人講話，凝神聽去。

只覺那簫聲，充滿著淒苦、哀怨，如泣如訴，悲傷無比，靜夜之中聽來，不禁使人爲之黯然。

倏然間簫聲中斷，一縷餘音，嫋嫋散去。

商八道：「那簫聲雖然輕逸飄渺，但抑揚頓挫，無一不清晰可聞，吹簫者，定然是武林高人，才能有這等充沛之氣。」

蕭翎道：「琴音所至，簫聲婉然相隨，看將起來，那彈琴、品簫的兩位高人，都在左近了……」

話未說完，琴聲忽鳴，幾聲調弦之音過後，琴聲一轉，一縷如語如唱的弦韻，傳了過來。

傾神聽去，那琴聲似在敘述著一個悱惻纏綿的故事，淒婉動人。

蕭翎、商八等，都不自覺地爲那琴聲所動，只覺心頭之中，湧塞著萬般淒苦、千種憂悶，不自覺地隨著那幽幽琴音，潸然淚下。

忽然琴音頓住。

蕭翎、商八等如夢初醒，不自覺地舉起手，一拭臉上淚痕。

商八長長吁一口氣，道：「商老二除了奠祭母親之時，哭了一次之外，這一生之中，今天是第二次落淚了。」

展葉青道：「兄弟也爲那琴音所感，落下淚來。」

蕭翎道：「這琴音卻是太過悲切，不知是何人所彈。」

展葉青望了無爲道長等一眼，道：「如若不是這裏有著六位受傷之人，今夜咱們定可以找到那彈琴的人。」

語聲甫落，簫聲又起。

曲折的簫聲，似是較那琴聲，更爲淒涼。

蕭翎一皺眉頭，道：「咱們得去瞧瞧！」

商八道：「大哥一個人去嗎？」

蕭翎道：「這裏有六位受傷的人，咱們自是不能丟下他們不管，兩位請在此照顧他們，我去瞧瞧就來。」

商八道：「如果遇上敵人，大哥請長嘯為號，我等也好趕往相助一臂之力。」

蕭翎沉吟了一陣，道：「如果彈琴吹簫的人，要和咱們為敵，那也不會相助咱們了……」

商八還待接言，蕭翎已大步出廳而去。

這時陰雲蔽天，四周一片黑暗，連一點星光，也難見到。

蕭翎順著那飄來的簫聲，緩步前行而去。

他全神貫注那簫聲之上，也不知行到何處。

只覺那簫聲愈來愈近，夜色中隱隱見到一個人影，似是坐在一塊大石之上。

蕭翎長長吁一口氣，定定心神，運足了目力四下打量一陣，才發覺這是一片荒涼郊野，夜色中可見不遠處聳立的小山。

蕭翎重重地咳了一聲，希望能驚動那吹簫的人。

那吹簫人卻似陶醉在簫聲之中。

人與那淒涼的簫聲，渾然合一，對蕭翎的重咳聲，聽而不聞。

蕭翎呆了一呆，暗道：我這聲重咳，用力甚大，怎的他還是渾然不聞……忖思之間，突聞一聲斷喝，道：「什麼人？」

這聲音突如其來，並非是由那吹簫人口中發出。

蕭翎轉眼看去，只見不遠處一株大樹後，緩步走出了一個人來。

忽然間，蕭翎覺出那人的聲音很熟，只是一時之間，卻又想不起是什麼人。

正想回答，突聞一個柔細的聲音傳入了耳際，道：「不要接口，最好戴上面罩，不要洩露了你的身分。」

這柔細的聲音，傳入蕭翎耳中之後，頓然使蕭翎呆在當地，那聲音更是熟悉，幾乎要失聲驚叫。

蕭翎定定神，強自抑制下心中的激動，轉過身子，迅快地取出面具，戴在臉上。轉臉望去，只見那出現樹前的人影，緩緩向前行來。

婉轉簫聲，此刻卻突然停了下來。

一個冷傲的聲音，傳了過來，道：「是玉棠表弟嗎？」

那行向蕭翎的人影，突然停了下來，應道：「不錯，正是小弟。」

蕭翎心中暗道：果然不錯，這人就是一度假冒我名字的藍玉棠。

那冷傲聲音，微帶慍意地說道：「舍妹到處找你，你可知道。」

只聽藍玉棠應道：「令表妹性情太急，小弟受不了她那頤指氣使的氣焰，實不敢再見她了。」

但聞那吹簫人冷冷說：「你和舍妹的事，我不願多管，但你一直追隨我的身後，不知是何用意？」

藍玉棠道：「一則爲表兄護法，二則……二則……」

那吹簫人冷哼一聲，道：「你用心何在，難道我做表兄的還不知道嗎？」

藍玉棠道：「此事，表兄和小弟都無法決定，還是聽憑於人。」

那吹簫人一躍而起，直對藍玉棠行了過來。

蕭翎運足目力望去，只見那吹簫人一襲長衫，手中倒提一支玉簫，極快地行到了藍玉棠的身前，相距約四、五步時，停了下來。

這時，天風吹散了蔽天陰雲，星光隱隱，透了下來。

只見那提簫人和藍玉棠相對而立，四目相注，過了足有一盞熱茶工夫，那提簫人突然揮動手中玉簫就地一劃，道：「從此刻起，爲兄和你斷去表兄弟的情誼，日後如若再要追蹤於我，別怪爲兄的手下無情了。」

說完一番話，突然轉身而去，身形閃了兩閃，消失在夜色之中不見。

藍玉棠望著那持簫人身影消失良久，才輕輕歎息一聲，緩緩向蕭翎行來。

蕭翎知他起手劍勢，快速無比，一面暗中運氣戒備，一面心中暗道：他受了表兄之氣，不要發洩在我的身上。

心念轉動之間，藍玉棠已然行近身前。

只見藍玉棠伸出右手，指著蕭翎，喝道：「閣下什麼人！深更半夜到此作甚？」

蕭翎心中暗道：這話問得好無道理，此地非你所有，你既能來，我又為什麼不能來呢？

這些話，都是他心中所想，但卻未講出口來。

藍玉棠不聞蕭翎回答之言，心中大為惱怒，伸手握著劍把，雙目凝注在蕭翎的臉上。

這時，兩人相距，不過是兩、三步遠，兩人又都有著過人的目力，淡淡星光下，看得十分清楚。

蕭翎過度的沉著，和那一對炯炯的眼神，使藍玉棠已警覺到遇上勁敵，一時間，倒是不敢隨便出手。

雙方又相持了一刻工夫，藍玉棠突然鬆開握著劍把的右手，道：「你是岳姑娘從人。」

蕭翎心中暗道：小釵姊姊長我幾歲，做她從人，有何不可。

當下微一頷首，仍不答話。

藍玉棠冷傲之氣盡消，黯然一歎，伸手從懷中摸出一個潔白的封簡，雙手捧著，交給蕭翎，道：「有勞上呈岳姑娘，就說我藍玉棠今生一世，此心不變，但求能再賜予見我一面。」長長歎息一聲，緩緩轉身而去。

蕭翎望著藍玉棠的背影，只覺他背影中流現出無比的淒涼，不禁暗自一歎，道：此人武功絕世，為人孤傲，此刻，怎的竟變得如此模樣。

只見藍玉棠緩步而去，逐漸消失不見。

蕭翎低頭瞧瞧手中的白簡上，寫道：奉呈岳姑娘小釵玉展。

裏面沉甸甸的，那是不只一封信了。

回頭望去，只見夜色迷濛，身後不見人蹤，不禁心中大急，暗道：適才明明是岳姊姊的聲音，要我不要暴露了自己的身分，此刻那持簫人和藍玉棠都已行去，怎的不見岳姊姊現身相見呢？

蕭翎想大聲呼叫，但也怕驚動了藍玉棠，只好悶在心裏發急。

原來，他已從持簫人和藍玉棠斷親絕交的舉動，和藍玉棠適才悽惶無主的愁苦神情中，隱隱約約，猜到一點內情出來。

蕭翎愣愣地站在夜色中，足足有一刻工夫之久，仍然不見那岳小釵現出身來，再也忍耐不住，低聲呼道：「小釵姊姊啊！你在何處？爲什麼不現身和我相見呢？」

只聽嗤的一聲嬌笑，傳了過來。

靜夜中聽得十分清晰。

蕭翎聽音辨位，已覺那嬌笑之聲，發自四丈外一塊大石之後，也不及言語，暗中一提真氣，呼的一聲，一式「海燕掠波」，直飛過去。

說道：「姊姊啊！我……」

只見大石後緩緩站起一個頭梳雙辮，十五、六歲的勁裝少女，接道：「蕭相公，小婢可不敢當你這種稱呼。」

蕭翎呆了一呆，才拱手說道：「姑娘是……」

那勁裝少女笑道：「我是岳姑娘使喚的丫頭，蕭相公貴人多忘事，咱們早就見過了啊！」

蕭翎仔細地打量了那勁裝少女一眼，怎麼也想不起來在哪裏見過，愣在當地講不出話來。

那勁裝少女聳聳肩，道：「人家都走了，你還戴著面具作甚？」

蕭翎取下面具，道：「咱們在哪裏見過，恕我蕭翎眼拙，實是記不得了。」

那勁裝少女微微一笑，道：「在一座山谷之中，還有南海五凶……」

蕭翎一拍腦袋，道：「是啦！就是姑娘你假扮那青衣童子，混在南海五凶身側……」
語聲微微一頓，接道：「我那岳姊姊哪裏去了？」

那勁裝少女略一沉吟，道：「她走啦……」

蕭翎急急說道：「行蹤何處，姑娘知道嗎？」

勁裝少女道：「知道是知道，只不知她肯不肯見你。」

蕭翎道：「一定肯見我的，快帶我去，唉！我已經五、六年沒有見過小釵姊姊的面了。」

勁裝少女搖搖頭，道：「不一定啊！那藍玉棠和玉簫郎君，不知道用了多少心機，一直跟在岳姑娘的身後，苦苦哀求，岳姑娘就不肯見他們，你怎麼能肯定，她一定會見你。」

蕭翎愣了一愣，道：「那不一樣，岳姊姊一向對我愛護，常常牽著我玩，照顧我吃飯穿衣，我想她一定和我想念她一樣，想念著我。」

勁裝少女道：「此一時，彼一時也，那時你年紀幼小，現在已經長大了。」
蕭翎心中大急，道：「我說她定會見我，你偏不肯信，那你去問問她吧！」
勁裝少女沉吟了一陣，道：「好吧！我替你傳報一聲，你守在這裏別動……」
蕭翎無奈地接道：「好吧！我在這裏等就是。」
那勁裝少女不再多言，縱身而起，身形一閃不見。
蕭翎坐在那大石之上，等了足足一頓飯工夫之久，仍然不見那勁裝少女轉來。不禁急了起來，心中暗道：她如不肯給我通報，那將如何是好？
忖思之間，瞥見一條人影，緩緩行了過來。
蕭翎大步迎了過去，果然是那勁裝少女，迫不及待地問道：「可是我那岳姊姊要你來接我的嗎？」
勁裝少女搖搖頭，道：「你自信心太強了。」
蕭翎怔了怔，道：「怎麼？岳姊姊不見我嗎？她怎麼說？」
勁裝少女慢吞吞地說道：「我說了你要見她，姑娘就沉吟不語，很久很久，才對我說，告訴他，不要見了。」
蕭翎心中一急，大聲說道：「不可能啊！她為什麼不見我？」
勁裝少女道：「這我怎麼知道。」
蕭翎心中激動，說道：「你帶我去，我非要見她不可。」

勁裝少女搖搖頭，道：「她不見就是不見，我怎麼敢帶你去。」

蕭翎仰起臉來，長長吁一口氣，鎮定了一下慌亂的心神，道：「這實在叫人難以相信。」

勁裝少女柔聲說道：「不只是你，很多人想見我家姑娘，都被她拒絕於千里之外，希望你不要難過才好。」

蕭翎抬頭望天，自言自語地說道：「怎麼了？當真是叫人百思不解……」

突然一跺腳，把手中的白簡，遞了過去，接道：「這是那藍玉棠托我轉給岳姊姊的物件，有勞姑娘代轉了。」

勁裝少女接過白簡，道：「你可有什麼事，要我轉告姑娘的嗎？」

蕭翎搖頭黯然說道：「我想不明白，她爲什麼不見我。」

勁裝少女道：「她不肯見你自有原因，只是你不知道罷了。」

蕭翎苦笑一下，道：「好吧！請你轉告她，以後不敢再勞她幫助我了，過去相救之情，我這裏謝過了。」說完，抱拳一揖。

勁裝少女點點頭，道：「我一定字字轉告，一句不漏。」

蕭翎道：「打擾了姑娘很久，在下這裏也謝過了。」

一揖之後，不再多言，轉身大步而去。

蕭翎頭也不回地，一口氣走回羅氏宗祠的大廳之中。

只見商八和展葉青，並肩站在庭院當中，一見蕭翎，齊步迎了上去。

展葉青道：「我們正等得心急，蕭大俠沒有和人動手吧？」

蕭翎搖搖頭，道：「沒有，孫老前輩等怎麼樣了？」

商八道：「他們穴道已經解開，而且又服了解毒藥物。」

蕭翎奇道：「當真嗎？」

只聽孫不邪的聲音，由那大廳中傳了出來，道：「不錯啊！蕭兄弟快請進來，老叫化心中憋了很多事，必得問個明白不可。」

蕭翎大步行入廳中，果然孫不邪和無爲道長，連同那武林四大賢人都已經醒了過來。

孫不邪急急問道：「蕭兄弟，這是怎麼回事啊？」

蕭翎道：「怎麼回事？我也糊塗了……」

回頭望著商八，接道：「是誰解開了他們穴道？」

商八道：「大哥不知道嗎？這就奇怪了！」

蕭翎道：「快說清楚是怎麼回事？」

商八道：「大哥去後不久，就有一位黑衣人來到了此地，他說奉大哥之命而來，療救孫老前輩等幾人之傷……」

蕭翎接道：「那人是什麼樣子，男的？還是女的？」

商八道：「他似是戴著面具，男子裝束……」

蕭翎道：「聽口音呢？」

展葉青道：「完完全全的男子口音。」

蕭翎一皺眉，道：「以後怎麼樣了？」

商八道：「我和展兄要攔阻於他，卻不料他陡然出手，點了我們兩人的穴道。」

蕭翎歎息一聲，道：「說下去。」

商八道：「我們穴道被點，無法阻攔於他，看他進入廳中，推活了孫老前輩等六人穴道，且給他們一粒丹丸，臨去之際，又拍活了兄弟和展兄的穴道。」

蕭翎道：「他可說明了身分嗎？」

商八道：「沒有。」

展葉青接道：「他臨去之際，叫我等轉告蕭大俠，他一向不願過問江湖中事，武林中殺殺砍砍，生生死死，都和他無關，他曾經看到一個人，連殺了一十八位武林人物，他亦未出手管過閒事。」

蕭翎接道：「這麼說來，這人的生性，倒是冷僻得很。」

展葉青接道：「他說話的聲音，也是一片冷漠，叫人聽來，油生寒意，但是他對蕭大俠卻又是十分敬重。」

孫不邪接道：「聽來他似乎有事請求你蕭兄幫忙。」

蕭翎只覺腦際一片零亂，說道：「求我幫忙？」

展葉青道：「大概不錯，他說，孫老前輩和敝師兄，以及武林四大賢人，死活都和他無關，他出手相救，完全是爲你蕭兄，不用感激他，交情都賞到你蕭兄身上，日後，他還有借重蕭兄之處。」

蕭翎聽得一片茫然，但見十幾道眼神，一齊投注在自己身上，心中暗暗忖道：今宵之事，千頭萬緒，複雜異常，與其讓他們都糊塗，那倒不如我一人糊塗算了。

當下微微點頭，道：「他還說什麼？」

展葉青道：「就這幾句話，說完之後，立時躍失於夜色之中。」

蕭翎心中憋了一肚子怨憤和悲傷之氣，原想見得商八等之後，一吐積憤、悲苦，哪知竟然又發生了這樣一件莫名其妙的事，只好強自忍下心中憂憤之氣，緩緩說道：「孫老前輩覺得如何？」

孫不邪道：「那人的丹藥很靈，似是已解了沈木風灌入老叫化腹中之毒。」

蕭翎目光轉到無爲道長的臉上，道：「道長覺得如何？」

無爲道長道：「貧道亦覺得好了甚多。」

蕭翎目光一掠武林四大賢人，道：「四位傷勢如何？」

那居首青衣老人，抱拳說道：「洛陽朱文昌，拜謝蕭大俠相救之恩。」

第二個青衣老人接道：「濟南秦士廷，見過蕭大俠。」

第三個青衣老人接道：「金陵尤子清，多謝援手之情。」

第四個青衣老人接道：「江州許詩堂，敬領賜助大德。」

蕭翎看四人神情，聽四人口氣，果是一派斯文氣質，毫無火性，不禁好奇問道：「四位賢人素不捲入江湖恩怨之中，不知如何會和那沈木風結了嫌怨？」

洛陽朱文昌微微一笑，道：「咱們和那沈木風毫無恩怨。」

蕭翎心道：既然毫無恩怨，他爲什麼要把你們四大賢人置之死地而後甘心，口中反問道：「那沈木風又爲什麼要加害幾位呢？」

濟南秦士廷道：「濁者自濁，清者自清，咱們確和那沈木風談不上恩怨二字。」

蕭翎暗暗忖道：好啊！這四人當真是食古不化，如果是那沈木風把你們殺了，你們就清起來了。

長長歎一口氣，道：「這麼說來，是那沈木風的不對了，無緣無故地把四位邀集來一起，點穴、下毒，加以傷害。」

金陵尤子清接道：「問心本無愧，何必想吉凶。」

江州許詩堂接道：「君子胸懷，明月清風，生不負人，死而何憾。」

蕭翎心中忖道：這四人果然是賢得可以，卻也迂腐得可以，那沈木風真要把他們殺了，他們亦是毫無怨恨之意……

但聞孫不邪冷哼一聲，道：「四位果然是大賢大聖的人物，老叫化和無爲道長，冒險捨命，趕去相救，那算是白費心了，早知如此，還不如讓那沈木風把四位殺了算啦，也免得老叫化和四位一般，受那點穴、吞毒之苦。」

朱文昌微微一笑，道：「受恩當知報，積怨應早消，咱們對孫大俠和無爲道長的捨命相救之情，那是永銘肺腑了。」

孫不邪道：「老叫化豈是施恩望報之人。」

無爲道長突然接道：「四位在武林中數十年，從不過問江湖中事，獲得四大賢人之稱，賢則賢矣，只是未免有些獨善其身，不分是非。」

蕭翎心中暗道：久聞武林四大賢人，武功甚是高強，今宵如能勸得他們爲武林正義，挺身對抗那沈木風，不但可增加不少實力，且可號召甚多息隱高人重出江湖，對付那沈木風。

只聽秦士廷道：「是非之說，原本是兩面之詞，我們脫出於是非之外，難道還不對嗎？」

孫不邪冷笑一聲，道：「諸位既已脫出了是非之外，那沈木風卻又爲何追四位吞下毒藥，置四位於死地？」

無爲道長接道：「四位袖手看武林大劫，自樂於山水之間，反自覺洋洋得意，深夜捫心自問，賢是不賢？」

洛陽朱文昌怔了一怔，欲言又止。

原來他一時間，竟是想不出回答之言。

孫不邪道：「四位所以被武林同道尊爲四大賢人，那是因爲不肯捲入武林恩怨之中，武林中名利之爭的私恩私怨，四位能夠拋置不理，的確是可敬，當得大賢之譽，但這次沈木風加害四位情勢，那就大大的不同了……」

濟南秦士廷接道：「哪裏不同了？」

孫不邪道：「沈木風志在武林霸業，手段殘酷，積惡無數，連四位素和武林無恩無怨的大賢人也要加害，用心可想而知，加害四位賢人的怨恨，四位可以不予計較，但這武林大義，正邪存亡，難道四位也不過問嗎？」

金陵尤子清接道：「如依閣下之見，我等理該如何？」

孫不邪道：「挺身而出，爲武林仗大義，和那沈木風一決生死。」

江州許詩堂道：「閣下之意，可是要我等捲入武林殺伐之中嗎？」

無爲道長道：「目下江湖，道消魔長，四位同受武林同道尊仰，而且賢與不肖，勢不兩立，諸位既有賢名，難道就放任那不肖之徒，縱橫於江湖之上，爲所欲爲，不加過問嗎？」

朱文昌目光轉動，掃掠了秦士廷、尤子清、許詩堂一眼，道：「三位賢弟，丐幫孫不邪長老和無爲道長，似是說得甚有道理，不知三位賢弟認爲如何？」

秦士廷點點頭，道：「說的道理，的確是不錯，只是要咱們執刀劍屠戮武林，小弟實有著心中難安之感。」

尤子清道：「小弟認爲那孫不邪和無爲道長之言，確有道理，沈木風迫咱們服下毒物，咱們可以放手不究，但卻不能放任那沈木風爲惡於江湖之上。」

許詩堂道：「數十年來咱們一直是我行我素，不理江湖上是是非非，如今一旦要改變宿願，小弟頗有著茫然無措之感。」

無爲道長眼看著四大賢人之中，已有一半被勸說得心動，如若太過於迫急，反而有害無益，當下說道：「四位請慢慢商量，或可找出當與不當，貧道等決不敢勉強。」

朱文昌站起身子，道：「我們研商出結果之後，如何告訴諸位？」

孫不邪道：「第三日中午時分，仍然在此相見，三日時光，總夠諸位研究了吧！」

朱文昌道：「足足有餘了，咱們就此一言爲定，不論我等研商的結果如何，三日之後，我等定當如約而來。」言罷，舉步向外行去。

秦士廷、尤子清、許詩堂齊齊站起身子，緊隨朱文昌身後而去。

孫不邪目注武林四大賢人的背影消失之後，搖搖頭歎息一聲，道：「這四人當真是頑固得可以，老叫化見過了甚多生性奇特之人，但像武林四大賢人的怪癖，卻是從未見過。」

蕭翎仰起頭來，長長吁一口氣，接道：「他們那不計私怨的氣度，和一般武林中人，有仇必報的行徑，比較起來，實有天壤之別，那實是當得賢人之稱了，但他們那等不顧大局、不辨是非的行徑，難道也可當得賢者之稱嗎？」

無爲道長道：「虛名誤人，如若他們沒有那四大賢人之譽，那也不會有這樣的忍耐功夫了，這是一個很微妙的問題！表面之上瞧去，四人不計名利，不記嫌怨，氣度博大，人所難及，但如再深看一層，四人這等作爲，無非要保持那四大賢人的美名……」

孫不邪接道：「不錯！道長高見，一語中的。」

無為道長緩緩站起身子，道：「什麼時光了？」
展葉青道：「四更左右。」
無為道長道：「咱們也該去了，別要他們等得太久。」
孫不邪轉臉望了蕭翎一眼，道：「蕭兄弟，老叫化有點事情請教。」
蕭翎道：「不敢當，老前輩有何指教？」
孫不邪道：「老叫化聽商八講，蕭兄弟追那簫聲而去，可曾見到那吹簫之人嗎？」
蕭翎想到岳小釵不願和自己相見一事，不禁心頭黯然，長長歎息一聲，道：「見到了。」
短短的三個字，竟然使大廳中所有的人，為之一驚，連無為道長那等鎮靜的人，也為之緊張起來，雙目轉注在蕭翎的臉上。
孫不邪咳了一聲，道：「你當真見到了那吹簫的人？他是一位何等模樣的人物？」
蕭翎道：「夜色中，在下雖然無法瞧得非常清晰，但就所見到而言，應是一位年輕人，一襲長衫，顎下無鬚。」
無為道長轉臉望著孫不邪，問道：「老前輩可知近代武林中，哪一位洞簫吹得最好？」
孫不邪道：「簫王張放。不過，就老叫化子所知，那簫王張放，已經陷身於禁宮之中。」
無為道長道：「不錯，就貧道所知，近代江湖之中，以那簫王張放的洞簫，吹得最好，據說他的簫聲能夠引誘飛鳥落地，吹出百鳥爭鳴之音，技絕一代，故有簫王之譽。」
孫不邪道：「自那簫王陷身於禁宮之後，江湖上再無聽到有吹簫的高手，那吹簫之人，卻陡然在江湖上出現，到底會是誰呢？老叫化實是想不出來。」

蕭翎心中暗道：我知道啊！那彈琴的人，是小釵姊姊，至於那吹簫之人，我已見到了他，我雖不知他的姓名，但卻知他是那藍玉棠的表兄。

岳小釵拒絕相見，使蕭翎的心中充塞著一股憂憤痛苦，他用盡了心思，仍是想不出那岳小釵為何會拒絕和自己相見，他本想說出詳情，以洩心中憂苦，但卻又強自忍了下去。

只聽無為道長輕輕歎息一聲，道：「孫老前輩，也不用多費心機去想了，那彈琴吹簫之人，既然暗中相助咱們，自可斷言是友非敵，此刻，雖然不願和咱們相見，但總有相見之時。」

孫不邪道：「不錯，那沈木風雖然退走，但卻未必就離鄂州，咱們得早回約定之處。」

挺身而起，大步向外行去。

群豪魚貫相隨，離開了羅氏宗祠。

蕭翎心有所思，也未問孫不邪等遇險經過，倒是孫不邪，慢行一步，和蕭翎並肩而走，說出了遇險詳情。

原來，孫不邪和無為道長得丐幫中弟子報告，知道武林四大賢人，被沈木風誘到羅氏宗祠後的池中木舟之上，想到沈木風的惡毒，武林四大賢人必然要吃大虧，這四人雖然不和江湖上人來往，但在武林中卻是盛名甚著，而且武功十分高強，如被那沈木風迫脅所用，必將使江湖爲之哄動，其影響之大，實難計算，兩人追蹤而至，登上木舟，只見燭光高燒，四君子分坐在艙中一張方桌四面，卻未見那沈木風的人在何處。

無爲道長爲人心細，見狀力主慎重，孫不邪卻救人心切，一躍入艙。

四下流顧，仍然不見那沈木風的人蹤何處。

無爲道長眼看孫不邪進入艙中，也只好隨後而上，兩人行到四大賢人的身側，舉手在四人身上推拿了一陣，但四人仍然是端坐不動。

這當兒，突聞木門呀然，後面艙門開啓，一個紅衣怪人，緩步向兩人行來。

孫不邪猛發一掌，正擊中那紅衣人的前胸。

但見紅衣人一頓之下，又向前面行來。

無爲道長長劍出鞘，一劍點向那紅衣怪人，正中肩頭。

哪知劍尖如刺在堅石之上，那紅衣人竟然是毫髮無傷，就在兩人驚異之間，沈木風疾躍而出，點中了兩人穴道。

孫不邪述完經過，歎一口氣，又道：「以後的事，就是灌下毒藥，蕭兄弟已經知道了。」

談話之間，已到了約定的豆腐店外。

只見燭光盈盈，石磨隆隆，一個身著褸衣的老人，正在推動石磨。

孫不邪當先而行，直入店中。

那推磨人望了孫不邪和無爲道長一眼，道：「人都在內室等候。」

群豪行入內室，只見司馬乾、杜九及武當弟子，都集中在室中等候。木榻上仰臥著一陣風彭雲。

蕭翎急步行近木榻，低聲叫道：「彭兄，好一些嗎？」

彭雲啓開雙目，微微一笑，道：「大約是死不了啦。」

緩緩挺身而起，掙扎下榻，對著孫不邪拜了下去。

孫不邪一揮手，道：「你躺著吧！」

彭雲不敢抗命，依言躺了下去。

孫不邪道：「傷在何處？」

彭雲道：「左胸之上，幸得杜老前輩細心施救，已然大見好轉了。」

只見無爲道長伸手把在彭雲脈穴之上，瞧了一陣，道：「不妨事，明日再服兩帖藥，就可以復元了。」

商八看室中狹小，人數眾多，站著已很擁擠，當下說道：「此地不是居留之地，咱們換個地方才行。」

彭雲道：「小要飯的知道一處隱秘所在。」

商八問道：「什麼地方？」

彭雲道：「城外五里，有一座無人居住的宅院，竹林環繞，十分廣大，裏面設備，應有盡有。」

孫不邪道：「既有如此去處，咱們也不必在此停留了，早些趕去……」

目光一掠彭雲，道：「你能走路？」

彭雲道：「慢一點走，大約還可支持。」

杜九道：「我瞧還是杜老三揹著你走吧！」

彭雲道：「那就多謝杜兄了。」

無爲道長道：「趁天色還未大亮，咱們出城去吧！」

杜九揹起彭雲，當先帶路，一行人直向城外行去。

八　暗露絕技

數里行程，在群豪腳下行來，不須一刻工夫，便已趕到。

此時，天色已亮，抬目看去，只見綠篁依依，環繞著一座規模很大的宅院。

孫不邪一皺眉頭，低聲問彭雲，道：「這座宅院，毫無破落之徵，亦無荒涼之感，怎的會無人居住呢？」

彭雲道：「錯不了，小要飯的記得清清楚楚。」

無為道長道：「既然到了此地，咱們不妨瞧瞧，如是宅中住的有人，咱們不去打擾就是。」

啇八加快腳步，搶在最前面，說道：「好，在下先去瞧過。」

穿過竹林，直到大門前面。

只見一對黑漆大門，緊緊地關閉著，不禁一呆，暗道：如是這宅中無人，大門怎會關閉，只怕那小叫化子受傷不輕，神智不清，也許記錯了地方。

一時之間，呆在門前，不知該如何才好。

但聞身後傳來了彭雲的聲音，道：「小叫化記得清清楚楚，決錯不了，商兄推開大門瞧瞧。」

商八心中猶豫不決，聽得那彭雲之言，只好伸手推去。

一推之下，那木門文風未動，想是門內已經上了木栓。

商八搖搖頭，道：「不對，如是室中無人，這木門怎會關起？」

彭雲四下打量了一眼，道：「奇怪呀！小要飯的記得清清楚楚，就是此地，決錯不了，商兄越牆而入，進去瞧瞧如何？」

商八看那彭雲神智清醒，不似胡言，心中亦動了好奇之感，一提氣，越牆而入，啟開木門。

彭雲說道：「杜兄揹我進去。」

杜九抬頭看去，只見一道紅磚鋪成的走道，由大門處，直達二門，打掃得十分乾淨，哪裏像無人居住的樣子，心中暗道：這樣的宅院，怎似無人居住。

心中念轉，人卻依言踏階而上，直向門內行去。

商八低聲說道：「老三，離我遠些，你揹著要飯的，萬一遇上突襲，只怕應變不易。」

杜九應了一聲，落後三步。

商八重重咳了一聲，說道：「有人嗎？」

彭雲低聲說道：「如是有人早該問咱們了……」

語聲未落，突聞一個冷冷的聲音傳了過來，道：「什麼事？」

商八微微一怔，停下腳步，一抱拳，道：「打擾好夢，抱歉萬分。」

那冷冷的聲音又傳了過來，道：「你們擅闖私宅，該當何罪，還不快退出去。」

商八回顧了彭雲一眼，道：「咱們退回去吧！」轉身向外行去。

彭雲低聲說道：「商兄，那人，也不是這宅院中的主人。」

商八道：「爲什麼？」

彭雲道：「商兄如若不信，何不問他一聲。」

商八想到那人講話口氣冷漠，倒不妨氣他一氣，當下說道：「閣下亦非這宅院主人，怎生講話如此無禮。」

他講這一番話，無非是想氣那人，卻不料那冷漠聲音竟然應道：「世間事，總該有個先來後到，誰要你們來的晚了一步。」

彭雲低聲說道：「怎麼樣？他們只不過早到一日，這宅院，並非他們產業。」

商八目光轉動，暗道：此刻天色已亮，彭雲還要養傷，這宅院甚是廣大，他們既非本宅主人，咱們借住一些，又有何妨？

心念一轉，高聲說道：「如說這宅院嗎？咱們三日之前，已經有人在此住過，只不過因事他去，今日歸來罷了……」

語聲微微一頓，又道：「要說先來後到，咱們是早先閣下幾日了。不過，此宅亦非我等所有，閣下等既已借住，咱們也不能攆走諸位，好在這宅院甚大，多住幾人，也是無妨……」

只聽那冷漠的聲音接道：「不成，聽我相勸，還是快退出去。」

商八心中暗道：我商老二是何等人物，吃四方，賺八面，今日要叫你給唬了出去，那還能在江湖上混嗎？

當下高聲說道：「如是在下不願退走呢？」

那冷漠的聲音道：「除非你們活膩了，不想再活。」

商八目光轉動，只聽出那聲音來自緊靠大廳的西廂之中，卻是不見人蹤何處。

杜九聽那人口氣很大，心中有氣，低聲說道：「老二啊！咱們得上去瞧瞧。」

商八道：「好！你不用去了，照顧小叫化子要緊，那人口氣之大，想來也不是省油的燈。」大步直向廳中行去。

這座前院，十分廣大，占地約有畝許，商八停身之處，距大廳還有五丈以上距離。

商八行近大廳兩丈左右處，突然聽得那冷冷的聲音又道：「不教而殺，謂之虐，但我已經警告過諸位了，你們自已尋死，那就不能怪我了。」

商八心中對那發話人，毫無輕視之心，早已暗中運氣戒備，聽得這人一番話後，更生警惕。

杜九緩緩放下彭雲，低聲說道：「聽那人口氣咄咄逼人，也許真有一點本領，杜老三得去為我們老二，打個接應了。」

突聞商八冷哼一聲，急向後退了回來。

杜九吃了一驚，縱身而起，飛落在商八的身側，急急問道：「老二，受了傷嗎？」

商八眉頭緊皺，不答杜九的話，卻捲起了左手袖管。

杜九冷目望去，只見商八左手小臂上，刺著一枚小箭。

說它是箭，其實比針大不了多少，傷處泛起了一片深紫之色。

杜九伸手欲拔毒箭，商八卻突然一收左臂，疾退兩步，道：「針上劇毒強烈，不可用手觸及。」

說話之間，蕭翎、孫不邪、無爲道長和司馬乾連袂而入。

彭雲急急說道：「道長快去看過，商老二中了毒藥暗器。」

無爲道長加快腳步，奔行到商八身側，低頭望了那暗器一眼，駭然說道：「蛇頭追魂箭。」

商八道：「怎麼？很危險嗎？」

無爲道長道：「不錯，貧道聽先師說過這等暗器，奇毒無比，但自貧道出江湖之後，從未聽說過這蛇頭追魂箭在江湖上出現過，此刻驟然出現，顯然那施暗器之人，是大有來歷的人物了。」

蕭翎道：「怎麼？道長無法解去箭上之毒嗎？」

無爲道長道：「據貧道所知，除了施放暗器之人的獨門解藥之外，天下名醫很少人能夠解這追魂箭上之毒。」

伸手點了商八臂上兩處穴道。

蕭翎回顧了杜九一眼，道：「施放暗器之人，還在此地嗎？」

杜九瞧了那臨大廳的西廂一眼，道：「大約還在西廂之中。」

蕭翎道：「有勞道長替我商兄弟穩住毒傷，在下去向他討取解藥。」舉步向廳中行去。

蕭翎自出道之後，連會武林高人、梟雄，時間雖然不長，但經驗卻是長進了不少，一面向那西廂行進，一面暗中運氣戒備。

口中卻說道：「室中哪一位高人，在下蕭翎求見。」

但聞西廂之中，傳出來一個冷漠的聲音，道：「無暇接見。」

蕭翎怔了一怔，道：「在下以禮求見，兄台這等拒人於千里之外，就不覺太過無禮嗎？」

那冷漠的聲音重又傳了過來，道：「在下等素不和武林人物搭訕，閣下還是離開的好。」

蕭翎原想入侵住宅，屈在己方，好言討些解藥，治療好商八身受之毒，也就算了，卻不料對方的口氣，竟如此冷漠難聽，不禁動了怒火，冷笑一聲，道：「閣下口氣如此之大，未免有些小視天下英雄了。」

那西廂之中，又響起那人冷若冰霜的聲音，道：「從此刻起，在下不再回答任何問話，閣下如再向前一步，當心那蛇頭追魂箭，取爾之命。」

蕭翎凝立不動，長長吸了一口氣，雙手伸入懷中，戴上了千年蛟皮手套，緩緩說道：「蕭某敬謹候教。」

過了半晌，仍不聞那西廂中有人答話。

這時，孫不邪已跟進蕭翎身側，低聲說道：「據老叫化所知，當今武林之世，能施用那蛇頭追魂箭的人物，只有一人，但那人早已陷身禁宮之中，禁宮未開，自是不會出來，這人不知是何許人物，竟然也會施用毒絕一代的奇形暗器，蕭兄弟，你要小心一些才是。」

蕭翎點點頭，道：「多謝老前輩的關心……」

語聲微微一頓，接道：「老前輩不要和晚輩一齊涉險了。」

孫不邪點點頭，移步退了下去。

蕭翎提高了聲音，道：「蕭翎已經告罪，閣下置之不理，蕭某只好闖進去了。」

他心想商八武功不弱，那人能一擊射中商八，足證明那人手法，的確是非同小可，是以，亦不敢絲毫大意，一面移步前行，一面全神貫注，留神著四面八方的動靜。

行約七、八步，瞥見寒芒一閃，電射而至，不但來勢奇速，而且無聲無息。

蕭翎右手一揮，接住了一枚蛇頭追魂箭，心中暗道：此人手法之快，果然是驚人得很……

但聞那西廂中傳出來冷漠的聲音，道：「好手法，出道江湖以來，很少有人能夠接得住我這蛇頭追魂箭……」

語聲微微一頓，接道：「不過我那蛇頭追魂箭上，淬有劇毒，奇惡無比，閣下用手接到，只怕也無法逃過中毒之厄。」

蕭翎冷冷說道：「只怕未必！」

那西廂之中，傳出來一聲哈哈大笑，道：「閣下如是不信在下之言，你何妨運氣一試。」

蕭翎緩緩舉起手中的蛇頭追魂箭，冷冷地說道：「來而不往非禮也，但願閣下也能接住你自己的暗器。」

說話之中，已經暗運功力，話落口，高舉的右手一彈，手中的蛇頭追魂箭疾飛而出，直向西廂飛了過去。

他暗器手法得自柳仙子，柳仙子又是以暗器、輕功，稱絕江湖，這彈指發射追魂箭的手法，只瞧得孫不邪暗暗稱讚不已。

那西廂中人，一直長笑不絕，看到蕭翎彈指發箭之後，笑聲突然中斷。

顯然，那人亦為蕭翎那彈指發箭的手法震駭不已。

蕭翎右手彈出蛇頭追魂箭，左手已然暗暗地護往要害，快速向西廂衝去。

那西廂距蕭翎不過兩丈多遠，蕭翎一躍之下，已然落到西廂門前。

只見雙門緊閉，連窗子都是關得十分嚴緊。

蕭翎心知此刻處境險惡異常，也顧不得打量四周的形勢，飛起一腳踢中木門。

但聞砰的一聲大震，木門大開。

蕭翎在飛腳踢向木門的同時，人也向旁側閃避開去。

他對那人發射蛇頭追魂箭的手法，心中亦存畏懼，心知如若在自己踢開木門的一瞬，那人及時發出蛇頭追魂箭來，勢必要傷在那追魂箭下不可。

哪知，那人竟未發出追魂箭來。

蕭翎等候了片刻，才突然一個翻身，閃入室內。

凝目望去，只見靠後窗處，站著一個青衣人。

那人面窗而立，背對大門，對蕭翎行入室中，渾如不覺。

蕭翎輕輕咳了一聲，道：「在下幸未辱命。」

進了西廂。

那青衣人冷冷說道：「在下入得江湖之後，就聞得蕭翎大名，今日一見，果不虛傳。」

蕭翎道：「過獎了！閣下蛇頭追魂箭，無聲無息，快如電閃雷奔，在下也是初次見識。」

那青衣人語氣大見緩和，說道：「你闖入西廂中來，有何見教？」

蕭翎道：「在下一位兄弟傷在閣下的蛇頭追魂箭上，在下想討點解毒之藥。」

那青衣人緩緩說道：「只有這一件事嗎？」

蕭翎道：「不錯，只有這一樁事情。」

青衣人道：「想要解藥不難，但在下也有一個條件。」

蕭翎道：「什麼條件？」

青衣人道：「在下奉上解藥之後，諸位要立刻遠離此地，如蒙見允，在下就立刻奉上解藥，閣下如是不肯答允，那就只有讓你那位兄弟毒發而死了。」

蕭翎略一沉吟，道：「如若在下那位兄弟，是傷在別人手中，閣下能夠慷慨贈藥，別說只此一個條件，就是十個、八個條件，蕭某亦無不答應的道理，可惜的是，在下那位兄弟，是傷在你閣下的蛇頭追魂箭下，蕭某同來之人甚多，必得和他們商量……」

青衣人似是已經不耐煩，怒聲說道：「這麼說來，閣下是不答應了？」

蕭翎道：「此刻還難決定！」

青衣人道：「好！你去和他們商量之後，再來此地和我談吧！」

蕭翎心中微生慍意，道：「殺人償命，欠債還錢，閣下傷了人，難道就可以不聞不問了嗎？討取解藥，和遠離此地，乃是兩件事情，不能混爲一談。」

青衣人冷笑一聲，道：「閣下之意呢？」

蕭翎道：「在下想請問一句，除了我等遠離此地之外，不知是否還有其他之法？」

青衣人冷冷說道：「還有一個辦法。」

蕭翎道：「請講。」

青衣人道：「那解毒藥物，就在我的身上，閣下要有本領，儘管出手搶奪。」

自進入房中之後，蕭翎和那青衣人談了很多的話，那青衣人始終未回過一次頭。

蕭翎沉吟了一陣，道：「既是如此，在下就放肆了。」

青衣人道：「不用客氣，儘管出手。」

蕭翎暗中運氣，護住了全身要害大穴，緩步行了過去。

他一直行到那青衣人的背後，那青衣人仍然背他而立，站著不動。

蕭翎右手揚起，正欲劈出，但卻又突然停了下來，說道：「閣下何不回過頭來。」

青衣人身子轉動，慢慢地轉過臉來。

蕭翎一和他目光接觸，不禁嚇了一跳。

只見那人一張臉，其黃如金，閃閃生光，倒是說不出它哪裏難看，但怎麼看也不像一張人臉。

蕭翎鎭靜了一下心神，緩緩說道：「閣下戴的面具不錯。」

伸出手去，緩緩向那人左腕之上抓去。

那人肅立不動，直似不知蕭翎抓向左腕。

蕭翎出手一抓之勢，暗含著很多變化，既可易抓爲索，亦可彈指擊出，全看那青衣人如何應付，再行隨機應變。

但事情竟然又出了蕭翎的意料之外，那人竟然沉著無比，眼看蕭翎手指就要觸及手腕，那青衣人仍然靜站不動。

蕭翎右手加速，一把扣住青衣人的左腕。

只覺那青衣人的左腕堅硬、冰冷，有如一塊金鐵一般，不禁心頭駭然。

但聞那青衣人冷笑一聲，右手突然伸出，反向蕭翎右腕劃去。

蕭翎目光一轉，看他右手纖細白嫩，但卻留著很長的指甲，左手一抬，擋開一掌，右手同時鬆開那青衣人的左腕，疾退三步。

青衣人冷笑一聲，道：「閣下已經中了劇毒，一盞熱茶工夫之內，劇毒就要發作，你可以去準備後事了。」

他不知蕭翎手中戴著千年蛟皮手套，百毒不侵，刀槍難傷。

蕭翎心中暗道：這一雙千年蛟皮手套，幫了我不少大忙。

哈哈一笑，道：「閣下暗器經過了劇毒煉製，右手指甲上，竟然也含有劇毒，足見是一位用毒的大行家了，可惜在下不畏百毒。」

青衣人仍是有些不信地說道：「我指上之毒，與眾不同，不論何等英雄人物，只要沾染上少許，片刻即將發作。」

蕭翎道：「閣下既是不信，那也是沒法子的事。」

陡然欺身而上，一掌迎胸拍去。

那青衣人眼看蕭翎仍能施襲，心中驚愕萬分，兩手一抬，迎向蕭翎的掌上擊去。

蕭翎適才扣住他左腕穴脈，覺得如抓在金鐵之上，對他那長袖掩遮的左手，早已留上了心，看他抬起左手攻來，立時一沉掌勢，避開一擊。

凝目望去，只見那人露出的左手，一片黝黑中突出三個兩寸長短的尖利鋒芒。

原來，這人的左手，竟是鋼鐵鑄成的一隻假手。

蕭翎冷笑一聲，道：「閣下以鐵手當兵刃，當真是異想天開。」

那青衣人不答蕭翎問話，左手、右掌，片刻間各攻三招。

這幾招綿密迅快，迫得蕭翎連退了三步，才找出反擊之機，雙掌連環攻出，倏忽之間，還擊八掌。

一面暗自忖道：如若不把此人制服，只怕不易取到解藥。

就這一分心神，那青衣人又找到了反擊的機會，展開了一輪快攻。

只見他鐵手上鋒尖閃光，右手掌勢疾如流星，鐵手難及的空隙，右掌卻適時而至，遞補上左手留下的空隙。

蕭翎雖然戴著千年蛟皮手套，但眼看青衣人手上閃動的寒光，心理上生了一種畏懼，不敢和他鐵手相觸。

這一來，蕭翎不覺吃了大虧，一時間，竟然無反擊之能。

正搏鬥間，突聞得一聲低喝，道：「住手！」

那青衣人聞聲而退，倒躍五尺。

蕭翎停下手，轉眼望去，只見一個面目俊秀，身著藍衫，手提玉簫的少年，當門而立。

那手提玉簫的藍衫少年兩道森寒的目光，投注在蕭翎身上，打量了一陣，道：「閣下什麼人？」

他眉際間充滿著殺機，但語氣卻十分客氣。

蕭翎道：「在下蕭翎。」

那藍衫人臉上怒容忽消，微微一笑，道：「原來是蕭兄，久仰了……」語聲微微一頓，接道：「兄弟剛一見到蕭兄之面，就有點懷疑是你，要不然，兄弟也不會這般客氣了。」

蕭翎道：「兄台如何稱呼？」

藍衫人沉吟了一陣，道：「朋友們都稱我玉簫郎君。」

蕭翎應道：「閣下號稱玉簫郎君，手中又提著玉簫，定然是一位吹簫的能手了。」

玉簫郎君微微一笑，道：「這音律之學，兄弟是稍解一、二。」

目光一掠那金面青衣人，接道：「蕭兄怎會和兄弟的從人打起來？尚望見告一、二，兄弟定要讓他給蕭兄賠罪。」

蕭翎心中暗道：他對我這般客氣，定然是有他的原因，不管原因為何，我應該藉此機會，先討來解藥再說。

心念一轉，緩緩說道：「賠罪實不敢當，在下一位兄弟，傷在蛇頭追魂箭下，兄弟到此只望能討些解藥。」

玉簫郎君望了那青衣人一眼，緩緩說道：「你怎地又施用那絕毒的暗器傷人了，還不快把解藥拿出來。」

那青衣人道：「他們要強行借宿這座巨宅，我只好給他們點顏色瞧瞧，使他們知難而退了。」

蕭翎心道：這兩人名雖主僕，但僕人對主人，並非十分敬畏。

那青衣人口中雖然和玉簫郎君頂嘴，但右手卻已從懷中摸出了一個玉瓶，倒出了一粒丹丸，遞向蕭翎。

蕭翎手上戴著千年蛟皮手套，不畏劇毒，伸手接去。

玉簫郎君微微一笑，道：「只要你那位朋友確是中蛇頭追魂箭之毒，服下這粒藥丸，一個時辰之內，傷勢就可以完全復元了。」

蕭翎道：「多謝賜藥盛情。」

玉簫郎君輕輕咳了一聲，道：「兄弟有一個不情之求，還望蕭兄答允。」

蕭翎心中暗道：既是不情之求，又要我答允，那是毫無商量的餘地了。口中卻說道：「什麼事，只要兄弟力所能及，我是無不答允。」

玉簫郎君道：「兄弟今宵要借此宅院，和一位朋友談些事情，不想有其他之人混雜其中，還望蕭兄答允，能夠給兄弟一個方便。」

蕭翎道：「此刻兄弟還難決定，在下去和兩位同行到此的前輩，商量一下，再回兄台之話如何？」

玉簫郎君冷笑一聲，道：「你說的可是老叫化和那牛鼻子老道嗎？」

蕭翎道：「是的！那老叫化乃丐幫中碩果僅存的孫老前輩，那道長，乃是當今武當派的掌門人，無爲道長。」

玉簫郎君說道：「武當派空得虛名，自號為五大劍派之首，其實那幾招登不得大雅之堂的劍招，只能唬唬鄉愚之輩罷了……」

他仰起臉來，長長吁一口氣，道：「至於丐幫嗎？那更見不得人了，一群老少混雜、褸衣百結的烏合之眾，人數雖多，但卻不堪一擊。」

蕭翎聽得怔了一怔，暗道：好大的口氣，那沈木風也不敢說出這等誇大之言。口中卻緩緩應道：「閣下瞧不起丐幫和武當派中人，自是有著驚人的絕技，但兄弟卻是和他們相處融洽，敬重他們為人，因此，必先得和他們商量一下，才能決定。」

玉簫郎君答道：「我只要蕭兄答允，離開此地，餘下之人不肯走，那是自找苦吃了。」

蕭翎道：「這個，容在下先和兩位同來之人商量一下，再來回話。」

也不讓那玉簫郎君再接口，轉身向外行去。

那青衣鐵手人心中大為不滿，冷哼一聲，欲待追襲，卻被那玉簫郎君伸手勸阻。

蕭翎大步行出室外，奔到商八身前，伸手遞過手中丹丸，說道：「快把這粒解藥服下。」那蛇頭追魂箭，果然是惡毒無比，商八中毒不久，已然是難再支撐，臉色鐵青，冷汗涔涔而下。

但他神智還很清醒，接過蕭翎手中的丹藥吞了下去。

此刻蕭翎心中第一件要事，就是希望商八的傷勢早癒，是以，雙目一直投注在商八的身上，瞧著他的變化。

果然，這獨門的解毒丹丸，有著神奇無比的速效作用，商八服下不久，已見功效，頭上的冷汗首先消退。

蕭翎長長吁一口氣，低聲對杜九說道：「帶他到一處安靜所在運氣調息，那贈藥人告訴我，對症用藥，一個時辰之內，就可完全復元。」

商八望了蕭翎一眼，欲言又止，在杜九扶持之下，行到一株花樹下面，盤坐調息。

孫不邪待商八去後，才低聲問蕭翎道：「你見過那人了？」

蕭翎道：「見到了他們主、僕兩人。」

無爲道長道：「我們見到一個執簫藍衫人行入室中……」

蕭翎道：「那是主人，還有一位左臂上裝著一隻鐵手的青衣僕人，射中商兄弟的毒箭，就是那僕人所放。」

無爲道長一皺眉頭，道：「僕人有此能耐，那主人的武功，更是高強了。」

蕭翎點頭說道：「主人武功如何，在下未曾試過，但和青衣僕人交手數招，的確是高明得很。」

孫不邪道：「你可曾問了他姓名？」

蕭翎道：「他未說出姓名，但卻自號玉簫郎君。」

孫不邪喃喃自語道：「玉簫郎君、玉簫郎君？從未聽過這名字啊！」

蕭翎道：「看他年歲，不過二十五、六……」

略一沉吟，接道：「如若在下沒有看錯，那玉簫郎君，就是咱們在羅氏宗祠中聽到的吹簫之人。」

無為道長道：「那是咱們的朋友了，應該上去見過才是。」

蕭翎搖搖頭說道：「不用了，他生性孤傲，只怕是不願和咱們談話……」

凝目思索片刻，接道：「他願在暗中幫助咱們，只怕是別有原因，唉！那玉簫郎君，對我還算客氣一些，但他那位青衣僕人，卻一直把我視作深仇大恨的人，怒目相視，大有立刻撲殺之心。」

孫不邪搖搖頭，道：「當年老叫化闖蕩江湖之時，也遇到了不少生性冷僻的怪人，但如像這等既敵又友的人，卻是從未見過。」

蕭翎緩緩說道：「有很多事，在下是無法了然，想來，這其中必有著十分微妙的原因。」

孫不邪道：「什麼原因呢？」

蕭翎心中暗道：此事只怕和我那小釵姊姊有關，內情未明之前，又不便說出口來，只好支吾以對，道：「此刻內情，在下亦是難作揣測，只好等著瞧了。」

無為道長已瞧出蕭翎似有著難言之隱，示意孫不邪不要再問。

蕭翎轉過話題，道：「那玉簫郎君贈藥之時，曾有一個條件，他要咱們撤離此地。」

一陣風彭雲接道：「為什麼？此地又非他們所有。」

蕭翎道：「大約他要在此地會見一個朋友，不願咱們驚擾。」

無爲道長道：「既是如此，貧道之意，不如離開此地算了。」

孫不邪卻道：「不論那玉簫郎君武功如何高強，咱們也不能就此退走。」

蕭翎微微一怔，暗道：這位老前輩好勝之心，看來是尤強過我們年輕人。

口中卻緩緩說道：「那玉簫郎君說得雖然客氣，卻十分堅決，如果咱們不答應，只怕要引起一場紛爭。」

孫不邪道：「如若咱們就此撤走，那未免太過示弱於人了。」

蕭翎道：「老前輩之意呢？」

孫不邪哈哈一笑，道：「總要給咱們一個交代才是。」

這幾句說的聲音甚高，似是有意要那室中之人聽到。

果然，西廂中傳出來玉簫郎君的聲音，道：「什麼人說話敢如此無禮！」

蕭翎心中暗自奇怪，忖道：如是孫不邪故意要和那玉簫郎君爲難，倒也不像，不知何故竟要堅持留此。

只聽孫不邪道：「老叫化子。」

但聞一聲冷笑，傳了過來，玉簫郎君緩步行了出來，一臉冰冷肅殺之氣，一語不發，直對幾人行了過來。

蕭翎心中暗道：要糟，看來今日這一架，恐怕是打定了。

他雖未和玉簫郎君動過手，但想到那青衣人的高強武功，這主人必將是一位絕世高手，生恐他突然一擊，傷了那孫不邪，立時一橫身，擋在孫不邪身前，一拱手，道：「兄台息怒。」

玉簫郎君一皺眉，道：「蕭兄，可是想替人出頭嗎？」

蕭翎心中怒道：我好言相勸，你怎能如此無禮。

當下說道：「在下適才亦曾說明，蕭某一人，難作主意，我等商議此事，留去並未決定，兄台氣勢洶洶而來，那未免有些欺人過甚了。」

玉簫郎君臉色一變，冷冷說道：「在下不願和你為難，你最好置身事外，不用多管閒事。」

蕭翎道：「兄台如此迫逼，蕭某豈能不管。」

玉簫郎君道：「這麼說來，你是一定要管了？」

蕭翎點點頭，道：「情勢逼人，那也只好挺上了。」

玉簫郎君臉上神色連變，顯然心中激動萬分，雙目凝注在蕭翎面上，大有立刻出手之意。

蕭翎亦是全神戒備，蓄勢相待。

雙方相持了一刻工夫，玉簫郎君終於忍了下去，冷冷說道：「看在她的面上，再讓你們商量一下，一頓飯工夫之內，再不撤離此地，別怪在下無禮了。」

說完，也不待蕭翎答話，轉身而去。

蕭翎心中暗道：看在她的面上，她是誰呢？難道指的是小釵姊姊嗎？此刻，他已確定了這玉簫郎君，就是昨夜吹簫之人，就昨夜所見情勢，這玉簫郎君和那藍玉棠，似是都對岳小釵有著很深的愛戀，使他們表兄弟間，亦鬧得水火不容……

只聽孫不邪喃喃自語道：「果然是那支玉簫……」

蕭翎怔了一怔，道：「那玉簫怎麼了？」

孫不邪輕輕歎息一聲，道：「老叫化見過那支玉簫，雖然相隔十年，但老叫化仍然記憶猶新，只是執簫的人不同罷了。」

蕭翎正想追問內情，突聞無為道長歎息一聲，道：「好精深的內功。」

蕭翎低頭望去，只見那玉簫郎君行過之處，留下了一行清晰的腳印。那腳印不但清晰可見，而且深淺如一，心中大是駭然。暗道：暗中施展內力，留下腳印，難在這力道竟能用得如此均勻。

蕭翎心中想道：既然孫不邪已經知道了那玉簫的來歷，那就不難找出玉簫郎君的出身，亦不用在此地問他了。

轉眼望去，只見孫不邪仰臉望天，不知在想的什麼心事，當下低聲說道：「老前輩，可是決心留此嗎？」

孫不邪道：「不用了，我已見了那玉簫，咱們自然該走了。」

蕭翎心中暗道：原來，你激怒那玉簫郎君，用心就是想瞧瞧那支玉簫，口中卻說道：「老前輩決定要走嗎？」

孫不邪道：「不錯，咱們已經見過了那玉簫，留在此地，老叫化也沒有什麼用了。」

蕭翎心道：原來他老謀深算，用心只在證實他心中所想之事，但我已和那玉簫郎君叫上了陣，當該如何，倒是要費思量了，還有他今夜要會之人，不知是不是小釵姊姊？

一時間，只覺得心亂如麻，思潮起伏，不知如何才好。

無為道長似是已瞧出了蕭翎的為難之處，輕輕歎息一聲，道：「蕭大俠可是想留在這裏嗎？」

蕭翎道：「那玉簫郎君限咱們一頓飯工夫之內撤走，咱們如若依他之言，撤離此地，未免是太過示弱，如是決定留在此地，只怕是難免一場惡戰，此時此情，真不知如何才好。」

無為道長略一沉吟，道：「貧道之意，不如取一個中庸之策。」

蕭翎道：「請教道長。」

無為道長道：「如若為著爭宿於這座宅院之中，彼此動手拚命，那難免是有些小題大作了，但如咱們就此撤走，那又未免太過示弱於人。貧道之意，咱們不妨依限撤走，但臨走之際，蕭大俠亦不妨現露一、兩招絕技，給他們瞧瞧。」

蕭翎心中暗道：這話倒也不錯，炫耀一下之後，依限撤走，雙方都可保下面子，倒也不用彼此用出全力拚命了。

當下點頭說道：「就目下情勢而言，那也只有如此了。」

無為道長回顧了展葉青一眼，道：「你帶著隨來此地的弟子，先退出這座宅院。」

展葉青心中雖然有些不願，但他對師兄素來敬重，一言不發，帶著隨來的武當弟子，退了出去。

孫不邪望了一陣風彭雲一眼，道：「你也退出去吧！」

彭雲應了一聲，緩步走了出去。

蕭翎望望那端坐在花樹下，運氣調息的商八，心中暗道：雖是旨在炫耀武技，但亦可能爲情勢所迫而真正動手，商八傷勢甚重，留在此地，只怕有些不妥，萬一打起來，無法分神照顧於他，但他此刻正在運氣調息，又不便驚動於他，該當如何才是。

孫不邪一看蕭翎神色，已猜知他心中爲難，微微一笑，道：「蕭兄炫耀武功之時，不用分心他顧，老叫化和無爲道長，大概可以保護那商八的安全。」

蕭翎道：「好！那就重托兩位了。」

頓飯時光，彈指即過，蕭翎等也不過剛剛把事情安排好，那西廂中已傳出玉簫郎君的聲音，道：「時限將屆，諸位要作何打算？」

這幾句話說的聲音不大，但卻字字句句，鑽入人耳之中，聽得清晰異常。

蕭翎高聲說道：「蕭某還有事情請教。」

西廂中傳出來玉簫郎君的聲音，道：「閣下還有什麼事？」

蕭翎道：「兄台可否請出室外一晤？」

玉簫郎君道：「在下出口之言一向鐵案如山，如若時限屆滿，諸位仍不肯走，只有死亡一途，蕭兄如想說服在下，那是白費心機了。」

蕭翎心中大怒，冷冷說道：「我等原本想走，但閣下如此說，在下等恐又要改變主意了。」

玉簫郎君道：「如何一個改變之法？」

蕭翎道：「就憑那幾句話，我等縱然要走，也要一頓飯工夫之後再走。」

玉簫郎君冷笑一聲，道：「蕭翎，我已經對你忍讓的太多了。」

蕭翎道：「在下一生之中，亦從未這般的忍氣吞聲。」

冷哼一聲，不再理會玉簫郎君，卻轉臉望著孫不邪和無爲道長，說道：「此人如此狂傲，實叫人難以忍受，看來咱們還得留在這裏了。」

無爲道長道：「小不忍則亂大謀，眼下沈木風氣焰極盛，咱們對付沈木風，已有顧此失彼之感，何苦再樹大敵，爲了息事寧人，咱們早走一步如何？」

孫不邪道：「好吧！老叫化老了，早已沒了火氣。」

蕭翎正待招呼商八等離開，突然聞到一聲冷笑，傳了過來，道：「你們是自絕而死呢？還是要在下動手？」

孫不邪回目望去，只見玉簫郎君，手提玉簫站在一丈開外，滿臉殺氣，一個青衣人，站在玉簫郎君身後。

這時，那青衣人，已把臉上的面具取下，露出本來面目，只見他臉色鐵青，隱隱閃光，顎下雖未留鬚，但看上去，卻在三十以上的年歲。

蕭翎回顧了孫不邪一眼，只見他眉宇間怒容隱現，顯然，玉簫郎君的狂傲，激起了這個丐幫名宿的怒意。

蕭翎冷然一笑，道：「閣下之意，可是說我等自絕而死嗎？」

玉簫郎君道：「如是在下動手，只怕各位要吃上一番大苦頭了。」

蕭翎道：「閣下可知道，大丈夫可殺不可辱。」

玉簫郎君冷然一哂，道：「諸位可是寧死而不受辱了。」

蕭翎肅然說道：「不過，在下等亦不願自絕而死。」

玉簫郎君道：「如何一個死法，諸位自然是可以選擇了。」

蕭翎聽他口氣，愈來愈大，愈來愈難聽，不禁心中火起，暗道：就算咱們非輸你不可，那也難以忍下此種之氣，今日不論勝敗，是非得和你打一場了。

心念一轉，冷冷說道：「咱們不願自絕，自然是要你動手了。」

玉簫郎君臉色一變，冷冷說道：「不見棺材不掉淚，不到黃河不死心，你們哪一個先死？」

蕭翎一挺胸，道：「區區願先試銳鋒。」

玉簫郎君一皺眉頭，道：「人人都說你蕭翎狂傲自負，今日一見，果是不差，你既然一定要自行討死，在下只好成全你了。」

突然欺身而上，一簫點向蕭翎的前胸，道：「躺下去！」

蕭翎已和那青衣鐵手人動過了手，心知身爲主人的玉簫郎君，武功必將在鐵手僕人之上，是以早作戒備，就在玉簫郎君揚手一簫點來之時，蕭翎右手也同時橫向簫上拍去，人也橫裏向旁側躍去，口裏應道：「只怕未必。」

話剛出口，突覺一股暗勁，擊中在前胸之上。

蕭翎早已暗運罡氣護身，這一指雖然來得突然，亦爲那護身罡氣擋住，幸未受傷，但心中卻是大感駭然，暗道：這一股暗勁，不知何時發出，如若是隨著那玉簫擊來，決不致來得如此快速，倒是難怪他誇口要我躺下了，如是我沒有罡氣護身，這一擊，打中穴道，必將如他所言，躺下不可。

那玉簫郎君眼看暗發的勁力，擊中了蕭翎的前胸，但蕭翎竟是若無其事一般，仍然站著不動，卻被一股反彈之力，把暗勁擋住，亦不禁爲之駭然，忖道：原來，他竟練有了玄門絕技——至高至上的護身罡氣。

兩人雖然各自心生驚駭，但彼此間動手相搏招數，並未停下。

但見玉簫郎君手中玉簫一沉，避開了蕭翎抓向玉簫的五指，陡然又翻了上來，點向蕭翎右脈。

蕭翎右腕一挫，收了回來，左手拍出一掌。

一掌發出，招數連綿而出，片刻之間，已然連續攻出一十二掌。

玉簫郎君疾快地向後退了三步，道：「閣下用的是那南逸公的閃電連環掌？」
蕭翎停下手，冷冷說道：「不錯，閣下的見識倒是很廣。」
玉簫郎君道：「這套掌法，你由何處學得？」
蕭翎道：「這個麼……歉難奉告。」
玉簫郎君道：「在下相詢之意，是想問個明白，是他親手相授的呢？還是你由那記載的秘笈之上學到的。」
蕭翎道：「自然是親手所授。」
玉簫郎君道：「這麼說來，那南逸公還沒有死……」
語聲微微一頓，又道：「他人現在何處？」
蕭翎道：「他老人家還活在世上就是，現在何處，恕不奉告。」
玉簫郎君道：「哼，你就是不說我也能查得出來。」
玉簫一起，點了過來。
蕭翎掌勢橫擊，斜斜向玉簫劈了過去。
玉簫郎君暗道：這人狂妄得很，竟以手掌接我玉簫，必得給他些苦頭吃吃才行。
念頭一轉，玉簫疾沉，反向蕭翎手上迎去。
但見蕭翎五指一握，竟然把玉簫抓在手中。
玉簫郎君心中暗自怒道：你這是自找苦吃了，怪不得我。

當下暗中運氣，一轉玉簫。

原來玉簫郎君手中玉簫，有著甚多極小尖厲的石尖，以那玉簫郎君深厚的內功，運氣轉簫，很少有人能不為那石尖所傷。

但蕭翎卻仍然緊握著玉簫，不但毫無傷損，而且更加握的緊了一些。

玉簫郎君一皺眉頭，道：「閣下武功，果然高強得很……」

語聲一頓，接道：「鬆開我手中玉簫！」

蕭翎心中暗道：彼此為敵，怎能要我放開你手中玉簫，想是這玉簫名貴，怕它損傷了。心中念轉，手卻依言放開。

玉簫郎君似是未料到，自己這一喝，蕭翎竟然放手鬆開了玉簫，當下後退了三步，冷冷說道：「蕭兄倒是很聽兄弟的話。」

突然揚起手中玉簫一抖，月光下，只見無數細如牛毛的寒芒，由那玉簫孔中，分飛而出。

原來這看去十分古雅的玉簫，竟然是內有機簧，暗藏毒針。

蕭翎望了那玉簫一眼，冷冷說道：「原來閣下這玉簫，還能發射如此惡毒的暗器，當真是叫我蕭翎又大大的開一次眼界。」

玉簫郎君道：「如非閣下很聽在下之言，只怕早已傷在那毒針之下。」

蕭翎道：「你那簫裏藏毒針的方法，雖然奇妙惡毒，叫人防不勝防，但未必就能傷到我蕭翎。」

玉簫郎君不知蕭翎手上戴有千年蛟皮手套，刀劍難入，當下冷笑一聲，道：「簫中機簧十分強硬，你縱有罡氣相護，也無法阻擋那尖細的毒針刺入。」

蕭翎心道：他要我鬆了玉簫，原是一片好意，那也不用和他論辯了，當下不再言語。但聽玉簫郎君接道：「我已手下留情，閣下還不肯知難而退嗎？」

蕭翎暗道：我如果答應退出，此人必將大施毒手，造成一番殺劫，無論如何必得想個法子，把這玉簫郎君制服不可……

蕭翎緩緩拔出背上的長劍，道：「閣下玉簫招數，定然十分精妙，在下倒希望再領教閣下幾招精絕簫法。」

玉簫郎君冷笑一聲，道：「蕭翎，你可知道在下爲什麼處處對你手下留情嗎？」

蕭翎道：「在下不知。」

玉簫郎君道：「爲了一個人。」

蕭翎道：「什麼人？和在下有何關連？」

玉簫郎君臉上殺氣直透眉宇，冷冷說道：「我生平之中，從未對任何一個人，有過如此的忍耐，對你蕭翎，可算是例外的例外。」

蕭翎一皺眉頭，接道：「閣下不用有所顧慮，我蕭翎就是蕭翎，和任何人都無關連，你只管放手施爲。」

玉簫郎君雙目神光一閃，冷冷說道：「你是要迫我出手嗎？」

蕭翎道：「在下並無逼迫閣下出手之意，但也不用閣下對我手下留情，咱們各憑武功，一決勝負就是。」

玉簫郎君向天打個哈哈，道：「好！小心了。」

陡然一簫，點了過去。

蕭翎口中雖然說得輕鬆，但他內心之中，卻是絲毫不敢有輕視對方之心，一吸氣，陡然間，向後退了三尺。

玉簫郎君冷笑一聲，玉簫揮動，連攻三簫。

雖只攻出三簫，但卻幻起了漫天簫影，分從四面八方襲來。

孫不邪回顧了無為道長一眼，低聲說道：「此人招數奇異，老叫化生平僅見。」

無為道長神色嚴肅，道：「這是一場勝負難測的凶險之戰……」

他似是言未盡意，但卻突然住口。

九　不堪回首

蕭翎被那幻起的漫天簫影，迫得又連連向後退出五步，才算把一輪急攻避開。

玉簫郎君冷笑一聲，道：「你能避開我這狂風三簫，倒是難得的很。」

口中說話，手中玉簫的攻勢，卻是未稍緩慢，一招快過一招，把蕭翎圈入一片簫影之中。

蕭翎自出道以來，從未遇上過今日的險惡之戰，玉簫郎君的攻勢，快速無比，快得竟使蕭翎沒有還手之力。

轉眼間，兩人已搏鬥十幾回合，蕭翎一直被逼得團團亂轉，無能還手。

孫不邪只看得心頭大為焦急，低聲對無為道長說道：「道長，我瞧情勢有些不對，他一直處在挨打形勢之中，如何能夠久撐下去，老叫化想去助一臂之力如何？」

無為道長道：「老前輩請安下心來，蕭大俠處境有驚無險，此人簫招的奇奧怪異，貧道亦是初次見到，咱們出手助他，恐怕分散了他的心神，不如再候一會兒瞧瞧情勢，再作決定。」

他雖然出言安撫孫不邪，但自己心中，卻是震驚不已。

蕭翎在無力反擊的惡鬥中，一直受到那玉簫郎君的玉簫所困，始終無法還手。

又過了一杯熱茶工夫左右，蕭翎仍是被困在一場險惡的搏鬥之中。

玉簫郎君手中的簫招雖然厲害，但他卻無法擊落蕭翎的長劍。

突然間，聽得蕭翎大喝一聲，長劍由那重重的簫影中，攻了出來。

但聞一陣脆鳴之聲，長劍、玉簫，連連相接。

蕭翎好不容易，找出這麼一個破綻，借勢脫出那重重的簫影，豈肯隨便放過，長劍連出三記絕招，閃起一片劍芒，反擊過去。

剎那間，劍花簫影，打得激烈絕倫。

無爲道長長吁一口氣，歎道：「原來他並未迷失在那簫影之下……」

孫不邪接道：「的確凶險，比適才尤有過之。」

這時，那站在玉簫郎君身後的鐵手人，也看得悚然動容，雙目圓睜，望著兩人動手的情形，顯然，那玉簫郎君，也是用了全力。

只見兩人的惡鬥，愈來愈是激烈，玉簫、長劍，各極奇幻。

無爲道長回顧了孫不邪一眼，低聲說道：「老前輩，怎生想個法子，不要讓他們再打下去了。」

孫不邪仔細看去，只見蕭翎的臉上，隱隱現出了汗水，顯然是已經用出了全力，再看玉簫郎君，眉宇間也流出了汗珠兒。

突然間，聽得一聲嬌呼傳了過來，道：「住手！」

玉簫郎君疾攻三簫，一擋蕭翎長劍，疾退五步。

蕭翎出道以來，也是第一次遇上了真正敵手，這一架，打得凶險百出，也使他對那玉簫郎君，生出了無限敬佩。

是以，玉簫郎君收簫而退之後，蕭翎亦未追擊。

轉臉望去，只見一個頭梳雙辮，身著青色長褲、短衫，腰繫黃色絲帶，年約十五、六歲的小姑娘，背插寶劍，滿臉肅然地站在大門之內。

蕭翎心中一動，暗道：這丫頭不是昨夜見到的那位姑娘嗎？她是小釵姊姊的貼身丫頭，只怕是奉了小釵姊姊之命而來。

只見那冷傲孤僻、氣焰不可一世的玉簫郎君，回頭望了那姑娘一眼，一抱拳道：「素文姑娘，別來無恙。」

那青衣少女一對圓圓大眼睛四下轉動，打量了場中群豪一眼，欠身說道：「小婢怎敢當玉簫郎君一禮。」

玉簫郎君道：「姑娘此來，不知有何見教？」說話時，神情十分緊張。

素文道：「我來告訴你一件事，姑娘要我來轉告相公，今夜之約她不想來了。」

玉簫郎君臉色大變，道：「為什麼？」

素文道：「為什麼？這我就不知道了。姑娘只說，要相公不用在此地等她了。」

玉簫郎君道：「今日不見，何日再見？」

素文道：「姑娘說，她如想和你見面時，隨時會派人找你。」

玉簫郎君臉色忽青忽白，顯然，內心中有著無比的激動，沉吟了一陣，突然一跺腳，舉手對那鐵手人一招，道：「咱們走啦！」一縱身，人已登上屋面，越屋而去。

那鐵手人緊隨身後，躍上屋面，兩人去如飄風，眨眼間，消失不見。

素文目注兩人去遠，緩步行到蕭翎身側，道：「蕭相公，你想見我家姑娘嗎？」

蕭翎淡然一笑，道：「如是你家姑娘很忙，見不見，都不要緊。」

素文一揚柳眉，道：「昨天夜裏，你還求我幫忙，要見我家姑娘一面，此刻，難道是已改了心意了嗎？」

蕭翎道：「姑娘不要誤會，如是那岳姑娘能見我，在下自當赴約。」

素文道：「不用赴約了，我帶你去見她如何？」

蕭翎道：「在下有一個不情之求，想問姑娘兩句話。」

素文道：「好，你說吧！」

蕭翎道：「那岳姑娘昨宵不肯見我，今日卻又差姑娘約我相晤，你可知道，現在那岳姑娘是爲了什麼？」

素文道：「爲了什麼？」

突然放低了聲音，說道：「岳姑娘和你蕭相公，何親何故，小婢是一點不知，只知她爲了你，用了不少心機，我們兩姊妹疲於奔命，南海五凶的事，只不過是其中之一而已，她好像不想讓你知道，她在暗中幫助你……」言未盡意，卻突然止口不言。

蕭翎等了片刻，不見那素文再接下去，忍不住問道：「姑娘說完了嗎？」

素文搖搖頭，道：「話是沒說完，但小婢不能再說，也不敢多說了。」

蕭翎回顧了孫不邪一眼，問道：「請教姑娘，在下這幾位朋友，可否能一同去呢？」

素文道：「小婢來時，姑娘並未吩咐什麼，不過就小婢所知，姑娘一向不願和生人相見。」

孫不邪道：「蕭兄不用爲難，我等在此等候就是。」

蕭翎輕輕歎息一聲，道：「那岳姑娘現在何處？」

素文道：「就在這附近不遠處。」

蕭翎回頭對孫不邪等抱拳一揖，道：「諸位請在此稍候，在下去去就來。」

孫不邪道：「兄弟請便。」

素文轉過身去，道：「咱們可以走了。」當先舉步向前行去。

蕭翎緊隨在素文身後，緩步向前行去。

出了那高大的宅院，素文突然放腿奔去，口中喝道：「小婢帶路了。」

此女輕功極佳，蕭翎一怔神間，那素文已經奔出四、五丈遠，急急一提真氣，放腿向前追去。

兩人各逞輕功，放腿疾奔，片刻間已奔出十幾里路。

蕭翎全力追趕，已然追上了一丈左右，卻不料素文突然停下腳步，蕭翎猝不及防，幾乎撞到了素文的身上。

倉促間一吸真氣，收住了急衝之勢。

素文微微一笑，道：「蕭相公輕功果然高強。」

蕭翎緩緩吐口氣，道：「怎麼不走了？」

素文手指著數丈外綠蔭深處，一座隱現的茅舍，道：「到了，就在那茅舍之中。」

說話之間，已然行近茅舍。

素文舉手在籬門上拍了兩掌。

但聞籬門呀然，一個全身紅衣，背插長劍的俏麗少女，當門而立。

素文低聲問道：「姑娘在嗎？」

那紅衣少女打量了蕭翎一眼，道：「姑娘在，蕭相公請進去吧！」

蕭翎聞聲緩步走了進去，只見室中佈設極爲簡單，一張木桌，和四張竹椅之外，別無他物。

靠左面一面淡藍的粗布垂簾和一堵單牆，把茅舍分成了內、外兩間。

那素文留在茅屋外面未進來，那紅衣少女，卻緊隨蕭翎身後而入，低聲說道：「相公，我去稟告姑娘一聲。」

只聽那垂簾之內，傳出一個清脆的女子聲音，道：「你退出去。」

布簾啓動，緩步走出來一個玄色勁裝的少女。

那紅衣婢女欠身應了一聲，悄然退出室外。

蕭翎雙目投注到玄衣少女身上，果然是一別五年有餘的岳小釵，只是此刻的風韻，更爲動人一些。

岳小釵眉宇間，流現出一片憂鬱，但卻強展歡顏微微一笑，道：「瞧什麼？難道已不認識姊姊了嗎？」

蕭翎恭恭敬敬，抱拳一揖，道：「數年來，姊姊的音容笑貌，一直縈繞小弟心懷，豈有不認識的道理。」

岳小釵輕輕歎息一聲，道：「你卻是變得多了，如是我陡然見你，姊姊當真是無法認出。」

蕭翎道：「我變得強壯了……」

岳小釵接道：「也長大了，分手之時，你還是一個瘦弱多病的小孩子，現在，卻是一個風度翩翩的美少年了，唉！五年時光，不算短，也不算長，但卻是有太多的變化。」

蕭翎只見她言詞中，若有著無限的感傷，心中大爲奇怪，暗道：岳姊姊一向是豪放堅強，怎的此刻卻是這般的多愁善感。

抬頭看去，只見她一對明亮的眼睛中，閃動著濡濡淚光，心頭更是駭然，急急問道：「姊姊你怎麼了？」

岳小釵微微一笑，道：「我很好啊！咱們多年不見，今天該好好談談才是。」

蕭翎想到她悲慘的際遇、經歷的痛苦，亦不禁有些黯然神傷，長歎一聲，道：「姊姊，這些年來，你受了很多的苦，是嗎？」

岳小釵道：「姊姊從小闖蕩江湖，吃些苦也算不得什麼，倒是你嬌生慣養，在父母餘蔭之下長大，那些苦難的日子，不知你如何度過。」

蕭翎道：「雖然吃點苦頭，但是都已過去，現在我不是很好嗎？」

岳小釵道：「你長大了很多，和昔年簡直是兩個人，如今你已揚名武林，譽滿江湖，那些苦總算是沒有白吃。」

蕭翎道：「小弟得有今日，全是姊姊相助之力……」

岳小釵道：「姊姊沒有好好照顧你，使你流落江湖吃苦，想起來姊姊就不安得很。」

蕭翎道：「往事已成過去，姊姊不用引咎了。」

岳小釵指著蕭翎身旁竹椅，說道：「坐下來，咱們好好談談。」

蕭翎依言坐了下去，道：「姊姊也請坐吧！」

岳小釵微微頷首，坐了下去，說道：「兄弟，告訴我這幾年你的經歷。」

蕭翎把幾年來自己的遭遇、經過，去繁從簡，說了一遍。

岳小釵很仔細地聽了一遍，道：「你一人得三位老前輩傾囊相授武功，也算得大大的造化了。」

蕭翎忽然想起了昨夜之事，說道：「姊姊，小弟心有一件不解之疑，問了出來，還望姊姊不要生氣才好。」

岳小釵道：「可是因爲我昨夜不肯見你的事？」

蕭翎道：「正是此事，小弟實是想不通，何以姊姊竟不肯和我相見呢？」

岳小釵道：「過去的事，不用提它了，現在咱們不是相對而坐了嗎？」

蕭翎道：「這些日子，姊姊一向在暗中幫助於我，小弟心中是感激不盡……」

岳小釵道：「不要講這些了，這些說起來，豈不是太見外了嗎？」

蕭翎在這陣談話的時間中，一直留心著那岳小釵的神情，果然發覺她，雖然在說話之中，卻無法掩住那眉宇間重重憂苦，當下說道：「姊姊，你好像有著很多的心事，是嗎？」

岳小釵道：「唉！心事只有一件，但卻是剪不斷、理還亂，竟使我莫所適從。」

蕭翎道：「什麼心事呢？不知可否告訴小弟。」

岳小釵舉手理一下鬢邊的散髮，輕輕歎息一聲，道：「姊姊當真是不知從何開口。」

蕭翎怔了一怔，道：「什麼事如此嚴重？」

岳小釵一對明亮的雙目，盯注在蕭翎的臉上，緩緩說道：「兄弟，你認識一位百里姑娘，是嗎？」

蕭翎道：「那就是北天尊者之女，名叫百里冰，她對小弟有過數番相助之情。」

岳小釵道：「你可要報答她嗎？」
蕭翎道：「小弟豈是忘恩負義的人，自然是要報答她了。」
岳小釵道：「兄弟，那我問你，一個人如若受了人家的救命之恩，那應該如何報答？」
蕭翎呆了一呆，道：「這個麼！就很難說了，因爲那要看他救人的動機何在，如若是出乎真心，別無所期，這恩情自然是其重如山、其深如海了。」
岳小釵輕輕歎息一聲，道：「人之初行，完全是出乎於心，可是以後卻變得有所企圖，那又該當如何？」
蕭翎道：「只要他不是大奸巨惡，受人之恩，應該報答才是。」
岳小釵雙目中奇光閃動，打量了蕭翎一眼，道：「兄弟，不論他要些什麼，都應該答應他嗎？」
蕭翎道：「只要他不是爲害人間，都應該……」忽然間，心有所感，住口不言。
岳小釵道：「爲什麼不說了？」
蕭翎沉吟一陣，道：「姊姊，你有很多話，似都是有感而發。」
岳小釵輕輕歎息一聲，欲言又止。
突聽素文尖叫道：「不行，姑娘在和客人說話，如何能讓你進去！」
但聞砰的一聲大震，兩扇木門，被人一腳踢開，玉簫郎君手提玉簫，當門而立。
蕭翎抬頭望去，只見玉簫郎君的臉色白裏泛青，雙目中直似要噴出火來，緊緊盯注蕭翎的臉上瞧了好一會兒，緩緩轉到岳小釵的臉上，仰天打個哈哈，道：「岳姑娘取消了在下之約，就是爲了要和蕭翎見面嗎？」

蕭翎看到他激憤的神色，心中既奇怪，又不安，忖道：這玉簫郎君武功高強，如是陡然出手施襲，激憤中必將是追魂奪命，凌厲無比。

急急提聚真氣，暗作戒備。

岳小釵初見玉簫郎君，亦是大爲吃驚，但不過一瞬之間，又恢復了鎮靜之容，淡淡一笑，道：「是又怎樣？」

蕭翎知道玉簫郎君脾氣躁急異常，岳小釵這等冷漠神態對他，說不定立時激起他的怒火，不覺行前一步，擋在了岳小釵的身前。

哪知事情完全出了蕭翎的意料之外，玉簫郎君不但未立時出手，反而怒火全熄，緩步行了進來，淡淡一笑，道：「驚擾你的談興了。」

蕭翎道：「不妨事。」

玉簫郎君也不用兩人讓座，伸手牽過一把木椅，坐了下來，說道：「適才在大宅之中，兄弟多有冒犯，還望蕭兄多多原宥。」

蕭翎心中大奇，暗道：這位冷傲之人，怎的忽然對我這般客氣起來。

心中念轉，口中連連應道：「言重了，言重了。」

玉簫郎君道：「蕭兄幾位貴友，都還在大宅院中等候嗎？」

此人無話找話，盡談些不著邊際的事，蕭翎又不能不答，只好應道：「不錯。」

玉簫郎君道：「岳姑娘不願見生人，如是你那貴友，全部追來，豈不是打擾了岳姑娘嗎？」

蕭翎想了一想，暗道：這話倒也不錯，孫不邪和無為道長，在武林之中，身分甚高，如追蹤至此，岳姊姊如不招呼他們，豈不是開罪他們嗎？

當下說道：「當該如何才是？」

玉簫郎君微微一笑，道：「蕭兄去和他們招呼一聲，別要他們追來就是。」

蕭翎心中暗道：去招呼他們一聲也好，舉步向室外行去。

只見素文站在窗外，以目示意，不要他離開。

蕭翎心中一動，行到門口，突然又停了下來。

回頭望去，只見岳小釵站在一側微垂臻首，愁鎖柳眉，心中似有著無限憂苦，心中奇道：岳姊姊好像不喜見玉簫郎君，又似是有些畏懼玉簫郎君，看來，這其間只怕別有內情。

心中念轉，人又走了回來。

玉簫郎君臉色一變，冷冷說道：「你怎麼不走了？」

蕭翎道：「我一直沒有說要走啊！」

玉簫郎君突然仰天打個哈哈，道：「蕭翎！你如不願和我作對，那就快離開此地。」

蕭翎越聽越覺奇怪，心中忖道：不知岳姊姊為何會對這個玉簫郎君，生有畏懼之情，難道岳姊姊受了他什麼暗算，隨時都可被他置於死地，故而不敢反抗於他……果真如此，我是定得留此，保護岳姊姊了……

他只管用心推想，忘記了玉簫郎君的問話。

玉簫郎君不聞蕭翎回答之言，突然冷笑一聲，道：「蕭翎，你如真想和我爲難，今日只有一途可循了。」

蕭翎道：「哪一途？」

玉簫郎君道：「咱們各憑武功，一決生死。」

蕭翎偷眼向岳小釵瞧去，只見她一雙星目之中，隱隱含著淚水，臉上是一片茫然無主的神色，顯然是心中正有著無法告人的痛苦。

但聞玉簫郎君說道：「蕭翎，你如不敢和我決一死戰，那就盡快離開此地，從今之後，不能再和岳小釵姑娘相見。」

蕭翎心中暗道：此人武功高強，如是各出全力相搏，鹿死誰手，實難預料，目下江湖上大亂正殷，我蕭翎要留下這有用的生命，爲武林同道謀命，再者，此人孤傲不群，卻無惡跡，讓他一步，又有何妨？

當下說道：「閣下武功高強，蕭翎自知不敵，何況，彼此無怨無仇，爲什麼一定要動手相拚呢？」

玉簫郎君接道：「你如不願和我動手，只要答允我從今之後，不再和岳小釵姑娘見面。」

蕭翎劍眉一聳，道：「閣下逼人過甚了，岳姊姊和蕭翎……」
玉簫郎君怒聲喝道：「住口！」
蕭翎再難忍耐，也厲聲以對，道：「閣下傲氣凌人，目空四海，需知我蕭翎是有心相讓，並非是怕你。」
玉簫郎君突然一振手中玉簫，道：「這茅舍之後，有一片空曠的草地，咱們此番動手，定當不死不休。」
蕭翎怒道：「閣下再三相逼，我蕭翎恭敬不如從命了。」
玉簫郎君道：「好！咱們走吧！」當先向外行去。
蕭翎回頭看去，只見岳小釵仍茫然而坐，似是正在思索著一件十分重大的事，對眼下發生的事情，似是渾如不覺。
蕭翎暗暗地歎息一聲，忖道：岳姊姊和玉簫郎君之間，似乎是有著一種很微妙的關係……心中念轉，人卻隨著玉簫郎君走了出去。
素文呆呆地望著兩人，似是想出言阻止蕭翎，但卻終於忍了下去。
蕭翎緊隨在玉簫郎君的身後，到茅舍後面，果然見一片寬闊的草地。
玉簫郎君手橫玉簫，站在場中。
蕭翎不自覺地伸手摸了摸劍把，緩步行了過去。
玉簫郎君一振手中玉簫，道：「閣下亮劍吧！咱們這一戰，非同於平常的比武，儘管施下毒手，不分生死，不許停手。」

蕭翎神色肅然，緩緩說道：「閣下既然劃出道兒，在下一定奉陪，不過，在未動手前，在下心有幾點不明之處，很想問個明白出來。」

玉簫郎君道：「你說吧！不過要簡略扼要，我不想拖延太久時間。」

蕭翎道：「咱們彼此無仇無怨，爲什麼一定要拚個你死我活？」

玉簫郎君仰天大笑三聲，道：「在下原無和你勢不兩立之心，不過，此刻情勢不同了，你蕭翎一日不死，在下就有寢難安枕，食不知味的感覺。」

蕭翎道：「蕭某也隱隱覺得閣下對我，似乎是積恨甚深，這就使在下不解了，何以閣下對我如此深恨？難道你是爲了岳姑娘嗎？」

玉簫郎君道：「不錯，正是爲了岳小釵……」

蕭翎接道：「岳姊姊和我五年前就相識，情若姐弟……」

玉簫郎君冷笑一聲，道：「就是你和她情意太深，所以，我非得殺你不可。」

蕭翎點點頭，道：「原來如此……」

話聲微微一頓，接道：「閣下只怕是誤會了。」

玉簫郎君冷然說道：「不用多費唇舌，亮出兵刃吧！」

玉簫一起，「金龍探爪」，直向蕭翎前胸點了過來。

蕭翎右手一抬，快速絕倫地拔出長劍，封住玉簫，道：「只爲了我和岳小釵姑娘相識，閣下就不容我蕭翎活在世上，這等霸道的事，倒是少聞少見。」

玉簫郎君不答蕭翎之言，玉簫揮動，連攻八簫。

這八簫攻勢猛惡至極，幻起了一片簫影而下。

蕭翎心中大怒，暗道：這人如此的不可理喻，不給他一點顏色瞧瞧，看來難以使他停手了。

全神運劍，封開八簫之後，還擊八劍。

八簫來，八劍去，簫、劍相觸，響起了一片脆鳴之聲。

玉簫郎君擋開了蕭翎八劍之後，心中暗暗忖道：這人無怪在極短的時日之中，揚名於江湖之上，果然有著非常的本領，今日如想取他之命，非施下殺手不可了。

心念一轉，疾退五尺，緩緩舉起手中玉簫，道：「蕭翎，我這玉簫之中，藏有見血封喉的絕毒暗器，而且可從每一個簫孔之中，發射出來，你要小心了。」

蕭翎心中暗道：他急欲求勝，已到不擇手段之境，定然是想施展暗器了。

想到他這玉簫發射暗器之奇、之毒，亦不禁有些駭然，當下吸一口氣，道：「閣下既是非得和蕭某拚個生死出來不可，那也是無可奈何的事了，閣下有什麼驚人之技，儘管施展出來就是。」

口中說話，左手卻探入懷中，迅快地戴上了千年蛟皮手套，右手執劍，蓄勢待敵。

玉簫郎君緩緩舉起手中玉簫，雙目神光，逼注在蕭翎臉上。

雙方各自運氣，力貫兵刃，立時間，即將展開石破天驚的一搏。
兩人的神色，都顯得十分莊嚴凝重，顯然，兩人心中都沒有制勝的把握。
突然間，人影閃動，挾風而至，一身玄裝的岳小釵，已然站在兩人之間。
這時蕭翎和玉簫郎君，都已經提聚了十成功力，準備作孤注一擲的拚鬥。
岳小釵及時而至，阻止了兩人的搏鬥。
玉簫郎君緩緩垂下手中的玉簫，說道：「姑娘不覺得我們兩人之中，應該死去一個嗎？」
岳小釵星目中滿蘊淚光，柔和地說道：「何苦呢？你們本來無怨無仇啊！」
蕭翎滿臉迷惘地望了玉簫郎君一眼，惑然說道：「天地遼闊，河山綿長，為什麼不容我們兩個並存人間？」
玉簫郎君仰天大笑三聲，道：「蕭翎，你是當真的不知呢？還是在有意的裝糊塗？」
蕭翎道：「在下實在想不出，咱們何以不能並存於世。」
岳小釵歎息一聲，道：「小妹身受張兄之恩，必有一報，但此事和我蕭兄弟毫無關係，你不用遷怒於他了。」
玉簫郎君臉色一變，道：「依姑娘之見呢？」
岳小釵道：「尚望張兄能夠寬限小妹一點期限……」
玉簫郎君接道：「好！但至多不能超過三個月！」
岳小釵沉吟了一陣，道：「三個月……」

玉簫郎君道：「不錯，三個月在姑娘感覺中，也許是彈指即過，可是在下感覺中，卻有著度日如年之感。」

岳小釵望了滿臉迷惘、茫然的蕭翎一眼，緩緩說道：「好吧！就是三個月，不過，我也有一件事奉求。」

玉簫郎君道：「但得力所能及，在下是無不答允。」

岳小釵道：「在三月之內，小妹不願再聽到幽幽簫聲，也不願張兄經常在我左近出現。」

玉簫郎君慘然一笑，道：「好！我答應你，但不知三月限滿，咱們在何處相見？」

岳小釵略一沉吟，道：「三月期滿，咱們在衡山斷魂崖底相見！」

玉簫郎君慘笑兩聲，道：「古往今來，從無一人下過斷魂崖。姑娘相約在斷魂崖底相見，倒是隱秘得很。」

岳小釵道：「你如害怕，咱們就不用見了！」

玉簫郎君道：「姑娘放心，在下自會先姑娘而到。」

岳小釵道：「約期已定，你可以走了吧！」

玉簫郎君道：「好！在下就此別過。」

轉身而去，眨眼間，消失在夜色之中不見。

蕭翎只覺重重疑問盤旋腦際，呆呆地站在當地。

岳小釵目注那玉簫郎君去遠，幽幽說道：「蕭兄弟，可知那一夜，我為什麼不肯見你嗎？」

蕭翎心中似是有些明白，但仔細想去，卻又有些茫然不解，當下說道：「小弟有些知道，但仔細想去，又有些不明白了。」

但聞岳小釵黯然說道：「此事看來簡單，說來卻十分複雜，我今日請你來此，早已想了很久，與其讓事情拖下去，還不如早些告訴你好！唉！世上有很多事，不是憑仗武功能解決的……」

語聲微微一頓，接道：「此地不是談話所在，咱們回到茅舍中去吧！」轉身向前行去。

素文替兩人送上兩杯香茗之後，悄然退了出去。

蕭翎迫不及待地說道：「姊姊，小弟此刻滿腹疑惑，請姊姊快些說吧！」

岳小釵沉吟了一陣，道：「中州二賈想來已經告訴你了……」

蕭翎接道：「不錯，他們把姊姊囚禁在一座密室之中，被姊姊逃了去，為了此事，他們一直心下難安。」

岳小釵淡淡一笑，接道：「不用替他們求情，我如要殺中州二賈，就算他們有十條命，也難再活在世上了，我本無記恨他們之心，他們認你作了龍頭大哥之後，這筆小小的怨恨，早已在我的心中一筆勾去了……」

蕭翎道：「姊姊縱然大量包容，不再怪罪他們，但小弟也要他們到姊姊面前來負荊請罪。」

岳小釵道：「不用了，他們並不是很壞的人……」

長長歎息一聲，接道：「那時姊姊的武功，自顧不暇，自然無能再顧到兄弟你了。唉！我帶你離家出走，使你這宦門公子，捲入江湖的恩怨之中，午夜夢迴，捫心自問，心中這一份不安，定非你能了然。」

蕭翎笑道：「我現在不是很好嗎？如不是姊姊帶我離家，小弟豈有今日這點成就，何況，當時是我纏住姊姊不放，要隨姊姊離家，姊姊何咎之有，小弟此刻，急欲知道的，是關於姊姊的事。」

岳小釵道：「姊姊被中州二賈關入那座密室之後，不久就被人救了出來……」

蕭翎心中一動，接道：「可是那玉簫郎君救了你？」

岳小釵點點頭，道：「不錯，其人武功絕世，只是生性孤傲，目空四海，眼中無人，唯獨對我，愛護有加，一往情深……」

蕭翎自言自語地接道：「我有些明白了。」

岳小釵淒涼一笑，繼續說道：「他救了姊姊之後，帶我去洗心茅舍……」

蕭翎突然想到岳雲姑的屍體，五年前一幕舊事，突然間展現腦際：那衡山腳下，修竹叢中的洗心茅舍，那骨瘦如柴，冷漠不近人情的白髮老嫗，岳小釵孤身一人，拒擋強敵的惡鬥……

當下說道：「雲姨的屍體，還在那洗心茅舍之中，姊姊可曾見到嗎？」

岳小釵點點頭，道：「故人情深，那洗心茅舍主人，雖然當初只允我等候七日，但我卻過了期限甚久，原想七日限滿之後，以她冷僻的性格，再也不會照顧家母的屍體，哪知她竟照顧得十分周到，家母屍體絲毫無損。」

蕭翎想到昔年雲姨對自己呵護惜愛，情意如海，想不到短短數月相處，一別竟成永訣，不禁黯然流下淚來，說道：「雲姨的屍體現在何處？小弟該去拜奠一番才是。」

岳小釵道：「我和玉簫郎君，趕去洗心茅舍，見家母遺體完好如初，才放下心來，本想遵照家母遺書，把她屍體送往沉燕谷，但卻為洗心茅舍主人所阻……」

蕭翎接道：「現在呢？雲姨屍體存放何處？」

岳小釵道：「仍在洗心茅舍之中。」

蕭翎道：「姊姊，為什麼不把雲姨屍體安葬起來？」

岳小釵道：「那時姊姊處境仍危，天下武林人物，仍在追捕於我，隨時會遇上強敵動手，擔心損傷到家母屍體，那洗心茅舍主人，既然無心逼我搬遷，也樂得留在那裏了。」

蕭翎道：「以後呢？」

岳小釵道：「姊姊又被幾批江湖人物發覺追蹤，但都為玉簫郎君所傷。」

蕭翎道：「那玉簫郎君對姊姊很好了。」

岳小釵歎息一聲，道：「平心而論，他對我呵護愛惜，無微不至，姊姊得他數度相救，如非有他保護，今日只怕難再見到蕭兄弟了。」

蕭翎望了岳小釵一眼，欲言又止，緩緩垂下頭去。

岳小釵接道：「那玉簫郎君發覺姊姊武功不高，在江湖之上走動，隨時有性命之危，就帶姊姊去求見一位息隱多年的老前輩，費盡了心機，苦求數日，才得到了那位老前輩的答允，把我收留門下……」

蕭翎接道：「這就奇怪了，玉簫郎君那時武功強過姊姊甚多，爲什麼不肯自行傳授姊姊的武功，卻要跑去求人？」

岳小釵道：「因他的武功路數，和我所學不同，學起來事倍功半，縱有所成，也有限度，他爲我籌算，才去求那位老前輩收留於我……」

蕭翎道：「姊姊此刻的武功，似是尤在那玉簫郎君之上，想來傳授姊姊武功的那位高人，定然是超凡入聖的人物了。」

岳小釵道：「這個，恕姊姊不能告訴你了。」

蕭翎奇道：「爲什麼呢？」

岳小釵道：「那人收留姊姊之時，曾經約法三章，第一是她只能傳我武功，但卻不准正式拜師，也不承認我是她門下弟子。」

蕭翎道：「這人很怪，第二件又是何約法？」

岳小釵道：「第二件是不許我說她的姓名、住址，第三件是，我不能把她傳授於我的幾種絕技，轉授給別人。」

蕭翎道：「江湖之上，各大門派，都望他本門武功，發揚光大，吸收人才，傳授絕技，那人不肯讓姊姊把她的絕技傳諸後人，當真使人費解。」

岳小釵道：「姊姊在初學之時，也是作此想法，但後來才知道不能怪她。」

蕭翎道：「那是爲了何故？」

岳小釵道：「因爲有幾種武功，手法太過惡毒，不能流傳於世，如是藝傳非人，流害極大，因此，那位老前輩才決心絕傳於世，不願它流毒於武林之中。」

蕭翎想到岳小釵懲制南海五凶的金針定腦手法，果是惡毒無比，從未聽聞，心中暗道：人心多變，那位老前輩的顧慮，倒也是不能算錯。

岳小釵長長吁一口氣，又道：「我在那裏留住了四年不到，日夜苦求進境，幸有小成之際，那位老前輩突然逼我離開，不准我再留住那裏。」

蕭翎奇道：「這又是爲了什麼呢？」

岳小釵道：「至今仍然是一個隱秘，姊姊想了數日夜，用盡心機，也是猜它不透……」舉手理一下垂鬢秀髮，接道：「姊姊重入江湖，第一件事，就是打聽你的下落，得知你落江而死，心中痛苦萬分，找到了你落江之處，設靈奠拜，痛哭三日夜，流盡血淚，如非想到，要替母親和你報仇，只怕早已投江而死……」

蕭翎歎息一聲，道：「姊姊如此情意，真使小弟不知如何報答才好。」

岳小釵接道：「半年之後，突然又聽你出現江湖的消息，姊姊驚喜若狂，天涯追蹤，哪知竟然是藍玉棠假冒兄弟之名，一腔狂喜，又變得曇花一現……」

長長歎息一聲，接道：「我見那假冒你名的藍玉棠，心中十分氣怒，曾經狠狠教訓了他一頓，卻不料因此又招來一些麻煩。」

蕭翎道：「可是那藍玉棠為姊姊……」

他本想說，可是那藍玉棠為姊姊的容色所迷，苦苦追求於你，但下面之言，難於出口，只好住口不言。

只聽岳小釵接著說道：「姊姊稍微平靜的心情，又激起了一陣波瀾，既覺愧對母親遺言，又覺難向你父母交代，心中痛恨、愧疚，實非言語能夠形容，那夜，我獨自宿住在一座荒廟之中，悲痛過深，耳目也失去了靈敏，竟然依在壁上睡去，醒來時，發覺已為人點了穴道……」

蕭翎怒道：「什麼人敢對姊姊如此無禮？」

岳小釵望了蕭翎一眼，看他激憤之情，形諸神色之間，好像親眼看到了自己被人捆起一般，當下接道：「百花山莊中人，兩個獐頭鼠目的小嘍囉，他們見我醒來，竟然敢出言戲汙，姊姊心中雖然急怒無比，但因穴道被點，一時竟是無能反抗，只好閉目不理他們……」突然垂下鳳目，住口不言。

蕭翎正聽得心中憂急，問道：「以後呢？」

岳小釵緩緩說道：「以後，兩人竟然對我無禮，當時情形，姊姊求生難得，求死不能，但那玉簫郎君卻及時趕到，出手擊斃兩人。」

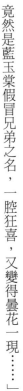

蕭翎道：「這麼說來，玉簫郎君，又救了姊姊一次。」

岳小釵道：「不錯，正因他數番救了我，又帶我投入名師之門，學得絕技，對我可算得仁至義盡，恩如山高……」

她突然住口不言，抬起雙目，在蕭翎的臉上打量了一陣，道：「兄弟，你已經長大了，懂了很多的事，姊姊也不用對你保留，我要有一句，說一句了。」

蕭翎道：「小弟洗耳恭聽。」

岳小釵仍然猶豫了一陣，接道：「玉簫郎君救了我之後，又發覺我心中憂苦甚重，怕我再遇危險，不肯離開我，陪我悠遊名山勝水，他一支玉簫，早已吹得出神入化，姊姊我從小，就得母親授與彈琴之技，後來，投入那位隱名老前輩的門下，又得她指點彈琴之術……」

一頓語聲，回顧了蕭翎一眼，接道：「那時，玉簫郎君，對我雖然體貼入微，但他一直是發於情，止於禮，視我如手足妹妹。」

蕭翎道：「他終日陪姊姊遊山玩水，吹奏玉簫，爲姊姊解悶，又無其他用心，也算得一位君子人物了。」

岳小釵道：「兄弟，你可記得一句名言嗎？」

蕭翎道：「什麼名言？」

岳小釵道：「日久情生！那玉簫郎君，終日裏陪著我遊山玩水，姊姊不覺之間，亦對他生出情愫，只是當時未曾想到罷了。」

蕭翎長長吁一口氣，欲言又止。

岳小釵接道：「在一個月華似水的晚上，玉簫郎君帶我在九華山頂賞月，他早已知曉，姊姊彈琴之技，不知何時，竟爲我備了一張瑤琴，他對月吹簫，意興豪放，大有傲視九州、惟我獨尊之概，姊姊技癢，不自覺的取過瑤琴，彈奏起來，琴簫和奏，引動了百鳥夜鳴。」

蕭翎道：「看來那玉簫郎君頗有心機，他爲姊姊備了瑤琴，卻從不求姊姊彈給他聽，用玉簫勾引起姊姊的雅興，使姊姊情難自禁。」

岳小釵道：「唉！你當真是長大多了，知道了很多事……」

語聲微頓，接道：「不知何時，那玉簫郎君的簫聲，突然折轉，縷縷柔情，由那簫聲之中揚起，情如小橋流水、煙村人家，姊姊在他簫聲導引之下，琴音也爲之一變，渾然忘我，浸沉在一片似水柔情之中。」

蕭翎道：「詩情畫意，陽春白雪，那境界的確是動人得很。」

十　霧鎖幽情

岳小釵道：「以後……」以後了半天，竟是接不下去。

蕭翎道：「以後怎麼了？」

岳小釵一咬牙，接道：「以後嗎？那琴音、簫聲，不知何時停下，姊姊清醒時，發覺偎依在玉簫郎君的懷中而坐。」

蕭翎突覺一股莫名的感傷，直泛心頭，頭重腳輕，幾乎一跤栽倒。

岳小釵道：「兄弟，你怎麼了？」

蕭翎一提氣，道：「我很好啊！那玉簫郎君可曾……」

岳小釵道：「他握著姊姊的手，求姊姊答允，終身和他爲侶，他自豪的說道，普天之下，只有他玉簫郎君一人，才配娶姊姊爲妻，也只有姊姊一人，才配嫁給他玉簫郎君。」

蕭翎道：「口氣很大，姊姊可曾答應了他？」

岳小釵道：「好像是答應了，不過，我曾經提了兩個條件。」

蕭翎道：「什麼條件？」

岳小釵道：「第一件，我要他助我復仇。」

蕭翎道：「第二件呢？」

岳小釵雙目凝注在蕭翎的臉上，一字一句地說道：「這第二件嗎？我要他等三年，如若三年中，仍然沒有兄弟你的消息，姊姊即將在玉簫郎君相助之下，仗劍復仇，報了大仇之後，再答允他的婚事。」

蕭翎道：「現在呢？我還好好的活在世上啊！」

岳小釵道：「只怪姊姊當時少說了兩句，如今很難辯說得清楚了。」

蕭翎道：「那不是說得很清楚嗎？你要他等三年，探我生死，可是現在還未滿一年期限，已證實了我還活在世上，姊姊要是不喜歡他，自然是前約不算了。」

岳小釵道：「當時，我只說要他等候三年，找尋兄弟，但我卻沒有說明，找到了兄弟之後，又該如何……」

蕭翎道：「自然是前約毀棄。」

岳小釵道：「姊姊正是作如是想，但那玉簫郎君，並不這樣想啊！」

蕭翎道：「想不到玉簫郎君那等人物，也會賴皮！」

岳小釵道：「不能怪他，他對姊姊施恩甚深……」

語聲微微一頓，接道：「兄弟，有一件事，放在我心中很久了，姊姊一直沒有給你說過。」

蕭翎道：「什麼事啊？」

岳小釵道：「你那雲姨遺書之中，曾經指明了姊姊終身大事，要姊姊……」突然泛起了兩頰羞紅，垂首不言。

蕭翎道：「雲姨對我愛護備至，在我心目中早已敬她如娘。」

岳小釵緩緩抬起頭來，閉上雙目，說道：「那遺書中說明了，要我嫁你為妻。」

蕭翎怔了一怔，道：「有這等事？」

岳小釵臉上的紅暈更見鮮明，但她仍然接著說道：「那遺書上不但限定姊姊要嫁你為妻，而且還指明了姊姊該如何去做……」

停了一停，接道：「這些話，姊姊雖羞於出口，但事到如今，我也只好直對你說了，但願兄弟不要笑姊姊語無倫次才好。」

蕭翎道：「在小弟心目之中，視姊姊有如天人一般，怎敢有絲毫輕藐姊姊之心。」

岳小釵輕歎一聲，又道：「反正這件事，不論早晚都得告訴你，此刻再不對你說明，也許以後就沒有機會了……」

這最後一句話，似是預藏凶機，只聽得蕭翎呆了一呆，正待追問，岳小釵又接口道：「家母在遺書中，說得很明白，她說兄弟你生具絕脈，縱然習練上乘內功，也未必就能把絕脈打通，能否過得二十歲，很難預料，因此，遺書中指明，要姊姊把她遺體送走之後，重返長碧湖畔丹桂村，暫不為她報仇，先和你結成夫婦……」

蕭翎只覺臉上一熱，垂下頭去，不敢再看岳小釵。

岳小釵長長歎息一聲，接道：「家母要我為你們蕭家，生上一對兒女、續了你蕭家的香火，然後，再給她報仇，她信中詳細的說明了為她報仇的方法。」

蕭翎抬起頭來，星目中滿含淚水，輕輕歎息一聲，道：「這中間，還有著如許內情，小弟如何能夠想到……」

岳小釵臉色一整，緩緩接道：「如今情勢已有轉變，姊姊處境，已非昔比，兄弟你已經衝破了死亡之關，學得一身絕技，以兄弟瀟灑才貌，正是深閨中夢裏情人，家母遺命，已成往事，姊姊也不用恪守遺命了。」

蕭翎只覺心中一片紊亂，說不出是一股什麼樣的滋味，沉吟了一陣，道：「姊姊之命，小弟無不遵從。」

岳小釵抬起頭，望望天色，道：「兄弟，那玉簫郎君的武功如何？」

蕭翎初嘗滋味，正感覺心中惶惶，茫然無措，卻不料岳小釵突然間問了這麼一句，怔了一怔，道：「武功高強，世所罕見。」

岳小釵道：「你自信比他如何？」

蕭翎道：「很難料鹿死誰手！」

岳小釵道：「他待我情深似海，恩重如山，兄弟之見，姊姊應該如何？」

蕭翎呆了一呆，道：「這個，這個……」

岳小釵道：「事到如今，你還有什麼顧慮，照實說出來吧！」

蕭翎星目中神光閃動，凝注在岳小釵的臉上，肅然說道：「那要看姊姊對他如何了，姊姊如是心中喜愛於他，自然可委侍終身，如是不愛他，小弟未死，自是可毀棄前允。」

岳小釵秀眉輕蹙，緩緩說道：「如是毀棄前約，他對我也許不敢如何，但他一腔怨恨，定然會遷怒到你的身上，定會找你拚命。」

蕭翎一挺胸，道：「他武功雖然高強，但小弟並不怕他。」

岳小釵道：「你此刻已經是名滿江湖，怎能爲一個女子拚命……」

蕭翎只覺胸中沸騰，沉聲接道：「如若小弟內心中，有一位紅粉知己，那人就是姊姊你了，但我對姊姊不只是依戀情深，而且也敬若天人，小弟年幼，少不更事，這些年來，只感到姊姊的音容笑貌，經常現我腦際，今日姊姊如不說明，小弟只覺著對姊姊有著一種依戀之心，一時間，還想不到情竇早生，就算小弟知道，也不敢說出口來，冒瀆姊姊。」

岳小釵道：「這些年來，我何嘗不是也在想念著你，我對你有一份深深的愧疚，也有著一份憐惜……」

長歎一聲，接道：「只是，一個沈木風，已夠你對付了，如是再加個玉簫郎君，你怎能應付得了，解鈴還是繫鈴人，姊姊自己的事，只有自己去辦了。」

蕭翎道：「姊姊昔年，對我呵護愛惜，無微不至，如今我已經長大了，爲什麼不讓我保護姊姊一次呢？」

岳小釵突然展開愁容，換上了一副笑臉，道：「兄弟你過來。」

蕭翎緩步走了過去，恭恭敬敬地說道：「姊姊有什麼吩咐嗎？」

岳小釵突然轉入室內，片刻之後，手中捧著一個三寸長、兩寸寬、半寸厚的檀木盒子，臉色嚴肅地說道：「兄弟，好好的收存這只木盒。」

蕭翎伸手接過，說道：「姊姊，這木盒之中，放的什麼？」

岳小釵道：「天下武林人物，人人醉心的禁宮之鑰！」

蕭翎吃了一驚，道：「禁宮之鑰？」

岳小釵道：「不錯，姊姊今日交給你，希望你能入禁宮一行。」

蕭翎搖搖頭，道：「這等珍貴之物，小弟如何有能力保存，還是姊姊收存著吧！」

岳小釵苦笑一下，道：「你記得我已和那玉簫郎君訂下之約嗎？」

蕭翎道：「言猶在耳，怎會忘記。」

岳小釵道：「這就是了，三個月的期限，彈指即屆，斷魂崖下之約，生死難以預卜，如若在三月之後，仍得不到消息，這禁宮之鑰就算兄弟你所有，設法到禁宮中一行吧！你如想勝那沈木風，只怕是非得進入禁宮一趟不可。」

蕭翎神色肅然地說道：「姊姊，告訴我一件事，不要騙我。」

岳小釵道：「什麼事？」

蕭翎道：「你和那玉簫郎君，定下三月後斷魂崖底相會之約，用心何在？」

岳小釵望了蕭翎一眼，沉吟不語。

蕭翎道：「姊姊答應讓小弟同去好嗎？」

岳小釵道：「不成，你不能和玉簫郎君作對！」

蕭翎道：「爲什麼？」

岳小釵歎道：「在玉簫郎君身後，還有一股龐大的實力，那包括了傳我武功的師父，如果你殺了玉簫郎君，這些人決然不會和你善罷甘休，如是玉簫郎君傷了你，兄弟，那未免太不值得了。」

蕭翎道：「爲了姊姊，粉身碎骨在所不惜。」

岳小釵秀眉一皺，道：「兄弟別忘了一件事。」

蕭翎道：「又是什麼事？」

岳小釵道：「我已答應過了那玉簫郎君求婚，爲什麼不可以當真的嫁給他呢？」

臉色一變，冷冷接道：「姊姊已把心中的話全部說完，你也該告別了。」

蕭翎萬萬沒有想到，岳小釵突然下起了逐客令，呆了一呆，道：「姊姊要我走嗎？」

岳小釵道：「嗯！兄弟你已經大了，男女有別，不宜在此多留。」

蕭翎道：「既是如此，兄弟就此別過了。」言罷，抱拳一揖。

岳小釵欠身一禮，道：「恕姊姊不送了。」轉身直行入內室。

蕭翎看她突然間這般決定，心中既是奇怪，又是悲痛，胸中熱血沸騰，雙目中淚水湧出。

悲苦茫然中，不知過了多少時光。

只聽一個柔和的聲音，傳了過來，道：「相公。」

蕭翎如夢初醒一般，舉手拂拭一下臉上的淚痕，轉目望去，只見素文倚門而立，臉上亦是一片黯然的神色。

他鎮靜了一下精神，回顧了那分割大廳和內室的竹簾一眼，自言自語地說道：「我該走了。」舉步向外行去。

蕭翎心中充滿了悲傷，茫然中信步而行。

那高大的宅院，仍然屹立在環繞的竹林之中，但在蕭翎的心目中，卻似有著物是人非，不勝滄桑之感，短短幾個時辰中，一切事物，都變得那般陌生。

孫不邪背著雙手，正站在宅院之前，一見蕭翎踽踽行來，立時大步迎了上去，叫道：「兄弟，你回來了。」

蕭翎抬起頭來，望了孫不邪一眼，茫然一笑，道：「回來……」

孫不邪只覺蕭翎神色滄然，形貌也似有了很大的變化，短短幾個時辰的分別，竟有如過了幾年一般。

只見他一向開朗的眉宇間，卻被一種愁霧籠罩，清澈的雙目中，佈滿了紅色的血絲，似是經過了一場激烈絕倫的惡戰之後，有著極度的睏倦，平日流現於神色間的堅強，和那威武不屈的氣度，此刻也完全消失，似乎是一種莫可言喻的神秘力量，在極短的時光中，把蕭翎完全改變。

孫不邪一皺眉頭，道：「兄弟，你很疲累，是嗎？」

蕭翎點點頭，淒苦一笑，道：「嗯！我很疲累。」

孫不邪目光轉動，突然發覺蕭翎衣袋之中，裝著一個檀木盒子，已然露出一半，西斜的陽光照射之下，可見那木盒上精緻的花紋。

心中一動，道：一向未見過這只木盒，此盒定然是剛剛收得之物了。

當下說道：「兄弟，你袋中那木盒，盛裝何物？」

蕭翎低頭取過木盒，瞧了一眼，道：「這個嗎？我沒見過啊！怎麼會放在我衣袋之中。」

原來，岳小釵下令逐客之時，蕭翎心頭大震，神智迷惘，竟然不知何時，岳小釵把木盒放入了衣袋之中。

孫不邪見聞是何等廣博，目光是何等銳利，看蕭翎頹廢的神情，再看他這等神不守舍之狀，心中已然明白，他在精神上受了巨大的刺激，使一個身負絕世武功的人物，在極短時間內，變了一個人般。

這時無爲道長、展葉青、司馬乾等，都圍攏了過來。

群豪似是已發覺了蕭翎的情形不對，一個個茫然無措。

無爲道長低聲說道：「孫老前輩，蕭大俠似是有些不對。」

孫不邪道：「不錯……」

只聽蕭翎緩緩說道：「我要送還給她。」轉身行去。

孫不邪低聲說道：「情形確有些不對。」

縱身一躍，搶在蕭翎前面，攔住了蕭翎的去路，道：「兄弟，你要到哪裏去？」

蕭翎道：「我要送還這只木盒。」

孫不邪道：「你要還給何人？」

蕭翎道：「岳小釵。唉！這盒中之物，太過珍貴，我蕭翎如何能夠承受呢？」

孫不邪道：「盒中放的何物？」

蕭翎道：「放的是禁宮之鑰。」

「禁宮之鑰」四個字，字字如巨雷下擊一般，只聽得孫不邪、無為道長等一齊呆在當地，半晌說不出一句話來！

禁宮之鑰它關係著武林的命運，也是千萬武林人物視作重逾性命的奇寶，傳說每一次那禁宮之鑰出現江湖時，就將引起一連串的紛爭、慘殺！

蕭翎那雙失去神采的目光，緩緩地掃掠了群豪一眼，道：「諸位等我片刻，我去交還了這只木盒就來。」

孫不邪一伸手，攔住了蕭翎，道：「兄弟，岳姑娘給你這木盒時，可曾說過什麼話嗎？」

蕭翎仰起臉來，輕輕歎息一聲，道：「不錯，好像說了很多話。」

無為道長低聲向孫不邪道：「老前輩，蕭大俠的神智，好像有些錯亂，咱們要阻止他。」

孫不邪微微頷首，道：「那岳姑娘講些什麼？兄弟，請說給我們聽聽如何？」

蕭翎黯然一笑，道：「她說了很多話，好像這禁宮之鑰對武林關係很大……似乎是又告訴我說，我想勝那沈木風，必須進入禁宮一行。」

無為道長接道：「那岳姑娘既然把禁宮之鑰交給了你，自然是希望你蕭大俠能夠進入禁宮一行了，你如再把此鑰交還給岳姑娘，豈不是有負了岳姑娘的用心嗎？」

蕭翎望著手中木盒，長長歎息一聲，道：「這木盒也許和那岳姑娘的性命有關。」

孫不邪道：「和那岳姑娘性命有關？」

蕭翎道：「不錯，她把這禁宮之鑰交給我手，心中再無牽掛，自然輕淡生死了。」

孫不邪心中暗道：滋事重大，關係著那岳姑娘的生死，倒叫老叫化不便插嘴了。

無為道長等，亦作如是之想，是以，誰也不便再多言接口。

蕭翎又是長歎道：「你們在此等候一會兒，我要去送還這木盒了。」

無為道長低聲對孫不邪道：「老前輩，蕭大俠實在有些不對，最好你能陪他一行。」

孫不邪點點頭，大行一步，道：「兄弟，老叫化陪你一行如何？」

蕭翎沉吟了一陣，道：「老前輩如願同行，那就一起去吧！」舉步向前行去。

見蕭翎放腿奔走，一口氣趕到那茅舍所在。

只見素文身上揹著簡單行李，背插長劍，站在茅舍門外。

蕭翎目睹素文那身裝束，立時爲之一呆。

他心中雖然確想送還木盒，但潛意識中，卻是更想見那岳小釵一面。

只聽素文嬌若銀鈴的聲音說道：「蕭相公，小姐已經走了。」

蕭翎道：「她走了多少時間，去向何處？」

孫不邪遙遙站在數丈之外，不再逼近。

素文歎道：「相公不用去追小姐了，她去時已經交代小婢，無論如何要勸阻相公不要追她。」

蕭翎黯然歎息一聲，道：「姑娘，告訴我她的去向吧！我要追上她，還給她這只木盒。」

素文道：「不用還了！小姐還要我奉告相公，好好保管這只木盒，木盒中，除了禁宮之鑰以外，還有那禁宮所在的形勢圖。」

蕭翎只覺一股莫可名狀的哀傷泛上了心頭，兩行淚水，奪眶而出。

素文道：「此刻，我家姑娘早已在數十里外，而且小婢決不會告訴你她的去向，相公還是早些回去吧！」

蕭翎把手中木盒遞了過去，道：「這木盒有勞姑娘，轉給那岳小姐！」

素文搖搖頭，道：「這一切都在我家小姐的預料之中。」

蕭翎道：「爲什麼？」

素文兩道清澈的星目齊注在蕭翎臉上，道：「相公，我家小姐說你為人間君子，定然要把禁宮之鑰送回，果然被她料中了。」

繼之神色一變，嚴肅地說道：「蕭相公，你可知我家姑娘把禁宮之鑰交到你手，用心是何等深刻，她不連累你，卻把命運託付於你……」

蕭翎呆了一呆，道：「岳姊姊武功強我甚多，那玉簫郎君武功，卻和我在伯仲之間，如若是她兩人動手相搏，岳姊姊決不致敗在那玉簫郎君手中，除非是岳姊姊心甘情願的束手就縛。」

素文道：「不錯，如若單以武功而論，我家姑娘確在那玉簫郎君之上，百回合之內，也許就能取他之命，可是你別忘了，那玉簫郎君乃是我家姑娘的救命恩人啊！」

沉吟了一陣，接道：「唉！說起來，這都是為了你啦。」

蕭翎道：「為了我嗎？」

素文道：「不錯啊！你未出現江湖之前，我家姑娘和那玉簫郎君常常相見，攜手遨遊於山水之間，那時，我家姑娘雖然也常常愁鎖眉頭，但亦有展顏歡笑之時……」

蕭翎接道：「聽到我出現江湖以後呢？」

素文道：「自從聽到你出現江湖的消息，情勢立刻大變，不但再也看不到我家姑娘臉上有過笑容，而且，也再三再四的拒絕了玉簫郎君的邀約，難道這不是為了你嗎？」

蕭翎皺起劍眉，沉吟了一陣，道：「姑娘適才曾經說過，岳姑娘把她的命運託付給我，不知從何說起？」

素文道：「玉簫郎君已經證實了，我家姑娘不肯再理會他，是爲了你蕭翎，心中對你，自然是視若眼中之釘，如是你們拚起命來，我家姑娘豈不是兩面爲難嗎……」

蕭翎道：「我不怕玉簫郎君。」

素文接道：「你雖然不怕他，可也未必一定能勝得他，二虎相鬥，必有一傷，傷的如若是你蕭翎，豈不要我家姑娘痛斷肝腸，終生難安！如若是傷的玉簫郎君，立時將掀起一場滔天的風波，他的家人，決不會看著玉簫郎君傷死在你的手中而置之不理，如若他的家人對你報復，不但你個人無法抗拒，整個的武林都將掀起一場血雨腥風的惡戰……」

蕭翎接道：「在下聽岳姊姊說，連岳姊姊那授業的恩師，也將捲入這一場恩怨，不知爲了何故？」

素文道：「因我家姑娘那授業恩師，和玉簫郎君有著很親近的關係。」

蕭翎道：「原來如此。」

素文道：「你，現在應該明白了吧！我家姑娘爲什麼把命運託付於你，玉簫郎君一家，都避居在一處人跡罕至、山明水秀的所在，除了幾家至親之外，從不和外人來往，除了玉簫郎君和藍玉棠，以及那位張姑娘，在江湖走動之外，其他的人，很少離開那居住之地。」

蕭翎點點頭，道：「多承姑娘指教。」

十一　禁宮之謎

素文道：「好！你了然我家姑娘的處境，自然知道該怎麼做了，但願你一路順風。」

蕭翎道：「是啦！岳姊姊交給我禁宮之鑰，是要我進入禁宮中去。」

素文接道：「不錯，進入禁宮，雖然未必就能學得絕技，勝過玉簫郎君的家人，但這是你唯一能夠勝過玉簫郎君家人的機會。」

蕭翎一抱拳，道：「在下明白了，有勞姑娘轉告我那岳姊姊，就說我蕭翎將全力以赴。」

素文欠身還了一禮，忙道：「還有一件事，小婢要告訴相公，令尊、令堂和那兩位姑娘，都已爲我家姑娘安排在一處隱秘安全之地，相公但請安放寬心。」

蕭翎想到父母，年邁蒼蒼，爲自己所牽累，受盡了風霜之苦，心中大是不安，黯然說道：「姑娘是否能夠告訴我，我那雙親現在的居住之處？」

素文沉吟了一陣，道：「現在不能告訴你，我家姑娘早已有了安排，等你該見之時，自會有人引你去見，相公放心就是。」

蕭翎道：「好！我蕭翎就此別過了。」

素文道：「相公記著，那玉簫郎君的祖父，名叫簫王張放。」

蕭翎道：「怎麼？那簫王張放，也在禁宮之中嗎？」

素文道：「不錯，相公去吧！小婢也該趕路了。」轉身快步而去。

蕭翎望著素文的背影消失之後，才長長歎息一聲，轉身而行。

孫不邪隱身在數丈之外，看兩人談起來沒有個完，早已等得不耐，好不容易等到那素文轉身而去，蕭翎走了回來，立時急急迎了過去，道：「蕭兄弟，那小丫頭說些什麼？」

蕭翎道：「她告訴我很多事，也使我蕭翎心靈上增加了很多負擔。」

孫不邪道：「什麼事？可否告訴老叫化子？」

蕭翎歎息一聲，道：「老前輩可知簫王張放其人嗎？」

孫不邪哈哈一笑，道：「自然是知道了，陷入禁宮的十大奇人之……」

蕭翎道：「那簫王張放的武功如何？」

孫不邪道：「陷入禁宮的十大奇人，武功各有專長，如若他們能分出高低，那巧手神工包一天，也不會設下那座禁宮，困住那十大高手了。」

蕭翎若有所思地沉吟了一陣，道：「老前輩，如若咱們放下沈木風的事情不管，江湖上是否立刻就有大變？」

孫不邪道：「沈木風原想收羅兄弟爲他所用，事與願違，反而暴現了他謀霸武林的野心，因此，他不得不提前發動……」

話至此處，突然停下，似是在思索措詞一般，想了一陣，接道：「但他出師不利，連受大挫，而且每一次都和你有關，因此他早已把你視如眼中之釘，以他為人的深沉，必將是謀定而後動，如若未殺你蕭翎之前，當不會立時間全面發動。」

蕭翎道：「這就好了。」

孫不邪道：「什麼事好了？」

蕭翎道：「我那岳姊姊曾經說過，我如想在武功上勝過那沈木風，必得入禁宮一行，因此，在下要先放下江湖中事，進入禁宮一行。」

談話之間，已然走回到宅院之中。

無為道長等一見兩人，立時迎了上來，說道：「蕭大俠見過那岳姑娘了嗎？」

蕭翎搖搖頭，道：「未曾見到……」

孫不邪接道：「那岳姑娘留下一個丫頭，說服了蕭兄弟，要他收了禁宮之鑰，立刻到禁宮一行。」

無為道長歎道：「天下武林同道，人人都知有個禁宮，但也只知那禁宮在武夷山中，可是武夷山連綿千里，禁宮究在何處，那就無人知曉了。」

蕭翎道：「不要緊，這木盒之中，繪有那禁宮所在之地。」

孫不邪道：「老叫化擔心的是，蕭翎如若突然消失江湖，必將使江湖上剛剛萌生抗拒沈木風的一股氣氛，也隨之消失。」

無爲道長點頭，道：「不錯，如若蕭大俠遽爾失蹤，必將是大有影響，必得想一個安全之策才行。」

語音微微一頓，接道：「對待敵人，講究運謀行略……」

展葉青接道：「大師兄說得是，既然有一個藍玉棠可假借蕭翎之名，我們爲什麼不能再扮出一個蕭翎來。」

孫不邪道：「不錯，假扮一個蕭翎，經常在江湖之上出現，既可保住那抗拒沈木風的氣氛，亦可免去那沈木風的疑心，此乃一舉兩得之計。」

這時，杜九扶著商八，舉步行了過來。

蕭翎望了商八一眼，道：「商兄弟好一些嗎？」

商八道：「蛇頭追魂箭劇毒雖烈，但那解毒藥物，卻也是效驗如神，此刻，小弟已覺著大好了。」

蕭翎道：「那很好……」

無爲道長道：「如依貧道之見，蕭大俠不必用人假扮。」

孫不邪接道：「這個倒得請教了。」

無爲道長道：「聽來有些玄虛，實則並非難事，咱們計畫周詳一些，蒙混幾月，尙無問題。」

孫不邪道：「願聞其詳。」

無爲道長望了蕭翎一眼，道：「貧道主此，理由有二……」語聲微微一頓，環顧了四周一眼，道：「蕭大俠每次遇上的困難、險惡，都是他自己度過，咱們有誰幫過了他，全靠他本身的才智、武功。」

孫不邪點點頭，道：「嗯！」

無爲道長道：「如若換上一個別人來假扮蕭翎，咱們還得要保護他的安危，豈不是由主動轉作被動了嗎？」

孫不邪道：「亦有道理。」

無爲道長道：「找一個人，假充蕭翎之名，一切都背道而馳，豈不是疲於奔命了。而理由之二，咱們也無法找出一個真正能夠冒充蕭翎的人物。」

孫不邪道：「如是那蕭翎只是一個空幻人，咱們又如何保護於他？」

無爲道長道：「此事容易，貧道舉一個例子說吧。如若咱們護住一頂小轎，那轎中坐的蕭翎，有人圖謀行刺，把最爲惡毒的暗器，全都打入了那頂小轎之中，如若那轎中，真的坐了一個假冒蕭翎的人，咱們救他無能，不是害了他嗎？」

孫不邪道：「道長高見，老叫化明白了。」

無爲道長目光又轉到那蕭翎臉上，道：「蕭大俠準備幾時動身？」

蕭翎道：「在下自然是希望愈早愈好。」

無爲道長道：「蕭大俠，可要準備帶人同行嗎？」

蕭翎道：「在下想帶兩人同往。」

無爲道長回顧了中州二賈一眼，道：「可是要帶他們兩人？」

蕭翎道：「不錯。」

無爲道長沉吟一陣，道：「那也只有這個辦法了。」

商八道：「道長有何良策？」

無爲道長目光凝注在杜九的臉上，打量了一陣，道：「我們只要找一人假扮成杜九就成，好在杜兄一向是帽沿低垂，從來不讓人瞧出面目，只要那人能學得出杜大俠的味道就行了。」

東海神卜突然接口道：「道長，如若由在下來假扮杜九，不知像是不像？」

無爲道長道：「那是最好不過，固所願也，不敢請爾。」

蕭翎道：「道長的智謀，孫老前輩的豪勇，再加上司馬兄、展兄相助，必然可使那個沈木風難測高深。」

無爲道長道：「此乃無可奈何之事，還望蕭大俠早入禁宮，早日重現江湖。」

蕭翎一抱拳，道：「在下就此別過。」

言罷，帶著中州二賈，轉身而去。

孫不邪望著蕭翎逐漸遠去的背影，歎息一聲，道：「道長高見，此刻咱們又該如何？」

無爲道長道：「暫留此地，隱秘行蹤，會過武林四大賢人之後，再定行止。」

孫不邪道：「不錯，如非道長提起，老叫化幾乎忘了那四大賢人之約。」

無爲道長歎道：「羅氏宗祠之會，還得一場舌劍之戰，但願能說服那四大賢人。」

且說蕭翎帶著中州二賈，一口氣行出了十餘里路，商八突然停下腳步，說道：「大哥，咱們休息一下如何？」

蕭翎抬頭看去，只見左面一片雜林，舉步行入林中，道：「怎麼，兄弟走不動了嗎？」

商八搖搖頭，道：「此行武夷山，迢迢數百里，難免要遇上那沈木風的耳目，如若咱們能夠改裝而行，豈不可減少很多麻煩。」

蕭翎道：「不錯，此行最好能風平浪靜，別遇麻煩。」

商八沉吟了一陣，道：「大哥裝上一點假鬚，扮作一位帳房先生，兄弟扮作一位驢夫，杜兄弟扮一位挑行李的漢子。」

三人動手改扮，掩去本來面目，兼程而進，直奔武夷山。

蕭翎一心惦記著岳小釵和那玉簫郎君三月之約，雖然明知三月之期，決難出入禁宮趕往衡山，但心中又念念難忘此事，只有全力以赴。

這日中午時分，到了閩贛交界的武夷山下。

武夷山綿連千里，峰巒無數，三人帶了乾糧，深入山區。

翻越過幾座山嶺，天色已然入夜。

商八找了一處避風的山崖停下，說道：「大哥，咱們要瞧瞧那盒中圖案了，就小弟聽得傳聞，那禁宮雖在武夷山中，但卻不在主峰附近。」

原來，三人沿途上，爲了謹慎，一直未打開過那木盒瞧看。

蕭翎取出懷中木盒，打開盒蓋，只見一柄三寸長短的金色鑰匙，斜放在木盒之中。

在那金色的鑰匙之下，有一副摺疊整齊的白絹。

蕭翎取出金鑰，拿出白絹，展開一看，只見絹上畫著一隻飛鷹，鋼嘴鐵爪，形象十分威猛。

在那飛鷹之下，有一條昂起頭的巨蛇，口中蛇信，吐出了半尺多長。

這幅鷹蛇相搏畫得雖好，但卻和禁宮毫無關係。

蕭翎一皺眉頭，斜眼望去，只見商八、杜九，也是瞠目結舌，望著那圖畫出神。

只聽商八輕輕咳了一聲，道：「這幅圖畫，寓意深刻，咱們慢慢的求解就是。」

蕭翎閉上雙目，說道：「那禁宮之鑰，乃主宰天下命運之物，這圖案自然不是容易解得之物了。」

商八望了杜九一眼，低聲說道：「這幅白絹，已呈黃色，顯然是年代甚久，只可惜咱們智慧，無法解得其中之秘。」

忽見蕭翎睜開雙目，道：「是了，這一幅圖畫，定然代表著一種山勢形態，咱們只要看到這圖畫一般的山勢，那就是禁宮所在了。」

商八道：「大哥，小弟有幾句不當之言，說出口來，還望大哥不要見怪才好。」

蕭翎道：「好！你說吧！」

商八道：「這武夷山連綿千里，縱然確有一處所在，和這圖上一股，但咱們也不能找遍整個的武夷山脈啊！因此，小弟有一個主張，雖非上上之策，但卻比這等大海撈針的找法要好得多了。」

蕭翎道：「兄弟有何高見？」

商八道：「咱們找個樵子、獵戶，查問這樣一處山勢形態，或可問出一些內情。」

蕭翎想了一陣，道：「眼下既然想不出別的辦法，那也只好如此了。」

商八道：「大哥在此休息，小弟在左近找幾個樵子、獵戶問問。」

蕭翎道：「好吧！早去早回，免我掛慮。」

商八道：「至多一個時辰，即可趕回覆命。」

言罷，起身而去，片刻間，走得蹤影不見。

杜九站起身子，悄然行到三丈外一塊突立的大岩之上，四下打量了一陣，又悄然溜下大石，守在一處要道口上。

原來，他久歷江湖的險詐，生怕有人追蹤而來，故而處處留心。

蕭翎呆呆地望著那飛鷹出神，心中一直在暗暗低吟：岳姊姊如若未證實這金鑰確是可以啓開禁宮之門的真鑰，決然不會把金鑰給我，她相信我的才智，定然能夠解開這圖畫之秘，我如不能解開此秘，不但難以進入禁宮，也無法娶得岳姊姊了。

想到煩惱之處，抓起圖畫，隨手摔在地上。

只見那飛鷹垂下的一條鷹爪，突然離了原位。

蕭翎心中一動，伸手抓起圖畫，用力向那鷹爪推去。

一推之下，陡然出現了奇蹟，那一隻鷹爪，竟然離開了原位。

敢情那下垂的鷹爪，竟然突出在白絹之上，可以移動。

只見那鷹爪之下寫道「鷹揚峰，盤蛇谷」六個細微的字。

這突然的發現，使蕭翎有些驚喜若狂，抱著那鷹蛇圖高聲叫道：「我發現了，我發現了。」

杜九眼看蕭翎突然間有如瘋狂一般，不禁大吃一驚，急急奔了過來，說道：「大哥，你怎麼了？」

蕭翎停下身子，說道：「我發現了禁宮所在了。」

杜九道：「在哪裏？」

蕭翎道：「就在這圖案之上，這圖畫之中，設有機關。」

伸手推開鷹爪。

杜九低聲唸道：「鷹揚峰，盤蛇谷。」

蕭翎道：「不錯，咱們只需要打聽出那鷹揚峰和盤蛇谷所在之地，那就找到禁宮了。」

杜九道：「大哥才智過人，一舉之間，竟然找出了這畫中之秘。」

說話之間，只見商八揹著一個老人，急步奔了過來。

他來勢甚快，片刻之間，已到了蕭翎停身之地。

原來，商八找到了一個老樵子，又覺他跑得太慢，只好把他揹著趕來。

商八放下那老樵子，說道：「這老人在這武夷山中，住了數十年，對山中形勢，極爲熟悉，小弟特地帶他來此，讓他瞧瞧那鷹蛇圖。」

蕭翎望了那老人一眼，只見他白髯垂胸，臉上皺紋疊纍，看樣子大約有六十以上的年紀，當下說道：「老伯伯在這武夷山中，住了很久嗎？」

那老人點點頭，道：「老朽從小就在這武夷山中長大，算起來，住了七十多年了。」

蕭翎道：「這麼說來，老伯伯對這武夷山中形勢，一定十分熟悉了，請問老伯伯，那鷹揚峰在什麼地方？」

那老樵子口中低聲誦道：「鷹揚峰、鷹揚峰……」口中誦唸了半晌，仍是答不出來。

杜九冷冷說道：「盤蛇谷呢？」

那老樵子又複誦了兩聲盤蛇谷，突然抬頭說道：「老朽知道一處萬蛇谷，卻未聽過盤蛇谷。」

蕭翎道：「萬蛇谷？」

那老樵子道：「不錯，那是一個十分幽深的山谷，深谷中生滿了各色各樣的蛇，入谷之後，萬蛇爬動，使人有著落足無地之感，縱然是世間第一流捕蛇能手，也不敢擅入那萬蛇谷中。」

蕭翎心中暗道：那鷹揚峰下，寫得明明白白，是盤蛇谷三個字，自然不是萬蛇谷了。

杜九冷冷接道：「老丈，咱們問的盤蛇谷，是盤坐的盤。」

那老樵子回目望了杜九一眼，搖搖頭，道：「不知道，老夫在此長大，從未聽說過有一處叫盤蛇谷的地方。」

蕭翎道：「鷹揚峰，盤蛇谷，應在一處，老丈不知鷹揚峰，自然是也不知道盤蛇谷了。」

那老人道：「老朽不知道的地方，只怕是很少有人知道了。」

蕭翎正待喝令商八送那老人回去，突見那老人一掌拍在大腿之上，道：「你說的什麼峰啊？」

蕭翎道：「鷹揚峰，飛鷹的鷹……」

那老樵子搖搖頭，道：「音同字不同，老朽又聽錯了。」

蕭翎心中泛起的一抹喜悅，又被澆下了一盆冷水，緩緩說道：「你說的什麼峰呢？」

那老樵子道：「姻緣峰，那峰名由來，是一對男女苦苦相戀，但卻不爲雙方家長所允許，生生把他們拆散，但兩人情愛堅貞，至死不渝，暗中相約出走，卻又爲家人發覺，隨後緊追，兩人逃到了那絕峰頂上……」

蕭翎輕輕歎息一聲，道：「以後呢？那山峰怎會改稱姻緣峰呢？」

老樵子道：「那對青年男女，在雙方族人苦追之下，無路可走，只好攜手跳下懸崖，那面峰壁，聳立如削，下臨絕壑，深達百丈，兩人攜手跳入懸崖，自然是非死不可，雙方族人，眼看這等情形，大都受了感動，分路奔入深谷之中，希望能找到兩人屍體安葬，哪知尋了半日，不但找不到兩人屍體，而且連一點痕跡也找不到……」

他仰起臉來，長長吁一口氣，道：「但雙方族人受了感動，合力在那山峰之上，建築一座廟宇，命名姻緣廟，此事傳出之後，廟中香火，十分鼎盛，凡是想求一個如意伴侶的少年男女，大都到那廟中去祈禱求助，據聞十分靈驗，那峰名也隨著那姻緣廟，改稱作姻緣峰。」

蕭翎心中暗道：鷹揚峰，姻緣峰，盤蛇谷，萬蛇谷，雖然字音有些相同，但卻不會錯得如此厲害，這老人講的，自然是和這圖畫上記載的不同地方了。

啇八似是已瞧出了蕭翎的心意，不等他開口，自行接道：「想那武夷山連綿千里，這位老丈雖然在此住了數十年，但也未必就知千里山勢，小弟先把他送回去吧！」揹起那老人，急步而去。

蕭翎望了杜九一眼，道：「唉！咱們如想找到那鷹揚峰，只怕不是易事了。」

杜九道：「大哥不用焦慮，咱們細心查訪，決無找不到的道理，看圖畫、構意，想那鷹揚峰定是一座十分雄奇的山勢，咱們一路察看探問，是不難找到的。」

談話之間，啇八已匆匆返回，望了蕭翎一眼，欲言又止。

蕭翎知他心中所疑，當下把發現畫中之秘的內情說了一遍。

商八道：「大哥，小弟有幾句話，說出口來，不知當是不當。」
蕭翎道：「你我兄弟，情同手足，不知什麼事，只管說吧！」
商八道：「那遺留禁宮之鑰的武林前輩，定然是一位極工心計的人，數十年來，不知有多少武林高手，苦苦尋找那禁宮之鑰，都無所獲……」
蕭翎點點頭，道：「兄弟說得不錯。」
商八道：「因此，那遺下禁宮之鑰的人，不肯坦然說明那禁宮的所在之地，卻畫了這樣一幅圖畫以作暗示，這其間，自然是別有用心了。」
蕭翎點點頭，道：「他用心何在呢？」
商八道：「考驗那取得禁宮之鑰人的才智，如若那人才智不夠，縱然取得禁宮之鑰，亦是無法入得禁宮。」
蕭翎道：「不錯啊！」
商八道：「大哥才智，本是常人難及，但此刻，卻似心有所思，得失之心很重，而且心急如焚，恨不得一步就踏入禁宮。」
蕭翎心中暗道：我擔心岳姊姊的安危，確實存有著很重的得失之心……」
但聞商八接道：「一個人，如若得失之心太重，那將會失去了判事的智能，所謂貪念一動，靈智立封，大哥如若稍減得失之心，保持冷靜，以大哥的才慧，求解圖中含意，就不難踏入禁宮之門了。」

蕭翎突然肅容而立，抱拳一揖，道：「多謝兄弟良言指教。」

商八急急拜伏於地，道：「兄弟一得之愚，還是大哥所賜。」

蕭翎扶起商八，道：「蕭某何能何德，得兩位兄弟這般的愛顧……」

語聲微微一頓，又道：「此刻，最爲要緊之事，先要設法找到禁宮。」

心念一轉，又把那幅飛鷹戲蛇圖攤在地面，說道：「兩位過來，咱們仔細的研商一下。」

商八仔細瞧了一陣，突然舉起手中圖畫，映著日光瞧了一陣，道：「小弟之見，決不會如此簡單，如若那鷹爪之下寫的地名，就是禁宮所在，那未免太簡單了。」

蕭翎道：「兄弟之意呢？」

商八道：「小弟的看法，不是這圖畫之中另行藏有隱秘，就是那六字之中，別有含意。」

蕭翎凝目思索一陣，道：「兄弟，再去把那老樵夫請來。」

商八道：「請他作甚？」

蕭翎道：「咱們先到姻緣峰上瞧瞧。」

商八道：「姻緣峰兩面都是絕壑，一面臨萬蛇谷，一面就是那年輕男女葬身懸崖了。」

蕭翎道：「怎麼？那萬蛇谷，就在姻緣峰下嗎？」

商八道：「不錯，兄弟已經問過了。」

蕭翎道：「不知距此有多遠行程？」

商八道：「不足百里。」

蕭翎道：「好！兄弟去請來那老丈帶路。」
啇八道：「不用了，小弟已然問得十分明白，牢記於胸中。」
蕭翎心中暗道：不論那姻緣峰，是否就是那鷹揚峰，去瞧瞧總是無妨。
心念一轉，緩緩說道：「咱們急趕一陣，也許在天色入夜之前，可以趕到。」
啇八道：「小弟帶路。」轉身向前奔去。
蕭翎、杜九緊隨啇八身後而行。
啇八似是已從那老樵子處，問得了極爲詳盡的道路，一路上奔行如飛。
三人輕功，都是武林中第一流的身手，雖然山道崎嶇，但三人行來，卻如奔馬流矢一般。

半日急奔，到太陽下山時分，已到了一座高峰之下。
啇八指著那矗立在眼前的高峰，說：「如若我沒有記錯，這就是姻緣峰了。」
這時，正是夕陽下山時分，西方天際，幻起了一片晚霞。
一抹落日餘暉照射在峰頂之上。
蕭翎凝聚目力望去，隱隱可見那峰頂之上，金碧輝映，似是一座建築得極爲豪華的廟宇。
啇八道：「據老樵子說，這姻緣廟的香火愈來愈是興盛，常有人在廟前徘徊終宵，不肯離去，因而有人在那姻緣廟的周圍搭蓋起了幾座雅室，以備留戀於姻緣廟周圍之人留宿之用。」
蕭翎道：「咱們上去瞧瞧吧！」

商八道：「咱們連日奔走，如果能在那姻緣峰上休息一夜，也好養養精神……」

他似乎是言未盡意，但卻突然住口不言，舉步向山峰之上奔去。

蕭翎、杜九，緊隨在商八身後，登上峰頂。

這是座突起孤立的山峰，三面都臨著深不可測的絕壑，只有來路一條通上此峰。

這時，落日已沉，餘暉未盡，蕭翎環顧了四周一眼，心中暗暗忖道：如若這座高峰前有去路，那一對青年男女也不會跳入深谷殉情而死，自然也不會有這一座姻緣廟了。

這座廟規模很小，除了一座大殿之外，兩側各有一間廂房，一個六十左右的香火道人，站在大殿神像一側。

供桌前拜墊上，跪伏著一個黑衣人。

整個的姻緣峰頂，也不過畝許大小，除了姻緣廟矗立在峰頂正中之外，在那山峰的四周，果然另有著兩座青石爲壁、茅草作頂的房舍，酒招高挑，燈火高燒，看起來比這姻緣廟還要大上許多。

蕭翎打量四周峰面景物後，緩緩說道：「咱們既然來到這姻緣峰上，也該進去瞧瞧。」

也不待商八、杜九等答話，舉步向姻緣廟中行去。

商八挺著便便大腹，當先而入。

那香火道人望了商八一眼，迎了上來，笑道：「大老闆，這姻緣二神，不止是男女姻緣之事，諸凡求福求壽，無不靈驗。」

商八伸手從懷中摸出一片金葉子丟在供箱中，也不理那香火道人，抬頭打量那兩個神像。

這姻緣廟的神像，大異於普通的廟院，只有一男一女，兩座塑像。

那男的一身短裝，赤著雙足，面目英俊，女的身著綠色短衫，腰繫綠色長裙。

蕭翎點點頭，讚道：「這神像不知何人所塑，竟保存了山村間純樸面目。」

那跪在拜墊上的黑衣人，聽得幾人談話之聲，悄然站起，目光一掠蕭翎和商八，側身向外行去。

她如能從容而去，蕭翎不留心瞧她，也許她還可神不知鬼不覺地退出廟外，但她這慌張舉動，立時引起蕭翎的注意，也使中州二賈動了疑心。

杜九忽然一個踉蹌，向前一探身軀，正巧攔住了黑衣人的去路。

那黑衣人動作極快，陡然收住腳步。

橫跨三尺，繞過了杜九向廟外行去。

哪知商八早已有了戒備，看她繞過杜九的快速身法，立時右臂一伸，堵住那黑衣人去路。

這座廟門雖然很寬，但杜九擋了一半，商八挺著個大肚子，加上那伸出的右臂，又堵住另一半，那黑衣女子，除了出手逼開商八之外，只有停下腳步。

只見她右手一抬，食、中二指駢點而出，直指向商八脈門。

商八右腕一挫，避開一擊，五指一翻，疾向那黑衣女子右腕上反扣過去。

蕭翎低聲喝道：「快讓開路！」

原來，他已經瞧出來人，正是當初在歸州城中，看到的那位面目嚴肅的少女，此女一直追隨在八手神龍端木正的身側，寸步不離，想她決然不會一人在此，那八手神龍端木正定然也在這姻緣峰上了。

商八聽得蕭翎呼叫之言，立時縱身讓避開去，那黑衣女子行動矯健，借勢一側嬌軀，快速無倫地衝出了廟門。

這時，姻緣廟外，已爲夜色籠罩，只見她縱身兩個飛躍，人已消失不見。

商八站在廟門口處，四下瞧看，竟然未瞧到她奔向何處。

但聞蕭翎低聲說道：「不要瞧了！」

商八回過頭來，說道：「大哥認識她嗎？」

蕭翎道：「似是常和八手神龍端木正在一起的那位姑娘。」

商八一拍大腿，道：「不錯，正是那位姑娘！那丫頭既然會在此地出現，也許那八手神龍端木正也在這裏，咱們去找那八手神龍說話去。」

杜九道：「昔年，他們對大哥有所誤會，認你已投靠百花山莊，此刻，大哥和沈木風作對，天下有誰不知，這丫頭對大哥毫不敬重，必得問那端木正一個教子不嚴之罪。」

蕭翎向杜九道：「算了，人家和咱們素無淵源，爲什麼要敬重咱們呢？」

杜九還待爭辯，卻被商八以目示意，阻止他再說下去。

那香火道人似是見慣了爭吵、打架的事，又似深知明哲保身之道，連望也不望三人一眼。

商八低聲說道：「咱們今宵可要留住在姻緣峰上？」

蕭翎正待答話，突聞一個清冷的聲音，應道：「留下最好。」

這話來得太過突然，蕭翎、中州二賈，全都聽得一怔。

杜九冷冷喝道：「什麼人？」

只聽那清冷的聲音應道：「我！」

一個面目姣好的矮瘦青衣少年緩步走了進來。

商八瞧了來人一眼，只覺他秀逸有餘，英挺不足，缺乏男子氣概。

當下說道：「咱們兄弟談話，和閣下無關，閣下爲何接口？」

那青衣少年不理商八的問話，兩道清澈的眼神，盯注在蕭翎臉上，說道：「你跑到這姻緣峰來，爲了什麼？」

這口氣儼如老友重逢，責問中充滿著關懷之意。

蕭翎打量了那青衣書生一眼，怎麼也想不起來，在哪裏見過這樣一位人物，當下說道：「閣下是誰？」

那青衣少年，神態淒然，緩緩說道：「你當真不認識我了？」

忽然舉手一推，脫下了頭上的包頭青巾，露出了一頭秀髮。

蕭翎凝目望去，突然失聲叫道：「你是百里姑娘！」

來人突然用手掩面，低聲說道：「找得我好苦啊！」

商八、杜九相互望了一眼，悄然行出廟外。

那位老於世故的香火老人，突然一敲銅鐘，低聲吟道：「有緣千里來相見，無緣對面不相逢，心誠則靈。」

蕭翎急步行了過去，道：「姑娘怎會到了此地？」

來人正是北天尊者之女，北海公主百里冰。

百里冰緩緩道：「我千里追蹤，尋你到此。」

蕭翎心中奇道：我到姻緣峰來，只是偶生動機，到了此地，你怎會料斷得如此正確？心中念轉，口裏卻說道：「姑娘幾時到了此地？」

百里冰道：「正午時分……」

語聲微微一頓，接道：「我心中有很多事要問你。」

蕭翎道：「此地不是談話之處，咱們先找一處可容身之地。」

百里冰接道：「我已在這姻緣峰頂訂了一處客舍。」

蕭翎道：「咱們還有兩位兄弟同來。」

百里冰道：「不要緊，那店中還有空房，我替你帶路了。」轉過身去，戴上了包頭方巾。

蕭翎突然感覺到這位嬌生慣養的北海公主，似是成熟了很多，也長大了很多，短短數月，有如長了幾年一般。

十二　倩女乍現

這百里冰已然舉步出廟，向前行去。

蕭翎緊隨出廟，流目四顧，哪裏還有中州二賈的影子，心中奇道：這兩人跑到哪裏去了？待要出口呼叫，話到口邊，又突然嚥了下去。

百里冰步履快速，直行向正南方一座茅舍中去。

蕭翎只好加快腳步，隨她行入店中，這等客店，目的只在供客人一個可避風雨的所在，自然是談不上什麼良好招待。

蕭翎行入店中，也無人過來招待，隨著百里冰，直入店後一間客屋之中。

室中早已燃起了一支火燭，那面目嚴肅，難得一現笑容的黑衣女子，竟然已先在室中。

蕭翎心中大奇，忖道：好啊！這兩人怎會走在一起了？

百里冰回顧蕭翎一眼，道：「你們早認識了？」

蕭翎忖道：見是見過幾次，卻是未曾交談。

拱手一禮，說道：「端木老前輩沒有同來嗎？」

那黑衣女子低垂臻首，應道：「家師嗎？受了人的暗算，多虧這位百里姑娘搭救，得免於難。」

蕭翎忖道：原來，兩人是這樣相識的。

口中應道：「端木老前輩的傷勢如何？」

那黑衣女子仍是垂首，應道：「多謝蕭大俠的關懷，家師在百里姑娘的靈丹神效之下，已然不妨事了。」

她兩番和蕭翎對話，始終未曾抬頭。

百里冰突然接口說道：「那端木老前輩傷勢雖已無礙，但仍需靜養，他見我一人孤苦伶仃，奔走江湖，特地遣了端木姑娘陪我。」

蕭翎心中暗道：她口口聲聲稱那端木正爲家師，怎麼自己也姓端木呢？

心中雖然懷疑，但卻沒有追問。

百里冰說完了幾句話之後，雙目一直望著蕭翎等他開口，哪知蕭翎只顧想心事，忘記開口。百里冰久久不聞蕭翎回答之言，忍不住冷哼一聲，道：「你怎麼不說話呀？至少你也該問問我，這些日子是怎麼過的！」

蕭翎輕輕歎息一聲，道：「姑娘爲了相救在下，不能見容於門規，但令尊爲姑娘，悲慟萬分，目下正在苦苦追尋姑娘下落。」

百里冰望了黑衣女子一眼，欲語還休，緩緩坐了下去。

那黑衣女子十分聰慧，低聲說道：「兩位談談，我去替兩位準備點吃、喝之物。」話完，人已走得蹤影不見。

這時，室中只餘下百里冰和蕭翎兩個人。

百里冰兩道明亮的眼睛，一直盯注在蕭翎臉上，似是想在蕭翎的臉上，找尋些什麼出來。

蕭翎被她看得有些不安，正待出言相詢，突見那百里冰雙手蒙臉，撲倒木榻上，嗚嗚咽咽地哭了起來。

蕭翎呆了一呆，緩步走近木榻，沉聲說道：「姑娘，你爲我蕭翎出走，在下並非不知……」

百里冰哭道：「我從小在冰宮之中長大，一呼百諾，從人無數，如今一個人在江湖之上奔走，孤苦伶仃，連一個照顧我的人也沒有了。」

她自小嬌生慣養，受盡寵愛，想到爲追尋蕭翎，離開那僕從如雲、養尊處優的生活，孤騎千里，跋涉風塵，日日夜夜想見蕭翎，哪知見到了，也不過如此而已，只覺一陣傷心之情泛上心頭，不禁悲從中來。

蕭翎道：「姑娘所受之苦，在下亦曾想到，不過在下……」

百里冰突然坐了起來，一拭臉上淚痕，說道：「你到此地作什麼來？」

她稚氣未除，想哭就哭，要笑就笑，臉上淚痕未乾，嘴角間已見笑容。

蕭翎正想回答，那百里冰又搶先接道：「你到這姻緣峰來，可是找我嗎？」

蕭翎心中暗道：我怎會知道你在此地？

但見她臉上滿是渴望之色，只好硬著頭皮說道：「不錯，正是來找姑娘。」

百里冰嗤的一笑，道：「這麼說來，你是很想念我了？」

語聲微微一頓，又道：「我雖然吃了很多苦頭，但一個人在江湖上行走，爲所欲爲，也有快樂。」

蕭翎心中暗道：她誤認我找她而來，才會這般快樂，看來，是不能揭穿內情了。

心中念轉，口裏卻問道：「姑娘跑到此地作甚？」

百里冰笑道：「我聽人說，這姻緣峰頂姻緣廟專管人間姻緣大事，特地趕來，許個心願，果然在這裏遇上了你……」

她似是自知說得太過露骨，粉頰一紅，垂下頭去。

蕭翎心中一凜，暗道：我一句慰藉之言，能使她歡顏頓展，一句冷漠之言，能使她哭哭啼啼，這麼看來，她對我的情意，實是很深了，這將如何是好？

只覺一股煩惱泛上心頭，劍眉愁鎖，沉思不語。

百里冰緩步下榻，倒了一碗香茗，送了過來，柔聲說道：「我未見你之前，常常想見你之後，一定要噓寒問暖，讓你感覺到，只有和我在一起才有快樂，唉！想不到見你面後，竟然會和你賭起氣來，連茶也忘記給你倒了。」

說完，雙手捧碗，遞向蕭翎。

這一番話，天真未鑿，童心猶存，沒有矯柔做作，是那麼坦白真誠，動人心弦。

蕭翎只覺似被人在前胸之上，重重擊了一拳般，心神皆震，心中暗道：此女說話，如此露骨，毫無保留，日後要怎樣對她才好……

但聞百里冰嬌脆的聲音說道：「你翻山越嶺，跋涉千里而來，口中定然很渴了。」

蕭翎接過香茗，喝了一口，笑道：「姑娘……」

百里冰眨動了一下圓圓的眼睛，接道：「你叫我姑娘，感覺不好，這等稱呼，豈不是越叫越遠了嗎？」

百里冰凝目思索片刻，道：「我在北海之時，父王、母后，都喚我冰兒，你也這般叫我好嗎？」

蕭翎暗暗歎息一聲，忖道：我要設法勸她回去才好。

心中暗打主意，口裏卻叫道：「冰兒。」

百里冰嫣然一笑，道：「唉！你叫我冰兒，那我要如何稱呼你呢？你比我大兩歲，那我就叫你大哥吧！」

突然手舞足蹈，就在燭火下跳起舞來。

蕭翎看她高興之情，已入渾然忘我之境，不禁為之一呆。

百里冰跳了一陣後，突然停了下來，說道：「大哥！我想到一件事了，咱們去那姻緣廟中還個願吧！」

蕭翎道：「還什麼願？」

百里冰道：「我在那姻緣廟中許下了心願，能夠見到大哥之面，就再去廟中還願。」

蕭翎心中暗道：她許下的心願，難道要我一起去還嗎？

心中雖有此想，但卻不忍說出口來。

百里冰伸出纖纖玉手，拉著蕭翎，說道：「大哥陪我去吧！那姻緣廟中的神果然是靈驗得很。」

蕭翎不忍拒絕，只好站起身子，說道：「好。」舉步向外行去。

百里冰滿臉歡笑，緊隨在蕭翎身後，向外行去。

兩人行到廟門之前，只見那香火道人，已然準備跨出廟外，眼看兩人並肩行來，又緩緩退了回去。

百里冰首先奔到那神墊之上，雙膝跪了下去，口中喃喃自語，也不知她說些什麼？

蕭翎呆呆地站在一側，望著那一對村男、村女的神像出神。

百里冰祈禱已畢，回頭看去，只見蕭翎仍然站著不動。

伸手拉了一下，道：「大哥呀，你怎麼不跪下來謝謝這姻緣神呢？」

蕭翎本來不想跪下，但見那百里冰滿臉渴望之色，只好緩緩跪了下去。

百里冰滿臉歡喜，叩拜過神像，站起身來，伸手拉了蕭翎一把，道：「大哥，咱們回去啦。」

蕭翎如夢初醒般，緩緩站起了身子，道：「咱們要回去嗎？」

百里冰臉上的歡愉之容突然間斂失不見，她舉手理一下散亂的長髮，輕輕地歎息一聲，接道：「大哥！你可知道我剛在神前許下的是什麼心願嗎？」

蕭翎道：「不知道。」

百里冰道：「我在神前，許下心願，今後要追隨大哥身側，永不離開。」

蕭翎吃了一驚，道：「令尊盡出冰宮高手，追尋你的行蹤，你如和我常在一起，豈不叫令尊焦慮、掛念嗎？」

百里冰雖然稚氣猶存，但為人卻十分聰慧，略一沉吟，道：「你可是怕我跟著你拖累了你？」

蕭翎心中暗道：那北天尊者武功高強，手下高手甚多，現在，他已移恨於我，如若被他查出你和我走在一起，那當真是跳入黃河也洗不清了。

他心裏一直惦念著那岳小釵的安危，念念想入禁宮，對百里冰那柔情蜜意，竟然是渾如不覺。

百里冰看蕭翎一直沉吟不語，嬌媚一笑，道：「我明白了！」

蕭翎道：「你明白什麼？」

百里冰道：「你忌憚我爹爹知曉我和你走在一起，引起誤會，是嗎？」

蕭翎沉吟了一陣，道：「這雖是原因之一，但最重要的還是令尊、令堂，久不見你歸去，定然懷念甚切，姑娘豈不是成了不孝之人了嗎？」

百里冰一蹙柳眉兒，道：「大哥好像很討厭我，千方百計的要把我趕走，是嗎？」

蕭翎搖搖頭，歎道：「除了令尊、令堂懷念於你之外，爲兄此次來這武夷山中另有所圖，實不便帶你同行。」

百里冰道：「什麼事，能講給我聽聽嗎？」

蕭翎看她神情淒傷，泫然欲位，心中大感不忍，望了那香火道人一眼，低聲說道：「冰兒，咱們出去談吧！」舉步向外行去。

百里冰隨在蕭翎身後，出了姻緣廟，信步向前行去。

百里冰四下瞧了一陣，說道：「大哥可以說了，此地四外無人。」

蕭翎道：「冰兒，你聽到過禁宮的故事嗎？」

百里冰道：「好像聽我爹爹說過。」

蕭翎道：「這就是了，我不能帶你同行，是因爲我要到禁宮中去……」

頓了一頓，接道：「中原武林中人，大都嚮往禁宮之秘，如果聽到此訊，必將群相來襲，未進禁宮之前，已然步步殺機，何況那禁宮之中又機關處處，凶險萬分，一個失錯，就有性命之憂，小兄此去生死難卜，如何能帶你同去。」

百里冰神色嚴肅，一字一句地說道：「這麼說來，我更不能離開你了！想那禁宮之中，既是凶險百出，豈能讓你一人涉險，我要在身邊……」

蕭翎道：「冰兒，這事與你無干無涉，你爲什麼要蹚這渾水？」

百里冰道：「可是大哥和我有關啊！」

清澈的雙目中滿含淚光，接道：「你想，我一個單身女孩，孤騎千里，天涯奔走，那是爲了什麼？」

蕭翎道：「爲了追尋於我。」

百里冰道：「這就是啦！我好不容易找到了你，你卻要攆我回去，我還有何顏見人，有何顏立足人世。」

蕭翎道：「這個……這個……」

百里冰接道：「我雖然生長在冰天雪地之中，但卻讀過很多中原經書，大哥一定要把我看成低三下四的女子，瞧我不起……」

蕭翎還未來得及接口，百里冰突然放腿向前奔去。

蕭翎隨後急追，片刻間到了懸崖邊緣。

蕭翎看她奔行之勢，大有直撲下絕壑之概，不禁心中大驚，急道：「冰兒，不要胡鬧。」

百里冰叫道：「你先站住。」

蕭翎不敢再追，依言停下腳步。

百里冰站在懸崖邊緣，緩緩說道：「大哥，你可知道這姻緣廟的故事嗎？」

蕭翎道：「聽一位樵子談過。」

百里冰道：「這條絕谷，就是那一對情侶躍落葬身之地，我如撲入此谷一死，那姻緣廟中，也許加上我一座塑像，只不過沒有大哥在一旁相陪罷了。」

蕭翎心中大急，暗道：此女稚氣未除，羞急之下，也許會真的跳下懸崖，那可真是一樁終生大憾的事，此事萬萬大意不得。

當下說道：「冰兒，快回來，不要胡鬧了。」

百里冰搖搖頭，道：「我不是胡鬧，我對大哥講的話，每一句每一字都很認真，我已在神前許下了心願，如是大哥不肯帶我同行，我只有跳下懸崖以明心跡。」

聲音悽楚，聽得人黯然神傷。

蕭翎看她一腳懸空，夜風中衣袂飄飄，心中不禁大急，不假思索地說道：「快回來，我帶著你去就是。」

百里冰一躍而起，撲到蕭翎身前，破涕爲笑，道：「當真嗎？」

她忽哭忽笑，變化迅快，一派天真無邪之態。

蕭翎話已出口，無法更改，只好點頭說道：「自然是當真了，不過我要和你約法三章，不許無故鬧事，處處要聽我之命，要是犯了約法，我就不再帶你同行。」

在蕭翎想來，她自幼在父母嬌寵之下長大，一呼百諾，平日裏頤指氣使慣了，這等約法，決是難以接受。

哪知事情竟然大出了蕭翎意料之外，百里冰竟是滿臉笑容地說道：「我自然要聽大哥的話了。」

語聲微微一頓，又道：「大哥要幾時動身？」

蕭翎道：「至遲明日清晨。」

百里冰嫣然一笑，道：「我先去整理行裝，大哥幾時動身，招呼我一聲就是。」不再多言，轉身直奔店中。

蕭翎目注百里冰背影消失之後，心中泛升起一股莫名的煩惱，仰天長歎一聲，信步行向懸崖邊緣，在一塊大石上坐了下來。

此時，夜色已深，絕峰上山風凜冽，探首一望，只見絕壑中一片黑暗，深不見底，心中暗暗忖道：這絕壑深不可測，縱然一身上乘輕功的人，跌了下去，也要粉身碎骨，何況那一對村男、村女了，兩人生前雖然不能結爲夫婦，死後爲人奉作神明，築廟塑像，香火不絕，且有人不辭千里來此進香，那也算死的值得了。

忖思之間，忽見那黑暗的深谷之中閃起一點綠光，在谷底移動，足足有一盞熱茶工夫之久，才消失不見。

如是平常，看到那浮動的綠光，一定以爲自己看花了眼，或是認作山魅鬼火，但蕭翎目力過人，心中算計那綠光移動的速度，頗似一個人手執著燈籠，在谷底行走……

蕭翎心中警覺，故作不知，暗中提聚真氣，疾快地轉過身子。

只見啇八、杜九，並肩行了過來。
蕭翎急道：「你們來得正好，我發現這峰下絕壑中，有一樁十分可疑的事。」
啇八、杜九急急行了過來，探首向下望去，但見峰下絕壑一片黑暗，瞧不見一點可疑之處。
杜九暗裏一皺眉頭，道：「大哥，瞧到了什麼可疑的事，小弟眼拙，怎麼一點也瞧不出來。」
蕭翎道：「一點綠光，隱失不見了。」
啇八道：「什麼綠光？」
蕭翎正待答話，那谷底綠光，又再出現，緩緩移動，急急說道：「兩位兄弟快些看吧！」
啇八、杜九凝目望去，果見一點綠光在谷底移動，良久才消失不見。
蕭翎道：「瞧到了嗎？」
啇八道：「瞧到了。」
蕭翎道：「兩位兄弟見多識廣，可知那是什麼緣故嗎？」
啇八沉吟了一陣，道：「小弟一向不信神鬼之說，因而不信那谷底綠光就是傳說中的鬼火。」
蕭翎道：「小兄的恩師，胸羅奇博，曾經和小兄解說過磷火，不過，就那綠光穩定，和移動情形而論，決然不是磷火。」

商八道：「大哥之意，可是說那谷底綠光是人力所爲嗎？」

蕭翎道：「如是一個人，執著綠綾糊製的燈籠在谷底行走，咱們站在百丈高峰之上，遙遙望去，也只能瞧到一點綠光。」

商八點點頭，道：「不錯，大哥卓見。」

杜九接著道：「也許那谷底住的有人？」

蕭翎道：「關鍵也就在此了，如若那絕壑住的有人，此事就不足爲奇，如是未曾住人，其間就大有文章了。」

杜九道：「什麼文章呢？」

蕭翎道：「這面懸崖，就是那村男、村女攜手殉情的絕壑，兩位兄弟，如若還記得那老樵子的話，當時曾有多人下谷，尋找兩人的屍體，不但屍骨不見，而且連一點痕跡也未瞧到。」

商八道：「不錯，如說兩人摔得粉身碎骨，那也不會找不出一點痕跡。」

杜九道：「會不會在兩人摔谷之時，爲懸崖中的軟籐突樹所攔，未跌入谷底？」

蕭翎道：「那谷中就算住的有人，爲何要執著綠色的燈籠呢？是否因爲那綠色燈火，易爲人誤爲磷火，不致引起人的疑心。」

商八道：「大哥推論有理，有如抽絲剝繭，這確實是椿可疑事。」

杜九凝目望去，只見那谷底綠光突然停了下來，一刻工夫之後，又消失不見。

蕭翎低聲向杜九說道：「杜兄弟，像不像一個人，提著綠色的燈籠，在一座房舍前面停了下來，叫開了房門，走了進去？」
杜九道：「有些像。」
蕭翎道：「如若咱們今夜之中，能夠下入谷中瞧瞧，那就不耽誤明天趕路了。」
談話之間，商八已拖著那香火道人一齊趕來。
那香火道人，大約是在夢中被商八拖了起來，仍然是睡眼矇矓。
商八一直把他拖到蕭翎身前，停了下來。
蕭翎望了那香火道人一眼，緩緩說道：「兄台在這裏住了很久嗎？」
香火道人應道：「修這姻緣廟時，小的就在此地了。」
蕭翎道：「這麼說來，你對此地的一切事物，都很熟悉了。」
香火道人道：「一草一木，無不熟悉。」
蕭翎道：「那很好，我要請教兄台幾件事。」
探首望著懸崖，道：「這山谷之中，住的有人嗎？」
這人微微一怔，道：「諸位到這姻緣廟來，可曾聽到這姻緣廟的故事嗎？」
杜九冷冷說道：「咱們大哥問這山谷中是否住的有人，並沒有問你這姻緣廟的故事。」
那香火道人聽到杜九冰冷的聲音，心中就有點發毛，當下說道：「這谷底之中，陰濕酷寒，毒物出沒，自然是沒有人住了。」
蕭翎拱拱手，道：「多謝指教，驚擾兄台清夢，在下這裏謝罪了。」

那香火道人聽到蕭翎放他回去，那是如獲大赦一般，來不及對蕭翎道謝還禮，轉身而去。

蕭翎眼看那香火道人去遠，低聲對商八、杜九道：「兩位兄弟聽到了？我想入谷底瞧瞧，也許咱們會有意外的發現。」

商八道：「好！待天亮之後，咱們就下谷底看看。」

蕭翎道：「小兄想現在就下去看看！也許這谷底沒有什麼可疑事物，那閃動的綠光，是堆積的獸骨生出的磷火……」

他抬頭望望天色，接道：「如若咱們此刻下入谷底，天亮之前，當可重回峰頂，那就不耽誤咱們的時間了。」

商八道：「大哥，不是小弟持重，這座深谷，十分險惡，咱們路徑不熟，深谷之中，要下去只怕不大方便。」

蕭翎微微一笑，道：「不要緊，小兄已想到了一個下谷之法。」

商八道：「大哥想如何下去？」

蕭翎道：「適才小兄隨那百里姑娘進入一座客棧，看那客棧，堆積了甚多草繩，兩位兄弟請在峰上執繩，小兄垂索而下，那就不用找下山之路了。」

商八怔了一怔，道：「這個，太冒險了！」

蕭翎道：「小兄心意已決，兩位兄弟不用勸了，我去取草繩。」說完便轉身而去。

中州二賈看蕭翎神色堅定，知他心意已定，萬難更改，只好默然不語。

蕭翎動作迅快，不大工夫，抱了兩大捆草繩行來，放下繩索，目光一掠中州二賈，道：「小兄的看法，這兩捆草繩的長度，足以探到谷底。」

商八接道：「大哥乃目前江湖正義的標幟，豈可涉險，不如由小弟代大哥一行如何？」

蕭翎道：「不用了，還是小兄下去瞧瞧。」

一面說話，一面抖開草繩。

商八望了杜九一眼，道：「既是大哥決定了，小弟也不便多勸啦。」

蕭翎似是心中很急，把索繩繫在腰中，說道：「空谷傳音，如是小兄需要兩位兄弟下谷相助，那就長嘯三聲爲號。」

也不待商八、杜九再行答話，縱身向谷底落去。

商八抓住繩索，緩緩向下放去，一面仔細查看繩索間有不牢之處，就重新接過，小心翼翼，謹慎無比。

且說蕭翎提聚真氣，雙手都戴上了千年蛟皮手套，沿著峭壁而下，只見石壁光滑，大都已長滿了苔綠，心中暗暗驚駭道：這峭壁如此光滑陡峭，縱有第一流的輕功，也是無法施展。

忖思之間，右足突然觸到了一個輕柔之物。

他此時江湖經驗大增，一觸之下，立時警覺到不是樹葉、草叢，當下雙手疾握繩索，疾快地上升三尺。

那商八更是經驗老到，覺出手中繩索突然一緊，心知蕭翎遇上了變故，不再下放繩索。

蕭翎升高數尺，探首向下望去，只見一個突出的大石之上，盤坐著一個人。

這意外的發現，使蕭翎心頭大震，呆了一呆，問道：「什麼人？」

哪知一連喝問了數聲，竟然不聞回應之言。

蕭翎心中感覺奇怪，暗道：難道這人死了嗎？但看他盤坐姿態，又不像死去。

當下接道：「閣下是死人還是活人？」

果然，這句話發生了很大的效用，只聽一個微帶怒意的聲音應道：「老夫如是死人，哪裏還會坐在這裏。」

蕭翎心中想道：你既是活人，怎麼我一連問你數聲，就不聞相應之言。

口中卻應道：「閣下在此作甚？」

那人說了一句話後，竟是不再接口。

蕭翎一皺眉頭，暗道：此人跑到這等上不靠天、下不著地的峭壁之間，盤膝坐在一塊突石之上，如無上乘武功，決難及此，這一份過人膽氣，也足以使人敬佩了。

輕輕咳了一聲，又道：「在下想借兄台盤坐的突石之上，停息一下，不知兄台是否應允？」

那人應道：「這山石又非我所有，願否停息，是你自己的事，與區區何干？」

蕭翎心中暗道：這人答覆倒是乾脆得很。

一面暗中運氣，防人施襲，一面緩緩向下落去。

這塊突岩，不過四尺寬窄，突出在峭壁之間，那人盤坐中間，佔去二尺大小，左右兩側，各餘一尺左右，如若他突起施襲，極是難防，是以蕭翎落足十分小心，直待雙足在石上站穩之後，才鬆開手中索繩。

凝目望去，只見那人緊閉雙目，胸前起伏甚烈，似是在運氣療傷一般，心中奇道：這人怎會跑到這等所在，坐息療傷？當下說道：「朋友可是在療傷麼？」

這時，天上星光閃爍，可清晰的瞧見那人面貌。

只見他頭包青巾，方面大耳，頷下留著短鬚，根根見肉，神態極是威猛。

他療傷似是正值緊要關頭，蕭翎落上突岩，他一直未睜眼望過蕭翎一次。

突然間，那大漢全身開始劇烈的顫動，臉上汗水滾滾而下。

蕭翎一看，已知他面臨重要關頭，一股真氣無法衝過受傷的經脈，當下伸出右手，說道：「在下不知兄臺在此療傷，出言驚擾，理該相助一臂之力以便謝罪。」

右掌輕輕按在那大漢前胸之上。

他內功精深，掌勢一和那人前胸相觸，內力泉湧而出，一股熱流，攻入那人內腑，助他打通傷穴，只見那大漢顫動的身軀，逐漸停了下來，汗水也逐漸消去。

蕭翎知他傷穴已通，險關已過，緩緩拿開右手。

那大漢緩緩睜開眼睛，瞧了蕭翎一眼，道：「多謝相助。」

蕭翎微微一笑，道：「不用了，如非在下驚擾，也許兄臺早已療好傷勢，用不到在下相助了。」

他這段江湖歷練，雖然時日不長，但增長見聞甚多，心知武林中人，大都好名之心甚強，是以，不但不自居功，而且言來委婉至極。

那大漢雙目一瞪，上下打量了蕭翎一陣，緩緩說道：「你來此作甚？」

蕭翎應道：「在下發覺谷底中有些可疑事物，動了好奇之心，因此想入谷底瞧瞧。」

那大漢抬頭看了蕭翎垂下的繩索一眼，道：「朋友垂索而下，峰上還有同伴了？」

蕭翎道：「不錯，閣下只有一個人嗎？」

那大漢道：「兩個，不過，現在只有一個了。」

蕭翎道：「貴友呢？」

那大漢道：「死了！」

蕭翎道：「屍體呢？」

那大漢道：「棄在谷底，如是他們知道我還有活命之望，決然不會放過在下了！」

蕭翎心中暗道：看起來，這谷底之中，確實潛伏有武林高人，看樣子這人似是知曉不少內情，得想法子問出一些才成。

當下說道：「兄台貴姓啊？」

那大漢沉吟了一陣，道：「在下段文升。」

蕭翎一抱拳，道：「原來是段兄。」

段文升還了一禮，道：「請教兄台？」

蕭翎道：「在下蕭翎。」

段文升揉揉眼，道：「閣下就是那名揚武林的蕭大俠嗎？」

蕭翎道：「不敢當，區區蕭翎。」

段文升道：「蕭大俠來此荒山，定是爲找尋禁宮。」

蕭翎聽得心中一動，道：「不錯，段兄怎知區區來意？」

段文升道：「蕭大俠血戰百花山莊，大破五龍陣，抵拒那沈木風，江湖正義，賴以爲繼，天下武林同道，人人尊慕敬仰，武林中波譎雲詭，變化正大，如若不是爲尋找禁宮這等大事，蕭大俠怎能抽暇到此！」

蕭翎心中暗道：話雖是說得不錯，不過，你一開口，就猜到了我要尋找禁宮，而且語氣肯定，毫無試探之意，豈是憑藉猜想作此斷言。

但覺腦際間靈光連閃，立時微笑說道：「段兄不錯啊！竟然比兄弟早到了一步。」

段文升搖搖頭，道：「可是有人比在下早到了數月之久。」

蕭翎心中忖道：難道那鷹揚峰、盤蛇谷都在這附近？難道那姻緣二字，就是這鷹揚的諧音不成？

心中念轉，口裏卻說道：「據在下所知，那禁宮之鑰，尚未出現江湖，怎麼會有人知道那禁宮在此呢？」

段文升笑道：「蕭大俠又怎知禁宮在此呢？」

蕭翎忖道：此人的話語，倒是犀利得很。

略一沉吟，應道：「在下受一位名人指教而來。」

段文升道：「這就是了，那人既然可指教蕭大俠來此尋找禁宮，自然是也可以指示別人來此了，兄弟就是受人指教而來。」

蕭翎暗道：好啊！我不過是隨口編造一個理由，想不到竟然確有其事。

於是輕輕咳了一聲，接道：「段兄，可否告訴兄弟，受何人指教到此？」

段文升道：「如是別人問，在下決然不言，但你蕭大俠相問，在下是不能不說了……」

仰臉望天，思索了一陣，說道：「在下和一位義結金蘭的兄弟，三日前在十里外一道山澗旁，救了一個受傷的人，那時，傷者已經是奄奄待斃，在下和那位兄弟傾盡所帶靈丹，仍然沒救活他的性命，但他卻一度清醒……」

蕭翎道：「那人告訴了你們，禁宮在此嗎？」

段文升道：「不錯，他傷勢太重，只說了一句話，就氣絕而逝了……」

蕭翎道：「說的什麼？」

段文升雙目圓睜，盯注在蕭翎臉上，道：「你真是蕭大俠嗎？」

蕭翎道：「大丈夫行不更名，在下確是蕭翎。」

段文升道：「你真是蕭大俠，在下自然是可以直言奉告了，那人說，姻緣峰下是禁宮。」

蕭翎道：「那人還說了什麼？」

段文升道：「說完這一句話，人就氣絕而逝。」

蕭翎略一沉吟，道：「兩位可曾聽得清楚嗎？須知差之毫釐，謬之千里，譬如那人說鷹揚峰，兩位聽成了姻緣峰，音同字不同。」

段文升搖搖頭，道：「錯不了，在下和那義弟聽得清清楚楚，當時我們還有些不信，埋葬了那人屍體之後，突然想到，無論如何，趕來姻緣峰上瞧瞧，總是不會有錯。」

蕭翎又道：「又怎知是在這山谷之中呢？」

段文升道：「我們趕來此地，四下查看，始終覺不出有何可疑之處，直到天色入夜之後，發覺這谷底中有綠光閃動，如若沒有那人之言，在下兄弟，也不會想到可疑，聽了那人之話，心中早有準備，見到那綠色光焰，就引起心中之疑，天亮之後，就尋路下入谷底。」

蕭翎道：「兩位入谷之後，就被人暗施毒手打傷？」

段文升道：「不是，這絕谷連綿長達數十里，那下谷之路，亦遠在數十里外，我們費了近一日的工夫，才找到下谷之路，沿山谷行到這姻緣峰下，已經是暮色蒼茫時分，幽谷早暗，已然無法瞧清谷中景物了。」

蕭翎道：「那就是今天晚上了。」

段文升道：「不錯，就是今天晚上。」

蕭翎心中暗道：和他談了半天還未談入主題，此刻時光寸陰如金，不能和他多作閑言了。心念轉動，緩緩問道：「段兄那位同來的兄弟怎麼死的？」

段文升道：「大概是死在一種淬毒的暗器之下，我只聽到了他一聲慘叫，趕過去，他已經是氣絕身亡！」

蕭翎道：「段兄沒有見到敵人嗎？」

段文升道：「那時谷中已暗，視線模糊不清，兄弟正在照看那位兄弟的屍體時，後背中了一擊，幸得在下練的童子混元氣功，又在運氣戒備之下，雖然受了一擊，還能承受得住，一躍避開，回頭卻不見敵蹤何在。」

蕭翎道：「他們在暗處藏著？」

段文升道：「大概是吧！但那一擊奇重，在下已自知難有再戰之能，既然不見敵人現身，最好是藉機逃命。」

蕭翎探首下視，只見那突岩下，壁如刀削，縱然是第一流的輕身功夫，也是難上此突岩，何況這段文升已經身受重傷。

段文升似是已經瞧出了蕭翎之疑心，不待他開口詢問，立時接道：「人不該死總有救，在下急欲逃命，只有冒險向峰上攀登，當時一鼓作氣，全力攀登，竟然攀上了四、五丈高，已然力氣用盡，而且峰壁更見陡削，別說區區了，就算是強我十倍的輕功，也無法向上登峰，幸得在下停身之處，生有一叢青草，只好暫時隱身那草叢之中，在下剛藏好身子，兩道強烈的燈光，已照上峭壁，大約有一盞熱茶工夫之久，那燈光才消失不見……」

蕭翎接道：「段兄怎生上此懸崖？」

段文升道：「在下心想縱能避過一時，終是難逃大限，哪知一伸手，無意觸摸到一個鐵環，那環上本有一個鐵鎖，大約是年月過久，鐵鎖早已鏽壞，我稍運內力一拉，鐵鎖脫落，石壁掀起了一片，原來竟然是一座石門。」

蕭翎道：「一座石門，那是人工修築而成的了？」

段文升道：「自然是了！石壁之上，決然不會長出鐵環、鐵鎖來。」

蕭翎道：「石門之內呢？」

段文升道：「一道石梯直通這突岩所在，在下走到此處，無法再向上攀登，只好先行坐息療養傷勢了。」

蕭翎道：「這石岩後也有一道活門？」

段文升點點頭，道：「蕭大俠用手向後一推，就可以進入石道中了。」

蕭翎道：「你此刻傷勢如何？」

段文升道：「經這一陣調息，雖未好轉，亦未惡化。」

蕭翎道：「段兄請借這繩索之助登上峰頂，見著我峰上兩位兄弟，據實告訴他們內情。」

段文升道：「蕭大俠呢，還用不用這繩索？」

蕭領道：「不用了。」

當下把繩索繫在段文升的腰間，接道：「到峰上見著我那兄弟時，千萬不可虛言相欺。」

蕭翎抖動繩子，果然那繩索向上升去。

段文升腰繫繩索，以雙手作輔，登上峰頂。

且說蕭翎眼看那段文升離開突岩之後，立時揮手向岩後一推。

果然，那突岩後面一塊石壁，應手而開。

這些日子中，蕭翎在江湖之上走動，經驗大增，推開石壁之後，並未立刻進入，抬起頭來，仔細看那敞開的石門。

他目光過人，雖在暗夜之中，亦看得十分仔細。

十三　寒潭異象

這是天然石洞，又加上人工修築而成，那垂下石門，十分堅厚，原有鐵環緊扣的痕跡，但卻因年代久遠，鐵環鏽壞，若非如此，這座垂下的石門，決然無法打開。

蕭翎但覺腦際中靈光閃動，重重疑問湧上心頭，暗道：這雖是一座天然石洞，但卻分明是加了巨大的人工修築，那爲什麼要動用如此浩大的人力、財力，在這等荒涼的山谷中，修築這樣一個石道呢？其間，自然是有著用心了，也許在這方面和禁宮有關。

心中忖思，人卻沿級而下。

只覺這條石道修築得十分寬大，行來十分順暢，顯見這工程的確是浩大。

突然，向下延伸的石級，成了平道。

蕭翎心知已到了出口之處，伸手一推，果然應手啓開了一片石壁，星光隱隱透了進來。

他已聽那段文升說得十分詳細，知這石門之外，有一片亂草掩蔽，輕輕推開石門，縱身而出。

石門外草深及腰。

陡削的山勢，在這片青草處，大爲減緩。

蕭翎心中暗暗讚道：那人選擇了這樣一處斜度大減之地，開了石門，外面種上青草，以便遮掩，處處利用這天然的形勢，大見匠心。

輕輕合上石門，隱身草中，向下望去。

這時，星河耿耿，以蕭翎的目力，已隱隱可見谷底景物。

蕭翎顧盼良久，不見動靜，正待縱身下谷，突聞人聲傳來，道：「咱們不用等了，諒他無法爬上峭壁，也許此刻，早已死去多時了。」

另一個聲音應道：「說得是啊！咱們已然向那亂草之中射出了甚多的暗器，如若他是藏身在亂草之中，也該傷在那淬毒暗器之下了。」

蕭翎心中暗道：這兩人一定在說那段文升，我如冒冒失失的奔入谷中，定然要被他們發覺，這山谷之中，怎麼住著這許多武林人物呢？

但聞步履聲逐漸遠去，想是兩入等得不耐，已然撤走。

蕭翎又等了片刻，才施展壁虎功，背貼在山壁間，緩緩向下游去。

那草叢距石壁，只不過四丈多遠，片刻間已落谷底。

他一路小心而行，眼觀四面，耳聽八方，行約數十丈，竟仍然不見人蹤，適才峰上見到的那綠色的燈光，此刻竟也不再出現。

似是那些人突然間消失不見。

深夜幽谷，使人油然生出一種荒涼孤獨之感。

他沿谷搜尋，又行數十丈，仍是不見敵蹤。

耳際卻聽得泉水淙淙，如鳴珮環。

原來，行到了一處水潭旁邊。

這座水潭，縱橫十尺，緊靠山壁之下，壁間一道山泉，瀉入潭中，奇的是那泉水雖急，但卻十分細小，一線激射，直入潭心。

蕭翎抬頭打量那激射的泉水一眼。

心中暗道：看這股激泉的力道，有如高山重瀑，當是一瀉千里、如雷轟發之勢才對，何以竟然是細流如絲，難道這一股奔騰的泉水，被天然形勢所阻，只能噴出這一線泉水不成……

正推想間，忽聞一個清冷的聲音傳了過來，道：「這山谷之中，處處皆好，只是流泉太少，每次汲水，都要跑到這小潭中來。」

蕭翎一閃身，躲入了一塊大石之後。

凝目望去，只見兩個身著勁裝的大漢，一先一後地行了過來。

這兩人手中各自提著一個木桶，近潭之後，蹲下身子，各自汲了一桶水，重又站起身子。

蕭翎隱身在大石之後，看得十分明白，心中暗打主意道：這谷中住有很多武林人物，奇怪的是，竟然不知他們居住何地，眼下如果突然出手，當可一舉間制住兩人，但兩人夜半來此取水，必是用水甚急，如是兩人久出不歸，勢必使敵人產生疑竇不可。

心念轉動之間，兩個黑衣大漢已然提著水桶去遠。

蕭翎運足目力，希望能看清楚兩人的去處，但因夜色幽深，兩人行到了四丈之外，已然模糊難見。

經過一陣沉思，蕭翎決定在石後坐息，待天色大亮之後，先查看一下谷中形勢，然後再作主意。

天色漸明，金黃色的陽光，逐走了暗夜，爬越過峰頭，照射在水潭中。

一線激射而下的噴泉，在碧綠的潭水中，激起了連綿不絕的漣漪。

蕭翎緩緩站起身子，目光轉動，突然間，只見潭水中反映出一隻昂首張翅的飛鷹，和一條仰首盤臥的怪蛇。

水波蕩漾，那潭水中的盤蛇亦似在蠕蠕而動，那張著雙翼的飛鷹，亦似在凌空飛行。

這陡然的發現，頓使蕭翎有著一股強烈的興奮，和莫名的緊張，不自覺地低聲吟道：鷹揚峰，盤蛇谷，原來是潭中的映射啊！

他忘記了置身險地，殺機四伏，快步奔向那水潭旁邊。

仔細看去，只見水潭中，兩團模糊的黑影，即那飛鷹、盤蛇，陡然間消失不見。

蕭翎心中奇道：這是怎麼回事呢？明明看見潭水中飛鷹、盤蛇，何以會突然間消失不見？

正想退回那大石之後，再仔細瞧上一陣，突然左後肩上微微一痛，有如被人用針刺了一下。

經驗告訴他，自己已受了暗算，而且中的似是奇毒暗器，當下暗自運氣，閉住了左肩上的穴道。

冷冷說道：「閣下什麼人？爲何暗算在下？」

但聞一個冷厲的聲音應道：「你是誰，何以獨自闖入這死亡之谷？」

蕭翎憑藉傳來聲音的方向，判斷那人停身之處，陡然轉過身子。

凝目望去，只見一個髮鬚皆白的矮瘦老者，肅立在一丈開外。

不待蕭翎開口，那老者已搶先說道：「你已經中了我子午透骨針，針上劇毒強烈，你如妄自行動，那只有促使毒性早發，提前死亡。」

蕭翎雙目神光閃動，仔細地打量了那老者一眼，道：「這區區毒針，只怕未必能真的要在下之命。」

矮瘦白髯老者冷笑一聲，道：「老夫那毒針，經過了六種劇毒淬煉，不論武功何等高強之人，也無法解得針上之毒。」

蕭翎心中暗道：蕭翎啊！蕭翎，岳姊姊把生死託付於你，此時此刻，你決不能死。

他豪氣如雲，輕淡生死，只因心有所念，竟是豪氣大減。

但眼下的情勢，只有兩策可循，一個是突然出手，以迅雷不及掩耳之勢擊斃那老者，一個是求那老者賜贈解藥……

矮瘦白髯老者心機似極敏，轉眼看蕭翎不動，立時冷冷說道：「閣下如是不畏死亡，不妨出手試試有幾分生機。」

蕭翎看那老者雙目中神光極是充足，兩面太陽穴高高突起，分明是一位內外兼修的高手，心中暗想道：看此人武功，決非平庸之輩，如若我一擊不中，只怕不易有下手殺他的機會了，看來是不得不用些心機對付他了。

心念一轉，緩緩說道：「閣下和在下素昧平生，自然是談不到恩怨二字，不知何以要對在下暗下毒手？」

白髯老者冷然一笑，道：「那要問你何以來此谷了。」

蕭翎目光轉動，除了這老人之外，不見他人，心中稍寬，緩行一步，道：「這山峰深谷，乃人人可來之地，在下何以不能來此呢！」

那老人冷冷說道：「你從何處而來，到此作甚？」

蕭翎緩緩向前行了一步，道：「在下久慕那姻緣峰之名，來此觀賞，可說是好奇而來，別無用心。」

白髯老人道：「閣下能夠在神不知鬼不覺下，進入這座山谷之中，老夫倒也不能不佩服你了！」

蕭翎心知此刻，只有趁他精神分散之時，才能突然施襲，一舉成功，當下說道：「在下有幸，能信步至此，在下不幸，竟然未遇到攔阻之人。」

白髯老人道：「這話怎麼說？」

蕭翎道：「如若在下遇上攔路之人，就不能進入此谷一飽谷中景色，那是無幸，但如有人阻攔在下，我不能進入此谷，此時，也不會中你暗算了，說來豈不是大大的不幸嘛！」

他藉著說話的工夫緩緩向前欺進，已然快近那老者身側。

那白髯老者似已警覺，一吸氣，陡然退出八尺，道：「站住！」

蕭翎淡淡一笑，道：「老丈很怕嗎？」

那白髯人冷冷說道：「那針之毒，即將發作，閣下感覺如何？」

原來，他看到蕭翎中針很久，仍然不見毒性發作，心中大爲震駭。

他哪裏知曉，蕭翎服過千年石菌，體內抗毒之力已然強過常人很多，又習得獨門上乘內功，乾清罡氣，運氣封穴，嚴密異常，左肩後的劇毒，被他真氣逼住，延展很慢。

但那子午透骨針毒性，強烈無比，蕭翎雖有著上乘內功，但也只能逼使毒性發作稍緩，此刻，已然感覺劇毒在緩緩蔓延。

他心中明白，此時此刻，萬不會有援手趕來，只有憑仗自己的鎮靜機智，設法制服那老人，迫他交出解藥。

這是唯一的生機。

蕭翎正待奮身而起，孤注一擲，忽見那白髯老人身子一顫，臉色大變，似是陡然間，受了致命一擊。

白髯老人亦有過人的鎮靜，舉手一拂長髯，道：「什麼人？」

一個低微、清脆的聲音道：「我。」

白髯老人道：「用的什麼暗器？」

那聲音應道：「北海冰魄針。」

蕭翎已然聽出了來人的聲音，道：「冰兒，你怎麼來了？」

百里冰迅快地行到那老人身後，嫣然笑道：「我先替大哥討過解藥，再細談不遲。」

目光轉注那老人臉上，接道：「你如是用毒能手，當已感覺到我那冰魄針上的劇毒之烈了。」

白髯老人緩緩說道：「老夫縱然毒發死去，你們也難逃得性命！」

百里冰陡然伸出手去，一把扣住了那老人右腕脈穴，低聲說道：「你可以不死啊，咱們去那石頭後談談吧！」

白髯老人驟不及防，被她一把扣著脈穴，拖入一塊大石之後。

蕭翎流目四顧一眼，不見人蹤，舉步跟了過去。

百里冰右手暗加勁力，那老人登時感覺到半身麻木，縱有捨命反擊之心，亦是力所不能。

蕭翎想到岳小釵和那玉簫郎君，斷魂崖底之約轉眼即屆，時日無多，此刻正是寸陰寸金，便即說道：「冰兒，迫他取出解藥。」

百里冰左手探入袋中，取出一粒藥丸，接道：「大哥，你先把這一粒丹丸吞下。」

蕭翎道：「這是什麼？」

百里冰道：「冰魄針的解藥，就算藥不對路，吃了也是無害，大哥快服下去。」

蕭翎不再多問，張口吞下藥丸。

百里冰道：「大哥快坐下運氣調息，我迫他拿出解藥。」

蕭翎依言盤膝坐下，運氣調息。

百里冰又從袋中摸出一枚冰魄針來，在那白髯老人手臂上刺了兩針，道：「你身上有毒針，當有解藥，就算你不願拿出來，我也能搜得。」

白髯老人道：「老夫如交出解藥呢？」

百里冰道：「彼此交換，你如救治了我大哥毒傷，我也給你解藥，放你而去。」

白髯老人道：「老夫如脫險而去，定然會傳出警訊，兩位還想生離此谷嗎？」

百里冰道：「我說放了你，決不食言，只要你交出解藥。」

白髯老人道：「婦女之言，豈能全信。」

蕭翎道：「冰兒，讓他取出解藥，不用和他多費唇舌了。」

白髯老人緩緩移動左手，取出一個小小玉瓶，道：「解藥在此。」

百里冰正待伸手去接，那老人突然把玉瓶投入口中，道：「姑娘如再相迫，在下咬碎玉瓶，和藥吞下……」

目光一掠蕭翎，接道：「老朽年過花甲，換你大哥一條命，那也是死而無憾了。」

百里冰道：「好！我先給你解藥。」

左手取過一粒解藥，送入那老人口中。

白髯老人正待吞下，百里冰突然一掌拍在那老人背心之上。

這一掌攻勢奇重，只打得那老人張嘴噴出一口鮮血。

連口中玉瓶也吐了出來。

那白髯老人正又待放聲喚叫，百里冰已快速絕倫地點了他的穴道，冷哼一聲，道：「敬酒不吃吃罰酒！」放倒白髯老人，伏身撿起玉瓶。

蕭翎已感覺到子午透骨針的毒性在緩緩發作，只好全神運氣，和劇毒抗拒，看她取得解藥之後，心中暗道：此女雖在嬌生慣養之中長大，倒是極富心機。

百里冰拔開瓶塞，倒出了兩粒白色的藥丸，送入蕭翎口中。

蕭翎吞下解藥，輕輕歎息一聲，道：「冰兒，如非你及時趕到，小兄只怕要葬身在絕壑中了。」

百里冰微微一笑，道：「你那兩位兄弟阻止不讓我來，氣得我和他們打了一架，他們打我不過，只好讓我來了。」

緩步行到蕭翎身前，柔聲問道：「大哥傷在何處？」

蕭翎道：「左後肩頭上。」

百里冰道：「脫下衣服，我替你取下身上毒針。」

蕭翎心中暗道：男女有別，豈能脫下衣服，說道：「不成，你用寶劍，挑開我肩後衣服。」

百里冰亦有所覺，嫣然一笑，伸出纖纖玉指，暗運功力，扯開蕭翎左邊肩上的衣服，果見一枚藍色毒針，深入肌膚。

用右手大拇指和中指指甲箝住針尾，拔了出來，日光下，只見針上一片深藍，顯是淬毒甚重。

百里冰棄去毒針，笑道：「大哥好好養息，療好毒傷，咱們再慢慢的收拾他。」

蕭翎雖然服下解藥，但卻不知毒傷是否已癒，閉上雙目，運氣調息。

對症下藥，功效奇速，運氣相試，果覺毒性已退。

蕭翎起身行到那白髯老人身側，冷冷說道：「你如不想死，那就不要呼叫。」

右手揮動，拍活了他兩處穴道。

那老人極工心計，暗中運氣相試，竟然毫無中毒之徵，心中大感奇怪，暗道：這女娃兒明明告訴我中了北海冰魄針，怎的竟然是毫無感覺。

蕭翎解開他兩處穴道之後，迅快地又點了他一處穴道，緩緩說道：「看來這山谷中，只有閣下一個人了？」

那白髯老人心知此刻自己如大聲言語，必將招致殺身之禍，只好低聲說道：「何以見得？」蕭翎心中暗道：如是正面問他，決然不肯吐露實言，迫他過緊，又怕他隨口揑造。

只有另走蹊徑旁敲側擊，問得一點是一點了，當下冷笑一聲，道：「如是這山谷中如你所言，守衛森嚴，高手甚多，何以這久時間，還無人趕來救你？」

白髯老人一皺眉頭，道：「兩位如何混入谷中，老夫是百思不解，如論這兩面谷口處防守的森嚴，那確實飛鳥難度，兩位已入谷中，我等就該接到資訊。」

蕭翎冷然說道：「老丈滿口胡言……」

百里冰道：「大哥，不用和他多費唇舌了，用他的毒針刺他一針，看他還敢胡言亂語不敢！」伸手往那老人袋中，找出毒針，疾向左臂刺下。

任那老人閱歷豐富，見聞廣博，遇上這位刁蠻的姑娘，也是膽戰心驚，無計可施，急急說道：「姑娘且慢，姑娘要問什麼？」

百里冰怔了一怔，道：「大哥，咱們要問他什麼?你快些問吧。」

蕭翎當下說道：「老丈留心聽了，這谷中荒涼異常，老丈等在此谷中，有何用心？」

白髯老人沉吟不答，顯然，蕭翎這一問，問得他大費思考。

百里冰右手一沉，在那老人手背刺了一針，道：「說啊！」

這子午透骨針，毒性奇重，中毒處立時一片紫紅。

白髯老人臉色大變，雙目圓睜，望著百里冰，雙目充滿仇恨怨忿。

蕭翎迅速地拔開瓶塞，倒出一粒解藥，投入那老人口中。

白髯老人被毒針刺中之後，心知自己穴道被點，無法運氣和劇毒抗拒，立刻之間，即將毒發身死，油生拚命之心，但服下解藥之後，保住了性命，登時又生出惜命之心。

但聞百里冰接道：「快說啊！」又揚起手中毒針。

嬌豔如花的百里冰，在那老人的眼中，比蛇蠍更爲可怖，看她揚起毒針，急急說道：「在下來此尋找一處寶藏。」

蕭翎道：「什麼寶藏？」

白髯老人道：「說起來，也不算什麼寶藏，只是幾件武林前輩的遺物。」

蕭翎暗道：此人果然狡猾，說得既非虛言，也非實話，冷笑一聲，道：「幾件武林前輩的遺物，那是尋找禁宮了。」

白髯老人怔了一怔，道：「不錯。」

蕭翎自見那水中飛鷹、盤蛇的映射之後，已知此地正是自己苦苦尋找的禁宮，但那禁宮之鑰和圖案都在自己身上，何人竟然有此能耐，不用圖案，尋到此地？

心中念轉，口中卻緩緩問道：「老丈在這谷中，留住了很久嗎？」

白髯老人道：「五年左右。」

蕭翎吃了一驚，道：「五年時光，定然已尋到了禁宮所在。」

白髯老人道：「只知在這縱橫數十里的山谷之中，卻不知位置何在。」

蕭翎道：「聽老丈之言，好像說這山谷之中，住了很多人？」

白髯老人道：「正是如此！」

蕭翎淡然一笑，道：「老丈在這山谷之中，只怕也非首領人物。」

白髯老人道：「老夫乃四大監工之一……」他似是自知說漏了嘴，突然住口不言。

百里冰冷冷接道：「你在這山谷中，監的什麼工？」

對這位花枝人樣的俏姑娘，他卻有著一種深深的畏懼，聽她問話，竟然是不敢不答，當下應道：「咱們在這山谷之中，尋找一處寶藏。」

百里冰道：「你是四個監工之一，雇用多少工人呢？」

白髯老人道：「山谷之中，有兩百餘人，但此刻，只餘一百餘人了。」

但聞百里冰問道：「那些人呢？」

白髯老人道：「死了。」

蕭翎暗施傳音之術，道：「問問他的姓名。」

百里冰望著蕭翎嫣然一笑，目光轉到那白髯老人臉上，冷冷說道：「你叫什麼名字，在江湖之上，有何綽號？」

白髯老人只覺臉上一麻，竟又挨了一針，急道：「老夫潘龍，江湖上稱號子午判。」

百里冰把手中一粒解藥，投入了潘龍口中，卻把另外兩粒，隨手拋去，說道：「這太麻煩了，你最好別再挨最後一針……」

語聲一變，冷漠地接道：「谷中既有一百餘人，何以不見人蹤，你們在此動工有多少日子，挖出了什麼寶藏，如有一句虛言，那就別想活了。」

潘龍看她手中毒針，在日光下藍芒閃動，急急應道：「在此動工，已四年有餘，凡是入谷做工之人，除非死亡之外，別想再離開此地，爲避人耳目，所有之人，白日進入山洞之中休息，晚間工作。」

百里冰道：「另外三大監工的武功如何？」

潘龍道：「個個武功高強。」

百里冰道：「主腦人物是誰？」

潘龍道：「沈木風。」

蕭翎只聽得心頭一凜，暗道：那沈木風果然厲害，竟然被他尋得禁宮！

百里冰望望蕭翎，道：「大哥，還問什麼呢？」

蕭翎道：「問問他這谷中之人，住在何處？三個監工現在哪裏？」

潘龍道：「不用叫她轉問了，在下說出就是……」

語聲微微一頓，接道：「這兩側山壁，已被我等打了甚多山洞，白晝之間，全都隱住山洞之中了！」

蕭翎道：「那三大監工居住之處，還有那些工人，都從何處請來？」

潘龍道：「因這山谷中的工程，十分艱巨，所以，在此谷中的工人，大都是武林中的人物，必得有些武功基礎，才能應付，所以死亡之後，很難補充，至於另外三位監工，都住在三號石洞之中。」

蕭翎道：「用什麼方法，才能混入工人群中，不會讓人發覺？」

潘龍道：「辦法只有一個，但說出來，只怕兩位不肯相信。」

蕭翎道：「你先說來聽聽？」

潘龍道：「這谷中工人共分爲四組工作，四大監工各帶一組，老夫名下還有三十一人，這三十一人，老夫一眼之間，就可以認出他們，如想魚目混珠，決不可能，其他三大監工，和老夫情形相同，屬下之人，個個都熟悉異常，但對別組中人，因接觸很少，印象模糊。

「兩位如想在谷中停留不爲發覺，只有混入老夫這組工人群中，此刻，放了老夫，由老夫去取兩套舊衣，兩位易容改扮，在老夫默許之下，就不會被人發覺了。」

蕭翎道：「我們如何能夠信得過你？」

潘龍道：「這是唯一能使你們在谷中停留不爲人發覺之策，除此之外，再無良法，再說，老夫一諾千金，既然答應了，決不會再生陰謀陷害你們。」

百里冰低聲對蕭翎說道：「大哥，我有一個辦法，如若他要陷害我們，他也不能再活。」

蕭翎道：「什麼辦法？」

百里冰道：「爹爹傳我一種武功，近乎點穴，但和點穴卻大不相同，如若點他一處穴道，必須要推開另一處穴道才能解救，爹爹曾經告訴我，這是我們北海獨門手法，江湖上決無一派人知曉，但如那點傷的穴道在十二個時辰內不經解救，傷穴的積血就凝結成傷，七日後潰爛而死，雖然死得很慢，但卻死得很痛苦。」

蕭翎心想爲了要早日查出禁宮所在，只好行險求成了，當下便說道：「冰兒，就依你之見，放了他吧！」

百里冰出手施展獨門手法，暗傷了潘龍一處穴道，又拍活他兩處被點穴道，道：「我們在此等你，半個時辰不來，你就算自食諾言不會來了。」

潘龍站起身子，一語不發地舉步而去。

蕭翎一心惦念著岳小釵的安危，心中愁苦，靜坐不言。

大約過有半炷香的工夫，潘龍果然如約而至，拿著兩套破爛的衣服和半碗炭灰，說道：「兩位換過衣服之後，最好把身上的皮膚塗黑，這位姑娘還得盤起頭髮，易作男裝。」

蕭翎拿起衣服換過，百里冰卻躲入大石之後，易釵而弁。

百里冰身材嬌小，但衣服卻很大，穿在身上，十分難看，再加臉上、手上，塗上炭灰，看上去像極了一個小叫化子。

潘龍道：「兩位跟我來吧！」轉身向外行去。

蕭翎暗中戴上千年蛟皮手套，以備緊急應變，快行兩步，緊追在那潘龍的身後而行。

潘龍帶著兩人，行約十餘丈，到了一處崖壁之下，伸手在壁間一推，一扇石門應手而開。一股濃重的汗臭氣，隨著那開啓的石門沖了出來。

蕭翎江湖閱歷大增，並未立時衝入室內，目光轉動，四顧一眼，只見那石室地上，鋪著棉被，上面橫躺著幾十條大漢，鼾聲交作，此落彼起，不禁一皺眉頭，暗道：我蕭某堂堂男子漢，和這些人混在一起也還罷了，但那百里冰姑娘，乃是千金之軀，豈可和這些人雜居一起。

潘龍已瞧出蕭翎面有為難之色，緩緩說道：「此地就是這樣，唉，數年來，我們都一直住在這深谷之中，除了死亡之外，每天都有著很沉重的工作，直累到精疲力竭才得休息，一躺下去，個個都和死人一般……」

蕭翎油生同情之心，心中暗暗想道：那沈木風派遣這麼多人前來尋找禁宮，而且連續數年之久，大有尋不到禁宮，就永不休止的用心，此人的惡毒、堅毅，確非常人能及。

但聞百里冰柔聲說道：「和大哥在一起，就是再苦一些，我也不怕，大哥不用為我愁苦。」

蕭翎道：「冰兒，委屈你了。」

百里冰伸出手去，拉起蕭翎左腕，行到一面靠壁之處，坐了下去，臉上笑容隱隱，果是不見愁苦之色。

潘龍道：「兩位好坐，老朽去了。」轉身而去，隨手帶上室門。

那石地之上，雖然鋪著棉被，但年日甚久，早已腐朽，百里冰一伸腿，嗤的一聲，棉被撕破了一個大洞。

蕭翎低聲說道：「冰兒，咱們先忍受一日，了然全盤內情再說。」

百里冰微微一笑不再多言，閉上雙目，依壁而坐。

不知道過去了多少時間，石門突然被人推開，一陣涼風吹了進來。

蕭翎微啓一目望去，只見潘龍手執著一盞綠色燈，帶著兩個人行了進來。

左面一人身著天藍長衫，黑髯及腹，臉色紅潤，有如童子，手中提著一個三尺長、兩尺寬的描金箱子，正是璇璣書廬主人，宇文寒濤。

右面一人身著華服，竟是百花山莊二莊主周兆龍。

蕭翎一拉百里冰，暗施傳音之術，道：「冰兒，慢慢躺下。」

百里冰倒是聽話得很，依言躺了下去。

宇文寒濤和周兆龍緩步而入，一面低聲交談，也未留心到兩人。

蕭翎凝神聽去，但聞那周兆龍說道：「宇文兄，大莊主對此事寄望甚深，且經過他再三考證之後，證明那禁宮確然就在此地，大莊主亦曾親自到此勘查數次，但始終無法找出一點線索。」

宇文寒濤微微一笑，接道：「在下雖只匆匆一瞥，但已瞧出這幾座山峰，都是極爲堅牢的花崗岩，別說區區數百人力，就是積聚上萬兒、八千勞工，也難在數年之中把這山勢改變，個中機巧，學問甚大。」

周兆龍接道：「不錯，大莊主請宇文兄來此，就是要借仗大力，找出那禁宮所在。」

宇文寒濤目光轉動，望了橫臥石室中數十大漢一眼，目光轉注潘龍的臉上，問道：「目下你手下還有多少工人？」

潘龍道：「三十三個。」

宇文寒濤道：「你就他們之中選出兩個武功較好之人，我要帶他們同去勘查四周山勢。」

只見潘龍就地上橫臥之中，推醒兩人。

宇文寒濤一皺眉，道：「可否找兩個清秀一點的人？」

周兆龍目光一轉，望著蕭翎和百里冰道：「這兩人衣服比較乾淨，叫他們起來瞧瞧。」

蕭翎和百里冰，雖然也是穿的舊衣，但兩人衣服，乃餘下舊衣，收存很久，看將起來，自是較其他之人的衣著清潔多了。

潘龍無可奈何地行到蕭翎身側，推了兩人一把，道：「起來。」

原來，他不知兩人姓名，無法呼叫兩人。

蕭翎硬著頭皮，拉起了百里冰。

周兆龍作夢也想不到，蕭翎會混在這工人群中，望了兩人一眼，笑道：「這兩個人生得倒還靈巧，只是髒了一些，洗去臉上汙灰，換上新衣，大概還可使喚。」

宇文寒濤道：「也只好將就一些了。」

蕭翎擔心被那周兆龍看出身分，雖不畏懼，但卻盡棄前功，木然而立，不敢和那周兆龍目光相觸。

哪知周兆龍並未注意兩人，低聲對宇文寒濤道：「宇文兄，大莊主於啟開禁宮之心，焦急如焚，面告兄弟，三日之後將親自趕來，希望宇文兄，能在三日之中，勘查出一些眉目，大莊主到此之後，也好有個交代。」

宇文寒濤道：「此刻天色入夜，明日天亮，才能工作……」目光一掠潘龍，接道：「你傳周二莊主之令，今宵工作暫停。」

潘龍欠身應道：「屬下遵命。」

宇文寒濤望了蕭翎和百里冰一眼，接道：「你要他們洗去臉上油污，再換過一身衣服，好好休息一夜，明晨帶他們去見我。」

言罷，和周兆龍連袂退出石室。

潘龍送兩人到石門口，目睹兩人去遠，返身對蕭翎道：「兩位跟我來。」

蕭翎、百里冰出得石室，抬頭看去，但見滿天星斗，已然是深夜時分。

潘龍執燈帶路，引兩人進入了另一座石室之中，低聲說道：「適才兩位見到那手提箱子的長髯人，乃江湖中大有名望的璇璣書廬主人……」

蕭翎道：「宇文寒濤。」

潘龍道：「你認識？」

蕭翎道：「那身著華服的少年，是百花山莊二莊主周兆龍，對嗎？」

潘龍臉色一變，道：「閣下是何身分？」

蕭翎道：「你在這深谷之中，居住甚久，不知江湖情勢正有著劇烈的轉變，天下英雄都已奮起和百花山莊為敵，沈木風急於要開啓禁宮，也是為了此事，至於在下的姓名，說了潘兄也未必知曉，不說也罷。」

潘龍道：「這麼說來，你也是爲禁宮來了？」

蕭翎道：「不錯。」

潘龍緩緩說道：「你既然認識那周二莊主和宇文寒濤，想來兩人也認識你了。」

蕭翎道：「正是如此。」

潘龍道：「那明日兩位去見那周二莊主和宇文寒濤，豈不要當面拆穿內情嗎？」

蕭翎道：「這要潘兄設法了。」

潘龍沉吟了一陣，道：「兩位如被發覺是混入這山谷中別有所圖，不但兩位要被立刻處死，就是在下亦要身受牽累……」

蕭翎道：「處死！只怕那周兆龍還無此能耐，但在下此刻，還不願暴露身分。」

潘龍道：「唯一之策，就是兩位要設法隱去本來面目，小心應付，不讓他們發覺。」

蕭翎道：「潘兄如能相助，在下日後必有一報。」

潘龍口齒啓動，欲言又止，良久之後，才緩緩接道：「在下昔年在江湖上走動時，爲了隱秘行蹤，有一副人皮面具，進入此谷之後，面具尚未棄去，可惜只有一副，無法分配兩人……」

蕭翎接道：「有得一副，已夠用了，在下這位妹妹，他們從未見過，只要能掩去女兒面目，那就成了。」

潘龍探手從貼身內衣中，取出一副人皮面具交給蕭翎，道：「這面具戴上之後，面色青黃，若有病容，戴上之後，就不可輕易取下，在下已經盡力相助，兩位能否逃過他們的觀察，要看你們的機智，時光不早，在下送兩位回去休息。」拿起燈籠，當先向前行去。

蕭翎突然說道：「潘兄止步，在下忘了一件事。」

潘龍手已觸及石門，聞聲止步，回頭說道：「什麼事？」

蕭翎回顧百里冰一眼，道：「冰兒，解了他的穴道。」

百里冰怔了一怔，但仍依言而行，走近潘龍，解了他身上穴道，問道：「可要再點他一處？」

蕭翎搖頭說道：「不用了……」

目注潘龍一抱拳，道：「潘兄盛情，兄弟領受，彼此以誠相待，用不著再動用手段了。」

潘龍輕輕歎息一聲，道：「閣下果然是君子人物。」

蕭翎微微一笑，道：「江湖之上，道義當先，潘兄既然把在下看作朋友，在下敢不以誠相見。」

潘龍不再多言，打開室門，送回兩人。

一夜匆匆，次日天色一亮，潘龍就趕來石室，並且替那百里冰帶來了易容之物。

百里冰一面動手易容，一面低聲對蕭翎說道：「大哥，咱們當真去聽那人使喚嗎？」

蕭翎點點頭，應道：「不錯。」

潘龍眼看很多工人醒來，這時重重咳了一聲，道：「快些走了，周二莊主已在等候兩位。」

這時，天色已亮，東方天際泛現出一片金色的雲彩。

潘龍低聲說道：「兩位如能從容應付，當不致露出馬腳。」

蕭翎道：「多承指教。」

抬頭看去，只見兩個身著勁裝，年約五旬左右的大漢，和另一個身著青色長袍，缺少一耳的白髯老者，並肩站在路中等候。

潘龍一抱拳，道：「有勞三位等候。」

兩個身著勁裝的大漢，突然齊聲說道：「趕快走吧！那周二莊主恐已候駕甚久，等得不耐了！」當先轉身行去。

蕭翎心中暗道：這三人衣著整齊，大約是另三大監工了。

潘龍和缺耳老者齊齊舉步而行，緊追在兩個勁裝大漢之後。

蕭翎回顧了百里冰一眼，低聲說道：「冰兒，要多多忍耐，不可輕易出手。」

百里冰點點頭，道：「我瞧著大哥舉動就是。」

十四　蛛絲馬跡

蕭翎暗中留神打量著谷中形勢，盡其所能地記憶著各處草叢和岩石，他心中明白，此刻的處境，險惡無比，如能多熟記著一處地形山勢，就可能多一分生存的機會。

忽聞得水聲潺潺，又到了小潭旁邊。

抬眼望去，那一線噴泉，仍然是激射而出，清澈的潭水中，蕩起了波波漣漪。

宇文寒濤站在小潭旁邊一塊丈餘高的巨岩上，手中拿著筆、紙，不知畫些什麼。

周兆龍背著雙手，呆呆地望著潭水出神。

蕭翎突然想起，那水底中泛現的飛鷹和盤蛇，莫非被周兆龍發覺了不成？

他誤服千年石菌，目力的敏銳，超越常人甚多，凝目望去，只見那周兆龍凝注潭水中，似有一片紅色的影子，在碧綠的潭水中微微晃動，因為相距過遠，蕭翎無法清晰地看出，那紅色影子是何物聚於水中。

潘龍等四大監工，亦是不敢出言驚擾，一排橫立，站立巨岩之後。

足足等了有半個時辰之久，宇文寒濤收了紙、筆，躍下石岩，潘龍等才齊齊抱拳作揖，道：「見過宇文先生。」

這時，周兆龍也回過頭來，望了潘龍等四人一眼，道：「大莊主一、兩天內就要趕來，爾等可要小心佈置，別讓敵人混入谷中。」

那缺耳老者道：「二莊主但請放心，谷中防守，森嚴無比，別說人了，就是一隻飛鳥，飛入谷中，也難逃我等布下的耳目監視。」

周兆龍神色嚴肅地說道：「此刻的形勢和往昔不同，近日江湖出現了一個人，專門和咱們作對，而且武林中亦有很多高手，任他驅使……」

那缺耳老者接道：「什麼人這麼大膽子，竟敢和咱們百花山莊為敵？」

周兆龍道：「爾等久居幽谷，不知江湖中事，那人姓蕭名翎，年紀很輕，但武功卻是高得出奇，連大莊主都對他有些忌憚……」

大約周兆龍心知再說下去，難免有傷沈木風的尊嚴，話風一轉，接道：「據本莊的眼線傳報，那蕭翎也進入了武夷山中，爾等要特別小心就是。」

四大監工齊齊抱拳作禮，應道：「屬下遵命。」

潘龍心中一動，轉臉望了蕭翎一眼。

周兆龍舉手一揮，道：「你們不用留在此地，小心防守入谷之路。」

潘龍欠身一禮，道：「二莊主選的兩位聽差之人，已經帶到了。」

周兆龍目光一瞥蕭翎和百里冰，道：「那人有病嗎？」

潘龍道：「大病初癒不久。」

周兆龍點點頭，道：「好！你們去吧！」

四大監工應了一聲，轉身而去。

潘龍剛剛轉身行了兩步，突又聞周兆龍道：「潘龍，你留下來。」

潘龍應了一聲，又轉身行了回來。

周兆龍不再理會幾人，卻轉臉望著宇文寒濤，道：「宇文兄，可曾找出一點眉目嗎？」

宇文寒濤道：「這道幽谷雖然很長，但講雄奇幽深卻在小潭附近，沈大莊主能夠找出重心所在，足見才智過人，不過……」

周兆龍道：「不過什麼？」

宇文寒濤道：「不過這一線噴泉，有些奇怪。」

周兆龍道：「哪裏奇怪？」

宇文寒濤道：「如論這水勢的強大，這噴泉應該是一個大瀑才是，這山地水脈，似是在此匯聚，何以只有一線噴出？」

周兆龍道：「宇文兄之意，可是說這一線泉水，是被人工限制嗎？」

宇文寒濤道：「目下只能說有此可能，難作斷論！」

語聲微頓，接道：「在下有一事不解，要請教二莊主，請問那沈大莊主，是否已得到禁宮之鑰？」

周兆龍微微一沉吟，道：「如若大莊主已得到禁宮之鑰，那也不用在這山谷中摸索數年了。」

宇文寒濤道：「如若沈大莊主，未得到禁宮之鑰，何以能知禁宮在此？」

周兆龍道：「詳細內情，在下亦不清楚，好像是大莊主從一個人的口中聽到一點內情，說那禁宮就在此地，那時大莊主還在練功期間，但卻親自趕來勘查兩次……」

宇文寒濤點點頭，道：「這深谷形勢，表面看去，並無什麼奇怪之處，但卻雄奇暗藏，龍脈隱伏，如非行家，卻是不易瞧出，大莊主派遣工人來此，足見已看出此谷形勢了。」

周兆龍四顧了一眼，道：「在下怎的瞧不出來呢？」

宇文寒濤微微一笑，道：「如若區區能指說一、兩點特異之處，二莊主就不難覺其怪異了。」

蕭翎站在一側，凝神傾聽兩人談話，心中暗道：這宇文寒濤自號璇璣書廬主人，看來倒非是不學無術的人，只可惜文人無行，竟然和沈木風等爲伍，自甘淪入魔道。

心中念轉，雙目卻瞧著那宇文寒濤舉動。

只見宇文寒濤揚起右手，指著那一線噴泉上面的崖壁，道：「二莊主請仔細看，那泉山崖壁有何奇異之處？」

蕭翎順宇文寒濤的右手望去，只見上面一片光滑的崖壁，色呈暗紅，極是悅目，除此之外，再也瞧不出有何不同之點。

但聞周兆龍說道：「宇文兄，那崖壁除了色澤悅目之外，在下實在看不出有何可疑之處？」

蕭翎心中暗道：好啊！原來他也瞧不出來。

宇文寒濤道：「二莊主稍微留心一些，當可瞧出那一片山壁，和這深谷中其他的石壁都不相同，是嗎？」

蕭翎心中一動，暗道：我怎生這樣無用，這樣簡單的事，竟然是瞧不出來。

周兆龍嗯了一聲，道：「除此之外呢？」

言下之意，顯是對宇文寒濤的解說不大滿意。

只聽宇文寒濤接道：「這事看來簡單，事實上卻是重要得很，在下雖還未登上石壁細看，但大致不會錯，那片崖壁的外層，有著巨大的變化……」

周兆龍道：「什麼變化呢？」

宇文寒濤道：「這又是學問了，這谷中石岩，多屬花崗，雖然堅硬如鐵，但如能找出紋脈，卻又極易採取，只可惜辨認紋脈不是易事，非此能手，很難找得出來……」

語聲微微一頓，道：「如若在下的料斷不錯，若干年前，那一片斷崖，並非是如此光滑，而是巨岩突立，和其他之處的崖壁一般……」

周兆龍自作聰明地接道：「是了，宇文兄之意，可是說那壁上突出巨岩被人工鏟去，是嗎？」

宇文寒濤沉吟了一陣，道：「如若那崖壁上有兩處突岩斷去，稍有閱歷之人，就不難瞧出，但如把那一片崖壁上的突崖用人工鏟去，反不易被人發覺了……」

語聲微微一頓，伸手指著那聳崖下一片巨石，接道：「如若那壁上突岩是人工鏟落，那被鏟落的一片突岩，就會落在岩下小潭旁邊，不過，在下無法斷言鏟落突岩之人，是有意還是無意，也無法料定那人鏟下突岩的用心何在。」

周兆龍喜道：「照宇文兄這麼說來，那禁宮就在這附近了。」

宇文寒濤道：「這個，在下就不敢斷言了，這深谷之中，如若真有禁宮，在下自信在十天半月之內，就可能找出建築之處。」

周兆龍點點頭，道：「宇文兄說得是。」

顯然，周兆龍已爲宇文寒濤胸中所羅博廣學問折服。

宇文寒濤突然回顧了百里冰一眼，舉手一招，道：「你過來！」

百里冰依言行了過去，閉口不言。

蕭翎一提真氣，暗作戒備，生恐百里冰一開口，露出馬腳。

哪知百里冰直行到宇文寒濤身前數尺，竟是不發一言。

宇文寒濤伸手指著那一線噴泉，道：「你到那噴泉旁側，敲一塊石頭下來。」

百里冰神色木然地轉身向崖壁行去。

蕭翎暗暗吁一口氣，道：這冰兒果然聰明，她心中知曉很難學得男子口音，索性就不說話。

周兆龍突然把目光轉注到蕭翎身上，道：「這兩人以後不用做工了，聽候宇文先生差遣。」

潘龍欠身應道：「屬下遵命。」

那一線噴泉，距地雖有四丈多高，但其間岩石突立，攀登並非難事，以百里冰輕功而言，不需兩個飛躍即可登上，但她卻手足並用，緩緩攀登而上。

蕭翎心中大悅，暗道：看來，冰兒應變的智慧，實不在我之下。

留神看去，只見宇文寒濤雙目神凝，一直瞧著百里冰，不禁心中一動，暗道：宇文寒濤已對冰兒動了懷疑不成？此人果非是不好對付的人物。

百里冰爬到那一線噴泉旁側，就地取了一塊山石，敲下一片突岩，又緩緩爬了下來。她舉動沉著，始終是不慌不忙，宇文寒濤雖然全神全意地察看，也是瞧不出一點可疑。

百里冰手執一片岩石，回到宇文寒濤身側，恭恭敬敬地遞了過去。

宇文寒濤伸手接過，把在掌心之上，在日光下仔細瞧著。

小小一片岩石，但那宇文寒濤卻如鑒賞明珠、珍畫，翻來覆去地看，足足有頓飯工夫之後，才轉眼望著周兆龍，道：「沈大莊主一定會來嗎？」

周兆龍道：「一定會來，而且就在一、兩天內。」

宇文寒濤道：「在下心中還有幾點可疑，如若能夠求證明白，或可不負周兄和大莊主的厚望了，兄弟此刻在山谷走動一陣。」

蕭翎心中暗道：聽他口氣，似是已成竹在胸了。

宇文寒濤目光一掠蕭翎和百里冰，道：「你們兩位跟我來吧！」

潘龍突然一橫身，攔住去路，道：「這兩人在谷中都是工人身分，那守護谷口之人，不會認識他們，再則他們也不知道聯絡的暗號……」

宇文寒濤道：「這麼說來，那是非你帶路不可了？」

潘龍道：「不錯，如若二莊主不和先生同行，只有在下替先生帶路了。」

宇文寒濤笑道：「那你就留下吧！」

潘龍目注周兆龍，不敢作主接言。

周兆龍微微一笑，道：「宇文先生是咱們百花山莊的貴賓，此番深入荒谷，亦是爲了咱們百花山莊的事，你們要好好的侍候。」

潘龍一抱拳，道：「屬下遵命。」

周兆龍微微一笑，道：「宇文兄勘查谷中形勢，兄弟不奉陪了。」

宇文寒濤道：「周兄請便。」

目光轉注到潘龍的臉上，接道：「我們由東面入谷，已經大約的瞧過了來路形勢，你現在先帶我瞧瞧西面情形。」

潘龍道：「在下帶路。」當先向前行去。

宇文寒濤提起描金箱子，緊隨在潘龍身後而行。

蕭翎以目示意，讓百里冰走在宇文寒濤的身後，自己卻落後一丈隨行。

他一臉病容，別人只道他身體不適，落後而行，自是不會引起他人的疑心。

蕭翎心中最擔心之事，就是怕那潘龍中途變卦，毀去承諾，暗中把內情告訴周兆龍和宇文寒濤，是以，時時刻刻留心著潘龍的舉動。

哪知潘龍在舉動、言詞之間，竟是有意地替自己遮掩。

潘龍帶路而行，走約數十丈，沿山谷折向北去。

轉過一個彎子，谷底形勢，忽然一變。

極目荒草，深及腰際，連綿數十丈，又折向西面轉去。

蕭翎心中一動，暗道：好一處隱身之地，今宵設法招來中州二賈，隱身在此荒草之中，也好多兩個接應的人。

但聞潘龍說道：「宇文先生，這山谷地質很是奇怪，似是每一段都不相同，轉過前面那處小彎，谷底成了一片沙石之地，寸草不生。」

宇文寒濤放下手中的描金箱子，道：「好地方啊！看來是不會錯了。」

他有感而發，自言自語，但蕭翎卻聽出他言中之意，心中暗道：看來這人果然是讀書不少，尤其對地質方面胸羅甚博。

但這座幽谷，確也是怪異得很，似是每一段都有著不同的地質，那巧手神工包一天選擇此地，建築禁宮實非無目的了。

只見宇文寒濤放下手中木箱，盤膝坐了下來，打開箱子，取出了紙、筆，以箱作案畫了起來。

蕭翎很想瞧瞧他畫的什麼，但恐怕行得過近，引起他的疑心，只得遠遠站著望去。隱約可見，宇文寒濤在那紙上，畫了一個小峰，下面是很多數字。

足足過了一個時辰之久，宇文寒濤才站起身子，道：「這深草之中，有路可以通行嗎？」

潘龍道：「這亂草雖深，但卻不生蟲蛇，毫無危險。」

宇文寒濤道：「好，你走在前面帶路。」

穿過了數丈深草，景物果又一變。

但見黃沙一片，蔓延開去。

這情景，有如大漠景色，只是具體而微。

蕭翎心中暗道：想不到，這座山谷之中，景物如此多變。

但見宇文寒濤取出一個布袋，抓起兩把黃沙，放入袋中，道：「過去這黃沙路，是何景物？」

潘龍道：「走完黃沙，是一片白色卵石。」

宇文寒濤道：「走完那卵石呢？」

潘龍道：「又是一番景色，綠草如茵，山花芬芳。」

宇文寒濤道：「再往前走呢？」

潘龍道：「草色漸枯，直達盡處。」

宇文寒濤道：「那盡處又是何等景物？」

潘龍道：「一道絕壁攔路，把山谷截作兩斷，那一面就是武夷山中有名的萬蛇谷了。」

宇文寒濤沉吟了一陣，道：「你去替我取兩塊白卵石來，再替我採一些小花、枯草。」

言罷，放下木箱，盤膝閉目而坐。

他似是十分疲累，片刻間，已然進入禪定之境。

潘龍回顧蕭翎和百里冰一眼，道：「兩位好好的侍候宇文先生。」轉身急奔而去。

等候了半個時辰之久，潘龍才急急奔回，手中分執著山花、枯草，和一塊白色山石。

蕭翎見他停下身子之後，仍然喘息不停，顯然是這一段路，並非很近。

潘龍看那宇文寒濤，閉目而坐，也不敢出言驚擾，只好在一旁等候。

又過了半個時辰左右，宇文寒濤才緩緩睜開雙目，望了潘龍一眼，道：「辛苦了。」

伸手接過白石、山花、枯草，放入木箱之中。

只聽宇文寒濤說道：「潘兄，在下有數事請教，不知潘兄是否願意相告？」

潘龍有些受寵若驚，急急欠身，說道：「不敢當，宇文先生下問，在下是知無不言。」

宇文寒濤道：「諸位在這谷中數年之久，一半工人累死，那工程定然很艱苦了。」

他問得十分技巧，意圖難明，不露痕跡。

潘龍道：「我等一切遵照大莊主的指示施工。」

宇文寒濤道：「大莊主如何指示？」

潘龍道：「大莊主的意向，選擇四處山壁，分頭動工，進入山腹，而且不許外人瞧到。」

宇文寒濤道：「各位工程進度如何？」

潘龍道：「動工時，尙稱順利，但山壁越來越是堅硬，有如銅澆鐵鑄一般，鐵錘鋼釺，擊在岩石上，火花亂冒，擊落的不過是拳頭大小一塊……」

宇文寒濤微微一笑，接道：「這幾座山峰，都是堅硬無比的花崗岩石，如是不諳地質，自是不易擊破堅岩。」

潘龍道：「所以，我等工作了數年之久，仍是無大進展。」

宇文寒濤緩緩站起了身子，道：「好，咱們今日就談到此處爲止，以後在下想到什麼，再行請教潘兄。」提起木箱，轉身向來路行去。

潘龍緊跟在宇文寒濤身後，蕭翎和百里冰卻故意落後了一丈多遠。

行入草叢中時，蕭翎利用傳音入密之術，低聲對百里冰道：「冰兒，那中州二賈現在何處？」

百里冰道：「在我住的店房之中。」

蕭翎道：「今夜之中，你仍從密道登上峰頂，要他們改著工作裝束，潛入谷中，藏入這片草地之中。」

百里冰道：「那位段文升呢？」

蕭翎道：「處理那人，倒是有點困難，咱們不能殺他滅口，但留在姻緣峰上，只怕要被沈木風的屬下抓去，他如受刑不過招出咱們行蹤，那就壞事了。」

百里冰正待接口，突然一陣尖厲哨聲傳了過來。

宇文寒濤突然停下腳步，道：「這是什麼聲音？」

潘龍道：「傳警哨聲。」

宇文寒濤道：「傳警哨聲，是這谷中來了敵人？」

潘龍道：「不錯。」

但聞那哨聲長鳴三聲之後，突然停了下來。

潘龍低聲說道：「三聲哨聲，是緊急傳警，來人已經進入了山谷之中。」

宇文寒濤略一沉吟，道：「但願來的不是蕭翎。」

突然放開腳步，向外行去。

潘龍回顧了蕭翎等一眼，緊隨宇文寒濤身後向前行去。

百里冰暗施傳音之術，道：「大哥，他們似是都很怕你，希望來人不是你，如若他們知道，蕭翎就隨在他身後而行，必然要嚇得驚魂離體不可。」

蕭翎心中正在憂慮來人如是中州二賈，萬一被人生擒，自已勢必要出手相救，那可是前功盡棄，壞了大局。

聽得百里冰傳音之言，心中一動，萬一情勢迫人，我們兩人之中，只有一人留在此地，一人出手。

心中念轉，口中卻說道：「冰兒，那宇文寒濤警覺之心甚高，不可大意暴露了身分。」

說話之時，人已穿過了及胸草叢。

宇文寒濤陡然停下腳步，凝神傾聽了一陣，目注潘龍問道：「哨音已住，情勢如何？」

潘龍道：「大約強敵已被制服。」

宇文寒濤道：「這麼看來，這座幽谷，已然稱不上隱秘了！」

潘龍道：「數年來，從未發生過事故，近日卻連連出事……」

宇文寒濤接口問道：「怎麼？已經有人混來谷中了嗎？」

潘龍說道：「前夜二更，兩個名不見經傳的江湖盜匪，混入谷中，但已全被我們擊斃。」

宇文寒濤道：「只要來人不是蕭翎，那就不難對付了。」

潘龍口齒啓動似想問話，但話到口邊，忽然想到了自己身分，輕輕咳了一聲，忍下未言。

宇文寒濤道：「你有話說？」

潘龍道：「只不知當不當問了！」

宇文寒濤道：「不妨事！」

潘龍道：「聽宇文先生的口氣，似是那蕭翎是一位很難纏的人物？」

宇文寒濤微微一笑，道：「何止是難纏，簡直是厲害得很，沈大莊主，是何等英雄人物，但遇上蕭翎，亦不禁有些心頭發毛，百花山莊，在江湖上所建立的威望、分舵，大都被那蕭翎挑去，目下武林中各方豪雄，敢與百花山莊爲敵，大都是受了蕭翎的行動鼓勵，斯人也，已成了武林中反抗百花山莊的主帥人物。」

潘龍道：「宇文先生可曾見過那蕭翎本人嗎？」

宇文寒濤道：「自然見過。」

潘龍道：「宇文先生可否說出那蕭翎形貌、模樣，在下日後見過，也好小心一些。」

宇文寒濤道：「說了，你也不信……」

語聲微微一頓，接道：「不止是你了，就是區區，如非親見親歷那諸般事蹟，別人說來，在下亦是不信。」

潘龍奇道：「爲什麼呢？宇文先生一言九鼎，出自先生之口，在下豈有不信之理？」

宇文寒濤道：「好！咱們不用早回去了，索性在這裏聊聊吧！」

放下木箱坐了上去，接道：「那蕭翎今年尚不足二十歲，但其武功之高，連那大莊主也對他有些頭疼……」

頓了一頓，接道：「大概是在一年前，蕭翎剛出現於江湖之上，那小子不但劍術精絕，而且武功博雜，拳掌、輕功、暗器、指風，無不卓絕，最奇的是，他先和百花山莊爲友，一度當了百花山莊的三莊主，但很快的，卻又變成百花山莊的對頭，甚至沈大莊主費心搜羅的江湖高手，也被他打得七零八落，短短半年間，百花山莊的威名大受挫折，也由於那蕭翎的出現，激起了江湖上抗拒百花山莊的風潮。」

潘龍道：「說了半天，先生還未說出那蕭翎模樣？」

宇文寒濤淡淡一笑，道：「年不過弱冠，儒雅俊美，風度翩翩，論形貌，爲當今深閨少女夢寐以求的情郎化身，不識他的人，決然想不到，那樣一位俊雅少年，竟然是身懷絕技、名動江湖的人物。」

潘龍聽得心中怦怦亂跳，不自覺地望了蕭翎一眼。

但聞宇文寒濤接道：「潘兄，這些事，你如問那周二莊主，他決然不會給你說了。」

潘龍道：「先生折節下交，潘某人不勝榮寵之至。」

宇文寒濤道：「區區早已把潘兄看成一位朋友了。」

蕭翎心中一動，暗道：此人一向陰險，最善心機，這番大費口舌，籠絡潘龍，必有用意。

潘龍欠身說道：「潘某得宇文先生垂青，何幸如之。」

宇文寒濤道：「言重了，咱們平行平坐，道義論交……」

語聲一停，接道：「兄弟也有一件事，想請教潘兄。」

潘龍道：「在下知無不言，言無不盡。」

宇文寒濤道：「那很好，區區之意，是請教潘兄在這谷中數年之久，有些什麼發現？」

潘龍道：「這倒是有幾樁可疑的奇事。」

宇文寒濤道：「潘兄請說，兄弟洗耳恭聽。」

潘龍道：「大約是一年前吧，在下等在一座小洞之中，發現了一柄形式很古怪的短劍……」

宇文寒濤接道：「那短劍現在何處？」

潘龍道：「已由沈大莊主取回。」

宇文寒濤無可奈何地說道：「好吧……你說那短劍的形式吧！」

潘龍閉目沉思，似在搜尋記憶中那短劍的形式，良久之後才睜開眼睛，說道：「一年多了，在下已然記憶不清，約略而言，那短劍大約有一尺二寸左右，三指寬窄，劍鞘色呈深紫，不知是何物鑄成，堅硬無比。」

宇文寒濤低聲誦吟，道：「紫色劍鞘，天下名劍中……」

抬頭望了潘龍一眼，自轉話題，接道：「那鞘中之劍，是何形式？」

潘龍道：「在下只瞧到那帶鞘的短劍，而未見過鞘內劍式，因爲那劍身和劍鞘連結得堅牢無比，在下無法打開。」

宇文寒濤道：「那劍柄之處，可有機簧？」

潘龍道：「在下找得很仔細，整個的短劍，都已找過，但卻未找到那開啓劍鞘的機簧，生似那劍鞘和劍身連鑄在一起般。」

蕭翎心中暗自奇怪，道：一柄短劍，有何出奇之處，這宇文寒濤何以會苦苦追問呢？

但聞宇文寒濤說道：「潘兄可曾在那劍鞘之上發現什麼，諸如字跡與花紋。」

潘龍道：「如非這一問，在下真還忘了，那劍鞘之上，刻著一個似龍非龍的圖畫，在下孤陋寡聞，也不知那花紋代表什麼。」

宇文寒濤眉目間閃掠過一抹驚異之色，道：「在那似龍非龍的圖畫之中，可刻有一人像嗎？」

潘龍沉吟了一陣，道：「似是個人首形狀……」

宇文寒濤接道：「沈大莊主看到那短劍之後，說些什麼？」

潘龍道：「把玩一陣之後，就收入懷中。」

宇文寒濤不再多問，流目四顧了一眼，道：「久久不聞傳警哨聲，想是那入谷之人，已經爲我們所傷了。」

潘龍搖搖頭，道：「沒有。」

宇文寒濤已然站起身子，舉步欲行，聞言突又停了下來，道：「潘兄怎知來人尙未授首呢？」

潘龍道：「咱們這谷中訂有信號，如是那人早已授首，或是被擒，另有信號傳出，免得谷中之人，仍在到處找覓。」

宇文寒濤道：「目前的情況呢？」

潘龍道：「敵蹤雖已發現，卻又爲他兔脫，仍未搜尋出來。」

宇文寒濤道：「這道山谷，雖然遙長，但就在下入谷所見，形勢並非複雜，何以竟搜尋不出敵蹤來呢？」

潘龍道：「不論來人武功如何高強，但也無法逃過我們精密的搜查，大約再過片刻，定會有消息傳來。」

宇文寒濤突然回望了蕭翎和百里冰一眼，道：「如若來人混入那些工人群中，豈不是很難搜查出來嗎？」

蕭翎吃了一驚，暗道：這人果然厲害，此後要對他留心一些才是。

潘龍似是心中甚爲不安，輕輕咳了一聲，道：「咱們到前面看看如何？必要時，也好幫他們搜查入谷之人的行蹤。」

宇文寒濤心中本無意進入谷中相助搜尋強敵，但潘龍這麼直截了當地說，自是不好再行推託，只好提起箱子，道：「潘兄說得不錯。」大步向前行去。

潘龍搶前一步，道：「在下給先生帶路。」

蕭翎快行兩步，追隨在百里冰身後，施展傳音之術，道：「冰兒，不知何人進入了谷中，如是被咱們碰上，你要沉得住氣才行。」

百里冰回眸一笑，點點頭，快步向前行去。

幾人行不過六、七丈遠，突然鏘鏘三聲金鐵相擊之聲傳來。

宇文寒濤一皺眉頭，道：「這是什麼信號？」

潘龍道：「緊急應變之訊，來人十分棘手，已然傷了谷中之人，已有三人受傷或是死亡。」

但聞金鐵相擊之聲，聲聲相接，傳了開去。

宇文寒濤道：「那金鐵相擊之聲，就由左近傳出，那是說傷者或屍體，就在左近發現了。」

潘龍道：「不錯，就在二十丈內。」

說著話，人已放腿向前奔去。

轉過一個山彎，果見三個黑衣勁裝大漢，手中執著兵刃，環繞著三具屍體而立。

潘龍、宇文寒濤，加快腳步，奔了過去。

蕭翎不敢過於逼近，遙站在七、八尺遠，凝目望去，想瞧出三人死傷在什麼兵刃之下。

哪知宇文寒濤所站的位置，正好擋住了蕭翎的視線，竟無法瞧到。

但聞宇文寒濤問道：「發現了敵蹤嗎？」

三個黑衣大漢中，有一個欠身應道：「敵人入谷時，被我們埋伏的暗樁發現，傳出警訊，我等立刻追趕，但敵蹤已失，大約已被這三位兄弟發現，來人才施下毒手傷了三人。」

宇文寒濤蹲下身子，仔細地瞧過三具屍體一眼，道：「兩個傷在暗器之下，一個傷在內家重手法之下……」

目光轉到那答話的黑衣大漢臉上，道：「你瞧到了來人沒有？」

那大漢神情尷尬地說道：「在下聞警追趕，但卻晚了一步，只瞧到兩點人影，未能瞧出面貌。」

宇文寒濤道：「那周二莊主呢？」

那黑衣大漢應道：「帶著三大監工追查敵蹤去了。」

宇文寒濤不再多問，舉步向前行去。

潘龍低聲說道：「三位請把三具屍體埋了。」

不再理會三人，舉步追上宇文寒濤，緊隨身後而行。

蕭翎、百里冰，他兩人始終保持著六尺以上的距離隨行。

只見宇文寒濤突然加快腳步，直向來路奔去。

十五　秘谷傳警

不大工夫，已到那一線噴泉潭的側旁。

蕭翎一路上流目四顧，竟然未再見到一個人影。

小潭旁側，出奇的寂靜，毫無搜尋敵人混亂情景。

只聽宇文寒濤說道：「潘兄，那混入谷中的強敵還在嗎？」

潘龍道：「在下一直未聽到強敵離谷的信號。」

宇文寒濤目光轉動，四顧一眼，道：「如若那敵人還在谷中，自是躲起來了，咱們由西方而來，一路未見敵蹤，卻見自己人的死亡屍體，看來，這谷中的佈置，十分馬虎，根本談不上嚴密二字。」

兩人談話之間，瞥見周兆龍急步奔了過來。

宇文寒濤緩緩站起身子，道：「二莊主，找到混入谷中的人了嗎？」

周兆龍搖搖頭，道：「仍在搜尋之中……」

語聲微微一頓，道：「看來，山中隱秘，已然外洩，唉！但望大莊主能夠早些趕到。」

蕭翎心中暗道：沈木風才智武功，無不過人，反使屬下一個個都顯得怯弱無能。

但聞周兆龍接道：「宇文兄，可曾找出一些頭緒嗎？」

宇文寒濤道：「在下已然算出了點眉目，這山谷中的形勢、地質，十分奇怪，堅岩、黃沙、肥土、水脈，無一不備，綜觀這數十里山谷地質，如同行千萬里路、絕無僅有的奇蹟，在這片山谷短短數十里中，卻有著千萬里般的地質變化。」

周兆龍目光轉動，一觸水潭，失聲而叫道：「那是什麼？」

宇文寒濤凝目望去，只見那小潭中，碧綠的水波內，有一點晃動的紅影，載沉載浮。

蕭翎遠站在七、八尺外，無法瞧見水潭中的情形，聽到周兆龍呼叫之聲，心中大為焦急，但卻不便行上前去瞧，只有從他們談話中，聽出一點眉目了。

但聞宇文寒濤道：「似條久年的鯉魚。」

周兆龍目光轉注到潘龍的身上，道：「平常之日，可見過潭中的紅影嗎？」

潘龍道：「屬下從未見過。」

周兆龍點點頭，道：「宇文兄……」

只見宇文寒濤雙目凝神，注視著潭中紅影，竟未聽到自己之言。

突然間，碧波中翻起一個水花，那晃動的紅影，隨著消失不見。

宇文寒濤忽的伏下身子，左耳著地，閉上雙目，很用心地聽著。

足足過了一盞熱茶工夫之久，才站起身子，雙手拍了一拍，道：「這小潭有些奇怪，這潭前地下，似是有一股地下水脈，那是應該和這潭中之水關連一起，但聽起來，卻是漠不相關……」

只聽一陣沉重的步履之聲，傳了過來。

回頭望去，只見那缺了一耳的老者，步履緩慢地行了過來。

任何人一眼間，都可瞧出情形不對，那老者似是受了很重的內傷。

周兆龍一揮手，道：「潘龍快去扶他過來。」

潘龍應聲奔了過去，抱起那白髯老人，奔回到周兆龍的身側。

宇文寒濤沉聲說道：「不要說話。」

右手揮動，連點了那老者身上兩處穴道，才伸手打開了描金箱子，取出兩粒藥物，讓那老者服下，道：「待藥行開，穩住傷勢之後，再說話不遲。」

那白髯老者瞪了宇文寒濤一眼，閉上雙目。

蕭翎暗道：不知是否是中州二賈，這一來，恐怕要壞了事了。

但聞周兆龍低聲說道：「宇文兄，他能夠撐得過嗎？」

言下之意，大有不用顧惜其人的生死，先問明內情要緊。

宇文寒濤神情肅然地說道：「他強運內力，支持著行到此處，已經是將要力盡氣竭，如不早把他傷勢穩住，他很難支持著說明經過。」

蕭翎暗中觀察，發覺那周兆龍神色十分惶急，但卻盡力矜持，保持著鎮靜。

約等一頓飯工夫之久，宇文寒濤才伸手拍活了那老者身上兩處穴道，道：「二莊主可以問話了。」

周兆龍早已等得不耐，急急接道：「你遇了敵人嗎？」

那白髯老人應道：「來人是一男一女……」

周兆龍怔了一怔，道：「一男一女，那八成是蕭翎了。」

宇文寒濤對蕭翎亦是有著很深的畏懼，臉色一變，道：「那男子是何模樣？」

白髯老人道：「二十左右，身著藍色勁裝，身插寶劍，武功奇高……」他一連說了幾句，累得喘息不停。

宇文寒濤待他喘過氣，才接著問道：「那女的呢？」

白髯老者道：「綠衫、綠褲、綠巾包頭，生得十分美豔，也是用一柄長劍。」

宇文寒濤望了周兆龍一眼，欲言又止。

周兆龍輕輕咳了一聲，鬆弛一下緊張的神情，道：「你們在何處和他相遇？」

白髯老者道：「距此不過數十丈。」

宇文寒濤和周兆龍都不覺地流目四顧了一眼，周兆龍才重重咳了一聲，道：「怎不聞你們動手和求救呼叫之聲？」

白髯老者道：「可以算沒有動手……」

周兆龍接道：「沒有動手，你怎會受了如此重傷？」

白髯老者道：「兩人出手太快了，那女的長劍一閃，王、顏二位監工，已然雙雙死在劍下，在下抽出兵刃，還未及出手，卻被那男的拍中一掌。」

周兆龍道：「他爲什麼不殺你？」

白髯老者道：「屬下中掌之後，倒臥地上，大約他已認爲我死了，就未再管我。」

周兆龍道：「你瞧到他們行向何處？」

白髯老者道：「似向西方行去，屬下重傷後，雙目昏花，已瞧不清楚。」

周兆龍長長吁一口氣，道：「這麼看將起來，果然是蕭翎了！」

宇文寒濤道：「他怎會知曉此地呢？」

周兆龍打了一個寒噤說道：「也許是追蹤咱們而來。」

宇文寒濤道：「女的呢？能在拔劍一擊之下，殺死兩大監工，絕不是隨那蕭翎私奔的金蘭、玉蘭兩個丫頭了。」

百里冰聽他說蕭翎和兩個丫頭私奔，不禁白了蕭翎一眼。

蕭翎看她神態不對，生恐露出了馬腳，急施傳音之術，道：「冰兒，咱們身處敵群之中，不可有絲毫大意。」

但聞周兆龍道：「不錯，不是那個丫頭會是誰呢，四大監工，都非弱手，她能在拔劍一擊之下，傷了兩大監工，那是第一流高手了。」

宇文寒濤道：「嗯！這麼看來，來人又不像蕭翎了。」

周兆龍道：「但望宇文兄料斷不錯……」

目光轉注到潘龍臉上，道：「這谷中還有好手嗎？」

潘龍道：「如論武功，谷中以四大監工最好，屬下等四人中，又屬這位鄧兄最好了。」

那白髯老人道：「潘兄過獎了，咱們四人中，不但是潘兄武功最好，而且潘兄的毒針暗器，也是人所難及。」

周兆龍道：「潘龍，可否速速再招集來幾位高手，咱們向西面搜查……」

潘龍道：「谷中的高手，除了四大監工之外，只有那些分守在各地的衛隊了，他們各有專司，如若下令調動，有強敵入侵谷內，可能要逃過監視。」

周兆龍道：「這麼說來，不能輕易調動人手了？」

潘龍道：「此地伏卡、暗樁，都是由大莊主親自安排的，二莊主如要調動，屬下立刻傳下二莊主的令諭。」

周兆龍道：「如此說來，不用調動了……」

目光轉注到潘龍的臉上，道：「你在這谷中，時日甚久，對谷中佈置，十分了然，以你之見，咱們是否該追去搜尋？」

他雖然覺著來人不是蕭翎，但心中仍是有些害怕，擔心那人萬一是蕭翎時，絕不會放過自己，是以急於自找臺階，也好和宇文寒濤守在一起，蕭翎找上來時，也多個幫手。

要知那宇文寒濤乃客卿身分，周兆龍自是不便下令他，同去追尋蕭翎。

潘龍乃久在江湖上走動之人，稍一思索，已知曉周兆龍的用心，當下說道：「屬下之意，不可擾亂全域，暫時不用搜尋兩人。」

宇文寒濤輕輕咳了一聲，道：「區區亦有同感，搜尋兩人，勢必要調動暗樁和伏卡中高手，那是自亂章法了，這谷中既無珍貴之物，也不怕他們偷走什麼……」

略一沉吟，道：「兄弟已然繪製了山中幾處重要所在的形勢，採集了部分沙石，尚得仔細研究一下，才能向沈大莊主覆命，二莊主既不調集谷中高手，立時追索混入谷中之人，兄弟也好借這些時刻，仔細查看一下搜得之物。」

周兆龍道：「那很好……」目光轉到潘龍臉上，道：「替宇文先生選一處門戶堅牢的石室。」

潘龍道：「二莊主住宿之室，最爲堅牢，室中還有大莊主設計的幾處機關。」

周兆龍點點頭，目光轉到那姓鄧的老人身上，接道：「你的傷勢得宇文先生靈丹妙手療治，已然大見好轉，你去休息吧！」那老者應了一聲，轉身自去。

周兆龍目光又轉到潘龍的臉上，說道：「你就現有工人群中，選出一些武功較高之人，守住谷中要地。」

潘龍欠身應道：「屬下遵命。」

周兆龍道：「宇文兄，咱們去吧！」

兩人並肩而行，進入周兆龍住宿的石洞之中。

蕭翎流目四顧，日光下，只見整個的山谷，寂靜之中，除了自己和百里冰、潘龍之外，再也不見人影。

潘龍目注周兆龍、宇文寒濤的背影消失之後，才緩緩說道：「兩位跟我來吧，暫請到在下的住宿之地坐息，那就可減少甚多露出破綻的機會了。」

百里冰道：「你帶路吧！我們隨後跟著。」

潘龍與兩人，行入了一座石洞之中，回手關上了石門，低聲說道：「兩位之中，可有一位是蕭翎大俠嗎？」

蕭翎回顧了那石門一眼，只見石門關閉甚嚴，不見一點日光透人，外邊縱然站的有人，也是不易聽到。

心念一轉，緩緩說道：「閣下自己想吧！你想在下是蕭翎也好，不是蕭翎也好，但閣下只要不出賣我等，在下等絕不會傷到閣下。」

這座石洞，不過三丈多深，說了兩句，已到盡處。

只見這座石洞中放著一張竹榻，壁間掛著兩柄長劍，和兩把單刀。

潘龍伸手由壁上取過一把長劍，道：「兩位請在此室小息一會兒，在下要去安排一下，至多一個時辰，就可以回來了。」說完舉步而去。

百里冰低聲問道：「可要防他一著嗎？」

蕭翎搖搖頭，道：「不用了。」

只見潘龍打開石門，出了石洞。

百里冰低聲問道：「這谷中形勢、地質，和別的山谷，確是大不相同，那周兆龍說禁宮在此，不知是真是假？」

蕭翎點點頭，道：「大概不會錯了。」

百里冰道：「大哥怎生知道？」

蕭翎道：「我有尋找禁宮的圖案，只要再行求證，就可確定禁宮是否在此，不過，還得設法找到入宮之門，才能進入禁宮。」

百里冰道：「那禁宮有什麼寶貝，爲什麼武林中人，都想進入禁宮瞧瞧呢？」

蕭翎道：「詳細的情形我也不很了然，大約的傳說是，數十年前，中原武林道上，人才濟濟。有十個武功最爲高強的人，彼此比武，爭那武功第一之譽，但交鋒數千手後，仍然無法分出勝負，各人所學武功雖然不同，但都到了登峰造極之頂，剛則蘊柔，柔亦蘊剛，而且每人都已面臨體能極限，也無法超越這一境界，因此都別走蹊徑，希望能有一技之長，勝過群豪……」

頓了一頓，接道：「其中有一人，名叫巧手神工包一天，擅長建築之學，不知他花費了多少時間，建築了一座禁宮，天下十大才子，相約在禁宮比武，但入宮之後，全數被困禁宮之中，無一人再在武林中出現過。」

百里冰聽得大為神往，幽幽說道：「他們困入禁宮中很多年了，不知是否還活在世上？」

蕭翎道：「這就是要探測的隱秘，如論那十大高人的內功成就，活到現在，並非難事，但禁宮深在山腹，能否適人生存，實難預料。」

百里冰接道：「就算找到了那禁宮之門，我們又怎能進去呢？」

蕭翎道：「那巧手神工包一天，在把十大才子引入禁宮之前，似是早有預感，此入禁宮，難再生還，故而留下了一枚禁宮之鑰，只要咱們能夠找到那禁宮之門，了解那禁宮之鑰的用法，那就不難進入禁宮了。」

百里冰道：「那禁宮之鑰現在何處？」

蕭翎正待答話，突聞石門呀然，那關閉的石門大開。

潘龍神色緊張地急急奔了進來。

蕭翎轉眼望去，只見潘龍右臂上鮮血淋漓，濕了半個衣油，右手中的寶劍，早已不見，奔入石門，伸手又從壁上取下一把單刀。

這不過是一瞬間的工夫，潘龍剛剛取下壁上單刀，一條人影已挾著衣袂飄風之聲而至。

蕭翎轉目望去，只見室門口，站著一個手執長劍的藍衫少年。

來人面目英俊、瀟灑，正是那假冒自己姓名的藍玉棠。

藍玉棠目光一掠蕭翎和百里冰，轉注到潘龍的臉上，冷冷說道：「你沒有機會拔出鞘中單刀，我如要殺你，就算你手中有刀，也難接我一劍。」

潘龍手握刀柄，冷冷說道：「你是蕭翎？」

藍玉棠冷漠地說道：「你不用管我是誰，想活命，就要據實回答我的問話！」

潘龍口齒啓動，欲言又止。

但聞藍玉棠冷冷地說道：「此地可是『禁宮』所在嗎？」

潘龍點點頭，沒有答話。

藍玉棠道：「你們找到了『禁宮』沒有？」

潘龍搖搖頭，道：「沒有。但閣下究是何人？」

藍玉棠仰天打個哈哈，道：「你認爲我是蕭翎，那就叫我蕭翎也是一樣。」

百里冰暗暗罵道：這人好不要臉，當著我和大哥之面，竟然還要假冒大哥之名。

這本是她心中之言，但到最後幾個字時，卻不小心發出聲來。

藍玉棠耳目是何等靈敏，百里冰說話的聲音雖小，但藍玉棠已經聽得聲息，冷冷地回頭瞧了百里冰一眼，道：「你說什麼？」

百里冰心中大怒，暗道：好啊！你耀武揚威的欺侮到我的頭上來了。

當下說道：「說你這人不要臉，爲什麼要冒用蕭翎之名？」

藍玉棠臉色一變，冷冷說道：「你認識蕭翎嗎？」

百里冰道：「認不認識，與你何關？」

藍玉棠道：「自然與我有關了。」

突然一揮長劍，寒光一閃，人已欺入室中，劍尖寒芒，分刺向百里冰前胸兩處穴道。他出手劍勢奇快，尤如驚雷閃電一般。

百里冰就地一個翻身，借勢一躍，避開了兩劍。

藍玉棠一見那百里冰閃避劍勢的身法，已知遇上了勁敵，手腕一挫，收回劍勢，冷冷說道：「閣下武功不弱，決非工人身分，請教真實姓名？」

百里冰被他一劍逼的連退了兩、三步遠，心中有氣，當下說道：「你不用管我是誰，但我知道你是冒牌蕭翎。」

藍玉棠聽他聲音清脆，分明是女子口音，不禁一皺眉頭，道：「在下確非蕭翎，但不知姑娘是何來歷，女扮男裝，混入這工人群中？」

百里冰伸手入懷，摸出了一把匕首，冷冷說道：「你不用管我是男是女，咱們還是從武功上分勝負吧！」

蕭翎心知那藍玉棠的武功，非同小可，百里冰真要和他動起手來，未必是那藍玉棠的敵手，自己如若下手干預，恐將暴露身分，驚動了周兆龍等，更是大爲不安……

當下急施展傳音之術，說道：「冰兒，不要和他動手，最好能想個法子，和他訂個暫時互不相犯之約，此時此刻，咱們不能暴露身分。」

百里冰已準備出手還擊，聽得蕭翎之言，只好忍耐下去，眨動了兩下眼睛，道：「你想知道我是誰嗎？」

藍玉棠道：「不錯，在下想來，你可能是那岳姑娘屬下？」

百里冰心中暗道：岳姑娘是誰啊！但他既然提起那岳姑娘，自然對那岳姑娘十分敬畏了，只好暫時冒充一下了。

心念一轉，當下說道：「你猜的不錯啊……」

藍玉棠突然抱拳一揖，道：「在下開罪姑娘，還望姑娘原諒。」

百里冰忖道：好厲害的岳姑娘啊！連她的屬下，都這般受了尊重。

欠身還了一禮，道：「不用客氣了。」

藍玉棠道：「姑娘追隨那岳姑娘很久了嗎？」

百里冰暗道：我見也沒見過那岳姑娘啊！

口中卻應道：「我跟那岳姑娘一年有餘了。」

藍玉棠聞言，輕輕咳了一聲，當下問道：「姑娘經常追隨那岳姑娘身側，可曾聽那岳姑娘提過在下嗎？」

百里冰道：「你叫什麼名字？」

藍玉棠道：「在下藍玉棠。」

百里冰道：「藍玉棠？好像聽那岳姑娘談過。」

藍玉棠道：「唉！那岳姑娘對在下的評斷如何？」

百里冰心中正在為難之間，突然耳邊響起了蕭翎低低的聲音，說道：「冰兒，告訴他，就說對他的評斷還算不壞。」

百里冰略一沉吟，道：「我想起來了，我家姑娘對你的評斷不算很壞。」

藍玉棠正待接言，突聞一陣長嘯之聲，傳了過來。

急急說道：「在下有位同伴隨來，最好別讓她知曉了你的身分……」

目光一掠潘龍，道：「這人是百花山莊中人，可是要把他殺了？」

百里冰搖搖頭，道：「不用了，此時，他已和我們合作，掩護我的身分。」

藍玉棠道：「那岳姑娘一共派來幾個人？」

百里冰一望蕭翎，道：「只有我們兩個。」

藍玉棠道：「好！在下問清楚了，也好免去甚多誤會……」

語聲微微一頓，接道：「在下去攔住那位同伴，不讓她衝入此地，姑娘多多保重了，如有需在下效勞之處，但請吩咐一聲。」

他不待百里冰和蕭翎的答話，轉身一躍，飛奔出石洞而去。

眼看那藍玉棠奔出石門後，蕭翎轉眼望著潘龍，道：「有勞潘兄先把石門關起，在下有幾句話，想和潘兄坦然一談了！」

潘龍略一沉吟，行到那石洞處，關上石門，又加上鐵栓，才大步行了回來，望著蕭翎道：「閣下究竟是何人？」

蕭翎微微一笑，道：「在下姓名，暫時還不能相告，不過，總有一日會奉告潘兄，此刻，在下先想問潘兄幾件事。」
蕭翎道：「那沈木風待你如何？」
潘龍道：「很難說，但百花山莊中人，提起大莊主來，都無不敬畏。」
蕭翎道：「如若此刻，要你背叛於他，你是否有此豪氣？」
潘龍略一沉吟，道：「在下救助兩位，已然是違犯了百花山莊的規戒，罪將亂劍分屍。」
蕭翎道：「這麼說來，閣下已經算背叛了百花山莊。」
潘龍道：「正是如此，兩位身分如被發覺，在下隨時將被處死。」
蕭翎道：「既是如此，潘兄何不棄暗投明，索性背棄百花山莊呢？」
潘龍道：「在下想不出何處有明可投。」
蕭翎微微一笑，道：「只要潘兄有此心，那就行了……」
只聽砰砰兩聲大震，傳了過來，緊接著傳入周兆龍的聲音，道：「有人在嗎？」
潘龍一面點頭，答應蕭翎，一面放腿奔了過去，打開石門。
只見周兆龍和宇文寒濤，連袂行了進來。
宇文寒濤目光一掠潘龍的傷勢，道：「傷得很重嗎？」
潘龍道：「有勞宇文先生下問，在下還可支持。」
周兆龍隨手關上石門，加了鐵栓，道：「你見過來人了？」
潘龍道：「見過了，屬下和他動手，被他長劍所傷。」

周兆龍道：「那人是何模樣？」

潘龍道：「那人年紀甚輕，面目英俊，但手中劍勢卻是凌厲無匹，屬下和他動手，不過兩回合，已傷在了他的劍下。」

周兆龍對潘龍的答覆，似甚滿意，神情嚴肅地說道：「那人曾冒蕭翎之名，在江湖上闖蕩，在不足一年的時光中，揚名武林，以後不知何故，突然失蹤，很少再在江湖之上出現，直待那真的蕭翎出現，江湖很少再見到他。」

說話之間，已然行入石室。

這時，蕭翎和百里冰，早已退在一處壁角，席地而坐。

但聞潘龍說道：「屬下無能，汙了百花山莊的聲譽，恭候二莊主賜罰。」

周兆龍道：「不能怪你，此人武功過高，就是我和宇文先生一齊出手，也未必是此人之敵。」

潘龍道：「多謝二莊主。」伸手拉過兩張木椅。

周兆龍和宇文寒濤，也不客氣，大剌剌地對面坐下，似是有事相商。

但聞周兆龍道：「宇文兄已經算出來了嗎？」

宇文寒濤道：「兄弟已經算出一個大概，不過，困難的是那一股地下水脈，如是一個不好，觸動水脈，洪流湧出，必若排山倒海一般，谷中之人，只怕很難逃出那洪流沒頂之厄。」

周兆龍道：「難道沒有克制的辦法嗎？」

宇文寒濤沉吟了一陣，道：「也許那巧手神工包一天，把禁宮修建於此，就是爲了那道水脈，不解地質奇門之人，很難找到重要所在，了然地質的人，看到那一道水脈之後，不敢別生妄念，生怕觸動了水脈之後，遭洪流沒頂之厄，遂不敢隨便動手，啓探禁宮之秘。」

目光轉到潘龍臉上，道：「谷中工人之中，可有武功高強之人嗎？」

潘龍應道：「初入此谷之時，工人之中，的確有幾位身手不凡的人物，如今連做了數年苦工，縱然是真有武功，那也被折磨得不成樣子了。」

但聞宇文寒濤說道：「據兄弟研判所得，啓開那禁宮之門，並不要很多人力，這其間，必有著重要的機關，如是憑仗人多力大，一味蠻幹，勢必破壞水脈不可，如若那水脈遭受破壞，整個的山谷，都將爲洪流淹沒，那時，將永無啓開禁宮之法了。」

周兆龍道：「照宇文兄之言，那是說，必得尋得那禁宮之鑰，才有開啓禁宮之望嗎？」

宇文寒濤道：「如若能尋得禁宮之鑰，那是最好不過，無法弄得禁宮之鑰，亦必得有巧工探測，兄弟之意，是說這開啓禁宮之事，是一件十分細巧的工作，憑仗蠻力，絕難有成。」

周兆龍點點頭，道：「好在大莊主即可趕到，宇文兄如若有把握開啓禁宮之門，大莊主必將會全力防守此谷。」

宇文寒濤道：「把握倒談不上，不過，未得到『禁宮之鑰』以前，兄弟只有一個辦法，可以進入禁宮了。」

只聽砰砰三聲大震，傳了進來。

宇文寒濤道：「什麼人？」

潘龍起身說道：「自己人。」大步行去，開啓石門。

只見一個身著黑衣，背插單刀的黑衣大漢，行了進來，正是谷中的守衛之人。

那黑衣大漢快步行到周兆龍的身側，欠身一禮，道：「見過二莊主。」

周兆龍哼了一聲，道：「強敵怎麼樣了？」

黑衣大漢道：「一男一女，武功高強，縱橫全谷，無人能夠抵拒，谷中守衛之人，已被他們殺傷了十之七、八。」

周兆龍道：「現在呢？」

黑衣大漢道：「兩人突然停止了殺伐，自行退出了谷去。」

周兆龍道：「走了嗎？」

黑衣人道：「此刻已然出谷去了。」

周兆龍道：「那好！你去吧！小心防守，防他們捲土重來。」

那黑衣大漢應了一聲，出室而去。

宇文寒濤目注那大漢背影出室之後，才回顧了周兆龍一眼，道：「二莊主，那假冒蕭翎之人，可是叫藍玉棠？」

周兆龍道：「不錯。」

宇文寒濤道：「那人的武功如何？」

周兆龍道：「拔劍奇快，武功高強。」

宇文寒濤道：「這麼說來，那藍玉棠也是一位極難應付的人物了。」

周兆龍道：「宇文兄不是外人，在下也不必隱瞞了，就今日情勢而言，咱們絕無抗拒來人之能，一個藍玉棠，咱們就未必能夠對付得了，何況他還帶有一位幫手到此，奇怪的是，他們何以會突然由此撤走，這倒使在下有些思解不透了。」

宇文寒濤道：「這等重要之地，沈大莊主何以不派高手來守衛此地？」

周兆龍道：「這數年來，一直未有任何新奇進展，大莊主對此已然有些灰心，故而未再派遣高手來此！」

語聲微微一頓，接道：「此番請宇文兄來此，大莊主用心，也不過想一盡人事，如是宇文兄此番未能查出內情，大莊主亦不再費心血，準備棄置此谷，不再存發覺禁宮之想，卻不料宇文兄此番來到後，竟然是大有收穫，大莊主到此之後，自會審度情勢，再遣高手來守衛此谷。」

宇文寒濤道：「原來如此。」

周兆龍似是突然想到了件重大之事，回顧了潘龍一眼，道：「此地有幾條入谷之路？」

潘龍道：「就在下所知，只有一條。」

周兆龍道：「如若堵死了那一條路，就無人能再衝入谷中來了？」

潘龍道：「是的，兩面削壁千尋，光滑異常，當世第一流的輕功高手，也是不敢涉險而下。」

周兆龍點點頭，道：「好！你傳令下去，要那些沒有死的衛士，全部集中在谷口之處，拒擋強敵入谷。」

潘龍應了一聲，轉身向外行去。

周兆龍目注潘龍出了石門，才回顧宇文寒濤一眼，道：「宇文兄，如若事情順利，幾時可以進入『禁宮』？」

宇文寒濤道：「這很難說，也許要三個月，也許碰巧了，只要片刻時光。」

蕭翎坐在石屋的一角，心中暗暗忖思：此刻我和冰兒突然出手施襲，那是不難一舉把兩人擊斃，或是點中他們穴道，予以生擒，迫那宇文寒濤助我打開「禁宮」，但怕的是那沈木風及時率領高手趕到……

心念及此，暗暗後悔。

此番如若有孫不邪和無爲道長等偕行來此，以幾人的武功，守衛入谷要隘，足可抵抗沈木風等，憑仗禁宮之鑰，或可很快地打開禁宮之門，但此刻卻是不便冒險了。

一時間，心中念頭回轉，既覺良機不再，卻又感不能冒險，只好一個人悶在心中。

只聽周兆龍歎息一聲，道：「如是大莊主能夠早日請宇文兄來，也許此刻，早已揭穿『禁宮』之秘了！」

宇文寒濤微微一笑，道：「就在下觀察山狀形勢所得，這道山谷，確已經過人工改變，不過，那是鬼斧神工的巧妙手段，不諳地質之人，也很難看得出來。」

周兆龍道：「強敵隨時可能重返谷中，大莊主未到之前，宇文兄也無法實地試驗，何不借此時光坐息一會兒……」

宇文寒濤接道：「二莊主請便，在下還要仔細研究一下谷中地質。」

說完，打開描金箱子，取出些石塊、青草、黃土、細沙、花崗岩，排列面前，一面用手敲打，一面用筆記載，全神貫注，極是用心。

突見宇文寒濤抬起頭來，舉手一招百里冰，道：「你過來。」

百里冰心中一震，暗中運功戒備，直對宇文寒濤行去。

宇文寒濤舉起手中一塊花崗岩，說道：「到那小潭附近，再去取一塊花崗岩來。」

說完重又低下頭去，揮筆在紙上寫著。

請續看《岳小釵》之二

臥龍生武俠經典珍藏版 25

岳小釵（一）

作者：臥龍生
發行人：陳曉林
出版所：風雲時代出版股份有限公司
地址：10576台北市民生東路五段178號7樓之3
電話：(02) 2756-0949　　傳真：(02) 2765-3799
執行主編：劉宇青
美術設計：許惠芳
行銷企劃：林安莉
業務總監：張瑋鳳
出版日期：臥龍生60週年珍藏版 2023年2月
版權授權：春秋出版社呂秦書
ISBN ：978-986-5589-90-5
風雲書網：http://www.eastbooks.com.tw
官方部落格：http://eastbooks.pixnet.net/blog
Facebook：http://www.facebook.com/h7560949
E-mail：h7560949@ms15.hinet.net
劃撥帳號：12043291
戶名：風雲時代出版股份有限公司

風雲發行所：33373桃園市龜山區公西村2鄰復興街304巷96號
電話：(03) 318-1378　　傳真：(03) 318-1378
法律顧問：永然法律事務所 李永然律師
　　　　　北辰著作權事務所 蕭雄淋律師

行政院新聞局局版台業字第3595號 營利事業統一編號22759935

國家圖書館出版品預行編目資料

岳小釵／臥龍生 著. -- 臺北市：風雲時代出版股份有限公司，2021.06- 冊；公分（臥龍生武俠經典珍藏版）
ISBN：978-986-5589-90-5（第1冊：平裝）
ISBN：978-986-5589-91-2（第2冊：平裝）
ISBN：978-986-5589-92-9（第3冊：平裝）
ISBN：978-986-5589-93-6（第4冊：平裝）

863.57　　110007335